Adriana Trigiani

Pula nadziei

przełożyła Ewa Penksyk-Kluczkowska

Warszawskie Wydawnictwo Literackie MUZA SA

Tytuł oryginału: ***Milk Glass Moon***
Projekt okładki: *Anna Kawecka*
Redakcja: *Irma Iwaszko*
Redakcja techniczna: *Zbigniew Katafiasz*
Korekta: *Maria Nowakowska*

ISBN 83-7319-548-3

Warszawskie Wydawnictwo Literackie
MUZA SA
Warszawa 2004

Mojemu ojcu
Anthony'emu J. Trigiani

Rozdział pierwszy

Ze wszystkich imprez w ciągu całego roku moja córka najbardziej lubi jarmark Wise County – chyba nawet bardziej niż Boże Narodzenie. Przez ostatnie dwa tygodnie zachowuje się tak nienagannie, jest tak idealna w każdym najmniejszym szczególe (nawet w takich nieprzypisanych jej obowiązkach, jak ścielenie MOJEGO łóżka i pielenie m o j e g o ogródka), że aż się martwię.

Przez otwarte okna jeepa wpada ciepłe sierpniowe powietrze, słodkie od zapachu kapryfolium. I tak jednak nie wytrzymuje ono porównania z perfumami Ivy Lou, których woń wypełnia wnętrze auta za każdym razem, kiedy biorę zakręt. Etta wygląda przez okno, wypatrując znaków drogowych, które w końcu oznajmiłyby, że dojeżdżamy na miejsce. Obrałam krótszą drogę, przez dolinę z Big Stone Gap do Norton. Kiedy zjeżdżamy z gór w półmroku, mijamy Coeburn wtulone w dolinę poniżej, a światła miasteczka mienią się jak kupka szmaragdów. Etta wygładza warkocze i mości się wygodnie na siedzeniu. – Oto nasz plan – oznajmia Iva Lou, rozkładając dodatek specjalny do gazety. – Najpierw jemy. Ja osobiście zamawiam wielkie jabłko karmelowe z orzechami, a jeśli w poniedziałek będę musiała iść do doktora Guesta, to trudno. Jabłka karmelowe są warte morałów.

– Ja chcę niebieską watę cukrową – decyduje Etta.

– A ja hot doga z chili i cebulą – dorzucam.

– Mam mnóstwo pieniędzy – mówi Etta z dumą, przesiewając drobne w portmonetce.

– Poproś tatę, żeby zapłacił za obiad. Zostanie ci więcej pieniędzy na gry losowe.

Etta uśmiecha się i starannie liczy pieniądze, nie wyciągając ich z portmonetki. Widzę banknot pięciodolarowy złożony w malutki kwadracik (jakiś szczęśliwy operator rzutków ma szansę na nie lada gratkę).

– A jeśli go nie znajdziemy? – pyta.

– Znajdziemy.

– Możemy iść prosto do teatru. Wszyscy mężczyźni oglądają próby wyborów Miss Samotnej Sosny, i Jack na pewno też.

– On zbudował scenę – przypominam Ivie Lou tonem „nie zaczynaj znowu".

– To jest powód równie dobry, jak każdy inny. – Iva Lou napotyka moje spojrzenie we wstecznym lusterku i puszcza oko.

Znajdujemy parking pod drzewem górującym nad terenem lunaparku i wysiadamy z jeepa. Iva Lou sprawdza fryzurę w bocznym lusterku po swojej stronie, po czym uśmiecha się do nas, gotowa do wyjścia. Ma na sobie ciemne dżinsowe rybaczki i czerwoną, zawiązaną w talii koszulę w bandanowe nadruki. Kolczyki jak młyńskie koła wychylają się spod platynowych, obciętych na pazia włosów. Nie sposób określić wieku Ivy Lou, w życiu byście nie zgadli, że ma ponad pięćdziesiąt lat. Najlepiej jednak ogląda się ją z pewnej odległości, tak jak obraz, nie podchodząc za blisko, żeby nie zagubić się w szczegółach. Etta patrzy na lunapark beznamiętnie, mija wzrokiem wypłowiałe namioty w paski, otoczone pochodniami jak tort urodzinowymi świeczkami. Uśmiecha się na widok diabelskiego młyna.

– Mamo, przejedziesz się ze mną?

– Pewnie. – Etta wie, że w ostatniej chwili, kiedy już będziemy gotowe wejść na stalowy podest, wyślę zamiast siebie jej ojca.

– Musimy iść na konkurs piękności? – pyta.

– Myślałam, że ci się spodoba.

– Podobają mi się pokazy sukienek. Ale konkurs talentów to coś strasznego. – Etta wzrusza ramionami. Ma słuszność. W zeszłym roku Ellen Tierney, długonoga blondynka reprezentująca Big Stone Gap, zademonstrowała taniec do *Jakże jestem szczęśliwa, czekając na ciebie z ciepłym obiadem*. Kiedy zrobiła wymach nogą, zleciał jej but do stepowania, trafił mężczyznę w pierwszym rzędzie i znokautował go. Ofiarę czym prędzej przewieziono do szpitala i ocucono, ale do końca życia zostanie mu na czole ślad po metalowej płytce. – I nienawidzę tej części z pokazem sprawności fizycznej, kiedy one wychodzą i skaczą w strojach kąpielowych. Każdy mógłby to zrobić.

– Etta, kochanie, nie trzeba mieć wielkiego talentu, żeby dobrze wyglądać w stroju kąpielowym. Z tym się człowiek rodzi. – Iva Lou wzdycha głęboko i prostuje ramiona. – Wiem coś o tym.

– Nigdy nie wystartuję w konkursie piękności – oświadcza Etta.

– Ja też nie. – Obdarzam swoją córkę szybkim uściskiem.

Ławki w teatrze wypełniają się szybko. Przejścia wyłożono sztuczną murawą, scena jest obwieszona girlandami papierowych czerwonych róż; tło stanowi ogromny rysunek drzewa z napisem MISS SAMOTNEJ SOSNY wyciętym ze złotej folii.

Lekcje zaczynają się za kilka tygodni. Nie mogę uwierzyć, że Etta ma dwanaście lat i idzie do siódmej klasy. Moja mama skończyłaby w tym roku sześćdziesiąt sześć lat. Czuję się między nimi dziwnie zagubiona: jeszcze nie stara, a już nie młoda. Myślałam, że macierzyństwo to bezpieczne zajęcie, ale się myliłam. To najmniej stabilna rola na świecie, jedyna, w której twoje umiejętności przez jedną noc mogą zupełnie stracić wartość. I tak to było od początku. Kiedy w końcu połapałam się w karmieniu piersią, nadszedł czas na inne pokarmy. Martwiłam się, że Etta nie przewraca się sama w łóżeczku, ale wkrótce zaczęła raczkować, a potem, zanim zdołałam się zorientować, umiała chodzić. Została uczennicą i myślałam, że jeszcze mnie potrzebuje, ale nagle okazało się, że ma jakieś swoje życie, beze mnie, i że świetnie sobie daje radę. A teraz, jak już nabraliśmy doświadczenia jako rodzina, w której Etta ma swoje obowiązki, ona demonstruje właśnie odkrytą niezależność i swoje zdanie. Na tym, oczywiście, polega macierzyństwo – masz przygotować dziecko do tego, by od ciebie kiedyś odeszło – a jednak nadal się boję wypuścić ją spod skrzydeł. Nie wiem, jak to zniosę, kiedy ona skończy osiemnaście lat i wyjedzie do college'u. Jak to zniosła moja mama? Chciałabym, żeby tu była i przeprowadziła mnie przez te wszystkie zmiany.

– Tata! – Etta macha do Jacka, który odmachuje jej z platformy z boku sceny. Pomaga oświetleniowcowi ustawić reflektory, potem schodzi z drabiny, żeby do nas dołączyć. Mój mąż jest nadal zwinny. Ma na sobie wytarte szaroniebieskie dżinsy i białą koszulkę, która pięknie podkreśla jego siwe włosy. Czasami, kiedy go widzę z daleka, zapominam, że jest mój, i myślę sobie: Jaki fajny facet. Wciąż sprawia, że serce mi szybciej bije – niezły wyczyn po tylu latach. Jego prosty nos i usta są okolone nie przez zmarszczki, ale przez linie dodające charakteru. Cholernie atrakcyjny jest ten mój mąż. Usiłuję nie nienawidzić go za to, że tak pięknie się starzeje.

Zbliża się Otto Olinger, ocierając twarz bandaną.

– Ledwie zdążyliśmy postawić scenę. Co nie, Worley? – Otto zwraca się do swojego syna, który dzięki siwym włosom wygląda jak jego rówieśnik.

– Było ciężko – przyznaje Worley.

– Bo wcale nie myślicie o robocie – odpowiada im Iva Lou. – Jesteście za bardzo zajęci oglądaniem się za dziewczynami.

– Trochę się naoglądaliśmy – uśmiecha się Worley.

Otto wzrusza ramionami.

– Nic nie można na to poradzić, one są takie ładne. Dla mnie tam zresztą żadna kobieta nie jest brzydka, tylko niektóre są ładniejsze od innych.

Jack daje mi całusa i bierze Ettę za rękę.

– Chcesz stamtąd popatrzeć? – pyta ją.

– Taaak!

– Zajęliśmy dla was miejsca.

Odwracam się do Ivy Lou. – Zostajesz?

– A co ty chcesz robić?

– Ja sobie raczej pochodzę.

– No to sobie pochodźmy razem. – Iva Lou odwraca się, żeby wejść na rampę.

– Okej, złapiemy was później. – Jack Mac pomaga Etcie wejść na drabinę. Ona klęczy na platformie, a ojciec coś jej wyjaśnia. Etta słucha i kiwa głową. Nie mogę uwierzyć, że to moje dziecko i że nie boi się wysokości. Prawdę mówiąc, nie boi się niczego – zbłąkanych zwierząt, wystąpień publicznych, chłopców. Ettę interesuje, jak wszystko działa; pod tym względem przypomina swojego ojca. Jest MacChesneyówną do szpiku kości i czasami niełatwo mi to zaakceptować.

– A co my będziemy robić? – pyta Iva Lou.

– Pójdziemy do siostry Claire.

– Kto to, do cholery, jest? Jakaś katoliczka?

– Nie, to wróżka.

– Wudu to nie dla mnie, koleżanko.

– Chodź. Najwyżej zmusi cię, żebyś wypiła napój z oka traszki, i rzuci na ciebie zaklęcie.

Siostra Claire ma mały zielony namiot na uboczu. Przed wejściem stoją dwa składane krzesła. Dziwię się, że nie ma tu kolejki chętnych. Siostra Claire jest dobrze znana w tych stronach; pochodzi z gór Karoliny Północnej, z okolic Greensboro. Pewien sprzedawca leków z Raleigh, który przejeżdżał przez Big Stone, zachęcał mnie, żebym się spotkała z siostrą, jeśli będę miała okazję. Powiedział, że to wyjątkowa osoba, prawdziwa mistyczka. Jestem zaskoczona, kiedy z namiotu wychodzi nas powitać mała, delikatna kobieta około sześćdziesiątki, z twarzą w kształcie serca i skórą w kolorze mocnej herbaty.

– Przyszłyście do mnie? – pyta. – Jestem siostra Claire.

Iva Lou odwraca się i chwyta mnie za ramię. Chce wracać tam, gdzie nikt nie zna przyszłości, nawet sędziowie konkursu Miss Samotnej Sosny.

– Tak, proszę pani. Przyszłyśmy do pani – Iva Lou zabija mnie wzrokiem, poprawiam się więc: – Ja przyszłam. – Mówię z powagą, nie wiedząc za bardzo, jak się zwracać do wróżki.

– Witajcie.

– Myślę, że większość ludzi jest na konkursie piękności – usiłuję wytłumaczyć brak klienteli.

Siostra Claire odwraca się do Ivy Lou i patrzy jej prosto w oczy: – Rozumiem, że czujesz się nieswojo. Ja sama nie lubię, kiedy ktoś czyta z moich kart.

– Naprawdę? – piszczy Iva Lou.

– Naprawdę. To zobowiązanie. Wymaga ślepej wiary. Czasami nawet mnie jej brakuje.

– Nie chodzi o to, że się boję, ja nawet wierzę w przenikanie świata duchowego do rzeczywistego. Rzecz w tym po prostu, że... no, że ja żyję na swój sposób i nie chcę wiedzieć, dokąd to wszystko zmierza.

– Rozumiem.

– Zaczekaj tutaj, dobrze? – Puszczam oko do Ivy Lou i wchodzę do namiotu za siostrą Claire. Skromnie tu – tylko dwa składane krzesła i czerwony stolik z laki. Kabel elektryczny wychodzący z małego generatora biegnie pod jedną ze ścian namiotu do słabej żarówki, zwisającej pod metalowym kloszem. Siostra Claire gestem wskazuje mi, żebym usiadła, potem każdej z nas nalewa szklankę wody. Zajmuje miejsce przy stole i kładzie dłonie na talii kart tarota.

– Jesteś rodowitą Amerykanką – mówię, kiedy ona tasuje karty.

– Czirokezką. Moim przodkiem był wielki wódz Dwie Głowy. Wszyscy Czirokezi tak o sobie mówią – uśmiecha się.

– Ze strony matki i ojca?

– Tak. Ale mam mieszaną krew. Jeden mój dziadek był Afroamerykaninem, a drugi Irlandczykiem.

– Zielone oczy cię zdradzają.

– To prawda.

– Jak odkryłaś, że masz taki dar?

– To nie tyle dar, co sposób bycia. Myślę, że to dziedziczne. Moja matka wróżyła z kart i miała wizje, i ja też. – Przestaje tasować karty i prosi, żebym wyciągnęła jedną. – Jak mogę ci pomóc?

Miałam przygotowaną odpowiedź, miałam mnóstwo pytań o przyszłość, ale nagle brakuje mi słów. – Przepraszam.

– Nie przepraszaj. Przyjrzyjmy się. – Siostra Claire znowu przetasowuje karty i dwanaście z nich wykłada na stół, tworząc okrąg. – Jak masz na imię?

– Ave Maria.

– To niezwykłe imię.

– Zwłaszcza w tych stronach.

– To imię Matki Boskiej. Z imienia osoby wiele można wyczytać.

– Co mówi ci moje?

– Dostałaś je po silnej kobiecie, można nawet powiedzieć, że po bogini. Od dnia narodzin otaczają cię silne kobiety. Masz dużo szczęścia. Jesteś kochana i chroniona i widzę dookoła ciebie wiele kobiet, niemal tworzą ogrodzenie. Twoja matka odeszła?

– Tak.

– Odeszła, ale niezupełnie. Zawsze jest z tobą. – Siostra Claire rozpiera się w krześle i zamyka oczy. – Nosi się na fioletowo.

– Moja matka?

– Tak.

– Pochowałam ją w fioletowym kostiumie. Uszyła go sobie z krepy, którą kupiła w Nowym Jorku. Jej mąż, Fred Mulligan, od czasu do czasu jeździł tam w interesach. Mówiła, że długo nic nie szyła z tej tkaniny, bo jest zbyt piękna, by ją pociąć na kawałki.

– Fred Mulligan nie był twoim ojcem.

– Nie.

– I kiedy dowiedziałaś się o tym, bardzo cierpiałaś.

– To prawda. Ale w pewien sposób było to też dla mnie wielkie błogosławieństwo. Znalazłam we Włoszech swojego prawdziwego ojca i całą rodzinę.

Siostra Claire odchyla się i zamyka oczy. – Twoja matka pokazuje mi dom z wieloma pokojami. Wiesza zasłony w oknach.

– Ona szyła zasłony.

– W pokoju jest chłopiec. Właśnie wszedł. Ma ciemne oczy i kręcone brązowe włosy. Kto to jest?

– To mój syn.

– On umarł? – pyta cicho.

– Tak.

– Był bardzo mały?

– Miał cztery latka.

Siostra Claire się śmieje. – Jaki zabawny. Jest szczęśliwy z babcią. Ona się o niego troszczy. – Otwiera oczy i patrzy na mnie.

Siostra Claire mówi mi jeszcze wiele rzeczy – o mojej pracy, o Jacku, o Etcie. Widzi, jak razem podróżujemy i jak Etta obiera nową drogę, co utwierdza mnie w przekonaniu, że moja córka pójdzie tam, gdzie chce, z moim błogosławieństwem lub bez niego.

– Siostro, jak to jest z przyszłym życiem?

– Co masz na myśli?

– Czy mój syn zawsze będzie miał cztery lata, a moja mama tyle, ile w chwili śmierci? A kiedy ja umrę...

– A jak ci się wydaje?

– Myślę, że oni są w zawieszeniu, czekając na Sąd Ostateczny.

Siostra Claire się śmieje, chociaż ja wcale nie zamierzałam być zabawna.

– To możliwe, ale nie musi tak być. Twoja matka i syn chcą cię uspokoić, że mają się dobrze, dlatego ukazali mi się tak, żebyś ich rozpoznała. To nie zawsze się zdarza.

– Więc oni... oni gdzieś są, tak?

– Lubię myśleć, że gdzieś istnieje ich „wyobrażenie", a ich energia jest wieczna i bardzo możliwe, że wrócą do życia jako inni ludzie, żeby uczyć się nowych rzeczy.

– Oni mogą być tutaj?

– Wszędzie.

– Powinnam ich szukać?

– Nie musisz ich szukać, oni cię znajdą. – Siostra Claire tasuje karty i tym razem układa je w rzędzie. Prosi, żebym wybrała jedną. – A teraz o twojej przyszłości.

Biorę głęboki oddech. – Jestem gotowa.

– Wyznaczyłaś sobie wiele celów. I osiągnęłaś większość z nich. Ale z tego, co widzę, musisz zacząć od nowa. Musisz zdecydować, dokąd zmierzasz, musisz zamarzyć od nowa.

– Zamarzyć od nowa?

– Musisz ponownie odkryć swoje życie, zaplanować, czego chcesz dokonać w jego drugiej połowie. Rozumiesz?

Kiwam głową, ale niezupełnie rozumiem albo nie chcę jeszcze myśleć o reszcie swojego życia. Moja obecna droga jest taka prosta – wychowywać córkę, troszczyć się o męża i dalej pracować. Nie zastanawiam się nad innymi sprawami, chociaż wiem, że to niebezpieczne.

– Siostro Claire? Nigdy nie myślałam o tym, czego jeszcze chcę, ani o tym, co mnie czeka w przyszłości. Ledwie nadążam z teraźniejszością. Jak mam zamarzyć od nowa?

– W ciągu dnia dusza dwukrotnie otwiera się na nowe pomysły. Po raz pierwszy, kiedy się budzisz, w spokoju poranka. Po raz drugi w nocy, w tym nieokreślonym stanie pomiędzy jawą a snem. W tych chwilach poproś swój wewnętrzny głos, żeby cię poprowadził. Intuicja pomoże ci znaleźć odpowiedzi, których szukasz.

– Moja mama mawiała, że wszystkie odpowiedzi są we mnie.

– Miała rację. Problem w tym, że nie ufamy swojemu wewnętrznemu głosowi. Ale on jednak za każdym razem wiedzie nas we właściwym kierunku. Żeby osiągnąć szczęście, naprawdę wystarczy słuchać. – Siostra Claire znowu zgarnia karty.

Płacę jej i szybko powtarzam sobie, co mi powiedziała. Tak dużo mam do przemyślenia. Jestem trochę oszołomiona, że moja mama i syn może mnie szukają, a ja ich nie poznaję. Co dobrego z tego wyniknie? Zapach papierosa Ivy Lou przywraca mnie do rzeczywistości. Siedzi na jednym ze składanych krzeseł przed namiotem, wydmuchując dym.

– Skończyłyśmy – mówię.

– No cóż, kochaniutka, skoro już tu jesteśmy, może ja też skorzystam z kabały. – Iva Lou odwraca się do siostry Claire i grozi różowym palcem. – Ale ostrzegam, siostro, nie mów mi, kiedy umrę, nawet jeśli wiesz. Albo poprawka. Możesz mi powiedzieć, kiedy umrę, jeśli na sto procent będę w pełni władz umysłowych i w moim łóżku będzie leżał młody mężczyzna, święcie przekonany, że jestem lepsza niż galaretka pieprzowa.

Siostra Claire się śmieje. – Jesteśmy umówione.

Wchodzą do namiotu i słyszę, jak szepczą. Siadam wygodnie i rozprostowuję nogi.

Widzę stąd, jak reflektor na konkursie piękności tworzy strumień srebrnego światła na tle czarnych gór. To taki przyćmiony promień, ledwie widoczny, kiedy rywalizuje z diabelskim młynem rozsiewającym smużki różowego brokatu. Góry odbijają dźwięk oklasków, a wilk wyje w nocne niebo; odgłos niesie się po górach, konkurs mógłby być tysiące kilometrów stąd. Jak łatwo jest się zagubić w hałasie tego świata, odkryć, że twoje życie to pogodzenie się z losem, a może rezygnacja? Kiedy znajdę czas, by zrobić remanent? Czy coś mnie jeszcze czeka, czy to już wszystko? Bycie żoną, matką, aptekarką? Co miała na myśli siostra Claire, kiedy mówiła, że muszę raz jeszcze, od początku wymyślić siebie? Kim być? I jak?

Iva Lou wychodzi. Sięga do torebki po kolejnego papierosa. Była w środku dłużej niż ja.

– I co?

– Och, kochana, nigdy nie słyszałam takich dobrych wieści. Siostra Claire jest kopalnią informacji. Mam tylko nadzieję, że zdołam je zapamiętać, żeby później wszystkie zapisać. Wyobraź sobie, jestem orłem.

– To dobra wiadomość?

– Absolutnie. Jestem królewska i opanowana, i tak dalej. Ale za te piętnaście dolców oczywiście powiedziała mi też coś, czego jeszcze nie wiedziałam. A jak tobie poszło?

– Do mnie przyszli mama i Joe.

– Co mówili?

– Nic. Ale jest okej. Pokazali się. Niczego więcej mi nie trzeba.

Iva Lou obejmuje mnie, kiedy kierujemy się w stronę świateł i zgiełku, ale ja nic nie widzę ani nie słyszę. Moje myśli są w domu z wieloma pokojami.

Kiedy już pomogłam Etcie zdrapać z twarzy ostatni niebieski strzępek waty cukrowej, kładę ją do łóżka. Chce, żebym przeczytała kolejny rozdział *Małego szpiega*, ale jest wyczerpana, przekonuję ją więc, żeby poszła spać. Ettę fascynuje historia Harriet, jedenastolatki, która nie bawi się lalkami, tylko ma notebooka i przechadza się po Upper East Side na Manhattanie, śledząc swoich sąsiadów i zapisując ich poczynania. Mała tak często pożycza tę książkę z biblioteki, że zastanawiam się, czy ktokolwiek inny z jej klasy miał szansę ją przeczytać.

– Mamo, pojedziemy kiedyś do Nowego Jorku?

– Jasne. – Patrzę na moją córkę, która jest jeszcze dziewczynką, ale zaczyna wyglądać jak młoda kobieta. Owijam ją kocem. Smutno mi, że wkrótce ten rytuał się skończy.

– Myślę, że by mi się podobało.

– Wielkie miasto? Cały ten hałas i zamęt? – Całuję Ettę i idę do drzwi.

– Byłoby zabawnie i inaczej, mamo – mówi, przewracając się na bok.

Wyłączam światło. Jestem już w połowie drogi, kiedy słyszę jej cichy głos: – Mamo?

– Tak? – Odwracam się i opieram o framugę drzwi.

– Jestem ładna?

– Jesteś.

– Jak oni decydują, kto jest ładny?

– Kto?

– Ludzie. Zobacz, jacyś ludzie decydują, kto jest ładny, a potem traktuje się tę osobę jak najładniejszą i ona zawsze już wie, że jest ładna.

– Nie wiem, Etto. Nigdy się nad tym nie zastanawiałam.

– Zdarza się, że mają rację. Ale czasami wcale mi się nie wydaje, że ta wybrana dziewczyna jest piękna.

– Ty jesteś piękna – wyznaję jej otwarcie i szczerze.

– Dobra – rzuca Etta tonem, który oznacza „żartujesz sobie". Czekam, aż powie coś jeszcze, ale ona milczy, ruszam więc w dół schodami.

Jack robi w kuchni kawę do placka wiśniowego, który kupiliśmy na jarmarku.

– To niesamowite – mówię.

– Co?

– Etta mnie zapytała, czy uważam, że jest ładna. Czy ona nie wie, że tak myślę?

– Może nie.

– Nie mówię jej tego?

– Mówisz jej, że jest inteligentna i że jest uważną czytelniczką, że jest zdolna i tak dalej, ale nie zarzucasz jej komplementami na inne tematy – stwierdza Jack rzeczowo.

– Boże, czy bycie inteligentną nie jest ważniejsze?

– Pewnie. Ale to dziewczyna, Ave.

– Doskonale o tym wiem.

– No cóż, z jedną dziewczyną jestem żonaty od trzynastu lat, drugą wychowuję mniej więcej równie długo, i wydaje mi się, że dziewczętom nigdy dość słuchania, że są ładne, nawet jeśli zajmują je inne rzeczy – uśmiecha się Jack.

– Będę częściej prawić jej komplementy. – To zabrzmiało, jakbym się broniła.

– Nie uważam, że robisz coś źle. Myślę tylko, że Etta wchodzi w nowy etap. Staje się nastolatką. Dzisiaj wieczorem Misty Lassiter powiedziała im wszystko o seksie.

– Co takiego?

– Owszem. Zdecydowała się rzucić bombę.

– O Boże. A skąd Misty zdobyła te informacje?

– Uczy się dwie klasy wyżej od Etty i wiesz... wdała się w matkę. Powiedzmy, że jest nieco nad wiek rozwinięta.

Misty Lassiter jest córką Tayloe Slagle Lassiter, miejscowej piękności. Widuję Misty, kiedy odbieram Ettę ze szkoły. To Panna Smukła, wyższa od klasowych koleżanek, urodzona przywódczyni o blond włosach, uczesanych w doskonałe żółte kitki zawiązane wstążkami, które wyglądają na wyrafinowane, a nie słodziutkie. Przed laty, gdy kierowałam Teatrem pod Chmurką, obsadziłam Tayloe w głównej roli, kiedy miała ledwie piętnaście lat. Nie była wybitną aktorką, ale to nie miało znaczenia; ludzie chcieli na nią patrzeć, na jej delikatne rysy, długie nogi i te oczy, jasne, niebieskie, o ciężkich powiekach. Była taka piękna, że ludzie myśleli, iż zna jakiś wielki sekret, jakąś odwieczną prawdę w niej zrodzoną i obecną w każdym jej ruchu. Tayloe dobrze wyuczyła swoją córkę. Misty jest równie popularna i doskonała jak jej matka. Niezły wyczyn, jeśli się mieszka w małym miasteczku, a zwłaszcza jeśli twoim tatą jest Bo Lassiter (z Lassiterów o niskich czołach, z East Stone Gap).

– Etta ma o wiele więcej zainteresowań niż Misty. Co Misty powiedziała o seksie?

– Wszystko. – Jack nalewa kawę. Siada i kroi placek widelcem.

– A co dokładnie znaczy „wszystko"?

Jack stara się, jak może wiernie naśladować Misty przekazującą dziewczętom tajemną wiedzę.

– „Cóż, po pierwsze, jest mężczyzna. I mężczyzna ma pewną część ciała inną niż kobieta".

– Och, nie. – Nie chcę tego słuchać, ale machnięciem ręki daję znać Jackowi, żeby mówił dalej.

– „I mężczyzna bierze tę część i daje znać kobiecie, że ją ma. Wtedy ona decyduje, czy chce tę jego część, czy nie. Jeśli chce, to się nazywa seks. A jeśli ona nie chce tej części, jest dziewicą".

– Świetnie. – Opieram na dłoni głowę, która zdaje się ważyć tonę.

– Przecież to zabawne.

– Etta ci o tym opowiedziała?

– Podsłuchałem je, kiedy czekały na watę cukrową. Kolejka była długa.

Szkoda, że mnie tam nie było. Dlaczego to Jack był z Ettą, kiedy ją uświadamiano, a ja w jakimś namiocie dawałam sobie wróżyć z kart? Nie tak to sobie zaplanowałam.

– Porozmawiam z Tayloe.

– Po co?

– Niech zabroni swojej córce straszyć dzieci.

– Etta nie jest przestraszona.

– Co to znaczy, że nie jest przestraszona? Kto się nie boi seksu... – przerywam.

Jack patrzy na mnie. Otwieram szeroko usta, ale nie wydobywa się z nich żadne słowo. Jack doskonale wie o moim tak-późnym-że-niemal-straciłam-nadzieję dojrzewaniu. Prawdę mówiąc, myślałam, że ta sprawa nie ma już dla mnie znaczenia, ale dzięki pogadance seksualnej Misty stare poczucie inności i wyobcowania spłynęło na mnie na nowo szalejącą rzeką. Znowu miejscowa stara panna, zawsze miejscowa stara panna.

– Nic dziwnego. – Odcinam kolejny kawałek placka.

– Nic dziwnego, że co?

– Że nie rozmawia o tym ze mną. Może powiedzieć, że nie chcę o tym rozmawiać.

– Masz do tego prawo. – Mój mąż patrzy na mnie z uśmiechem.

– Powinna móc przyjść do mnie ze wszystkim. Ja po prostu nie dostrzegłam znaków. Na miłość boską, ona wciąż rysuje kredkami. To się dzieje za szybko.

– No cóż, napraw to.

– Co masz na myśli?

– Porozmawiaj z nią. – Jack wzrusza ramionami, jakby to było równie proste, jak nauczenie jej gry w warcaby.

Łyknęłam gorącej kawy (Jack zawsze nalewa idealną ilość śmietanki). Zsunęłam mokasyny i położyłam nogi na mężowskich kolanach.

– Chciałabym, żeby na zawsze została dziewczynką.

– Nie ma takiej opcji, kochanie. – Jack ściska moje stopy. Słusznie, nie ma takiej opcji. To jak wyścig opon ze Stone Mountain: jeśli już je puścisz, nie ma odwrotu.

Mamy w aptece wyprzedaż chodnikową. To nic wielkiego, ledwie kilka pożyczonych od baptystów składanych stolików, załadowanych towarem, który się nie sprzedał – bladopomarańczowymi szminkami, truskawkowym kremem do rąk, kartkami pocztowymi starannie ustawionymi w pudełkach po butach. Zaczęłyśmy wyprzedaż od obniżki o pięćdziesiąt procent, ale od piątku będziemy rozdawać towar za darmo. Ludzie o tym wiedzą, czekają więc te kilka dni, ociągają się po lunchu w bufecie, a potem proszą Fleetę o gratisy. Fleeta, w kitlu i obcisłych czarnych legginsach, opiera się o ścianę, żeby zapalić papierosa. Prostuje się i delikatnie dotyka swojego smoliście czarnego koka (wypróbowała najnowszą linię Clairol), by upewnić się, że jest tam, gdzie powinien. Pomachałam jej, parkując na swoim miejscu.

– Pearl jest w ciąży – rzuca Fleeta.

Nie zdążyłam jej poprosić, żeby powtórzyła wiadomość, bo z apteki wychodzi Pearl.

– Fleeta!

– Rozumiem, że to pewnie miał być sekret, ale wiesz, że ja nie potrafię utrzymać języka za zębami. Trzeba było mi go nie zdradzać – mówi Fleeta do Pearl, zaciągając się głęboko papierosem. – Poza tym skoro co rano haftujesz trzy razy, to nie ja jedna w okolicy mam takie podejrzenia.

– To prawda? – pytam Pearl, której uśmiech udziela mi odpowiedzi twierdzącej. – Co na to twój mąż?

– Jest zachwycony.

Ściskam ją. – Który to miesiąc?

– Drugi.

– Fantastycznie.

– Ja tylko nie chciałam nic mówić, dopóki nie będę miała pewności.

Patrzę, jak Pearl idzie z powrotem do bufetu, i teraz, kiedy już wiem, widzę, że jest w ciąży. Przybrała kilka kilogramów, tak jak my wszyscy od czasu do czasu, ale ona przytyła inaczej. Pearl się zmienia. Wypełnia się w talii, chodzi wolniej, czując w kolanach dodatkowy ciężar. Pamiętam kolejne stadia ciąży, dobrze pamiętam. To prawda, że dziecko jest warte tego cierpienia, ale przez całe dziewięć miesięcy czułam się, jakbym wynajęła swoje ciało komuś, kto nie ma żadnego szacunku dla właściciela. Poranne mdłości, które tak naprawdę są mdłościami całodziennymi, pęczniejące piersi, opuchnięte stawy i w moim wypadku – bolący wielki palec, ponieważ musiałam chodzić w zupełnie nowy sposób – pamiętam każdy z tych szczegółów, jakby to się działo wczoraj.

Pearl odwraca się do mnie: – Liczę na twoje porady.

– Och, mam ich całe mnóstwo.

– A co ze mną? – pyta Fleeta. – Wydałam na świat trójkę dzieci, a Pavis rodził się pośladkowo i strzaskał mi kość ogonową jak krakersa. Ja mam mnóstwo porad do udzielenia, zwłaszcza o samym rodzeniu.

– Twoich porad też potrzebuję, Fleeto. – Pearl idzie do kuchni.

– Pavis naprawdę połamał ci kość ogonową?

– Tak, i to był znak, do cholery. Ten chłopak zawsze sprawiał mi tylko kłopoty, ból serca i ból zarówno fizycznej, jak i psychicznej natury. Najpierw zdeptał mi kość ogonową, potem stopy – wiesz, kiedy raczkował – a potem, jak trafił do więzienia, zdeptał mi serce.

– Masz od niego jakieś wiadomości? – Odkąd pamiętam, Pavis siedzi w więzieniu w Kentucky.

– Kiedy ma dzień na dzwonienie. – Fleeta wyciąga spod składanego stolika kolejne pudełko pocztówek. – Ta wyprzedaż to już klapa – mówi, przekładając kartki, jakby były śmieciami.

– Masz złe nastawienie.

– Gdyby to był dobry pomysł, każdy handlarz na ulicy robiłby coś takiego. Nie widać jakoś, żeby Dom Towarowy Mike'a wynosił na ulicę wyroby skórzane albo żeby Zackie wyciągał wranglery. Ale my musimy robić pokaz jarmarcznych bzdetów, których nikt nie kupił przez cały rok. – Zazwyczaj kiedy Fleeta biadoli, widać, że po prostu żartuje, ale dzisiaj jej ton brzmi zupełnie poważnie.

– Coś się stało? – pytam. – Nie jesteś słodka jak zwykle.

– Doktor Daugherty powiedział, że muszę rzucić palenie.

– Znalazł coś?

– Zobaczył plamkę na rentgenie, powiedział, że teraz to jeszcze nic, ale jeśli nie rzucę palenia, przerodzi się w rozedmę płuc. I jestem z tego powodu piekielnie wkurzona.

– Fleeta, to jasne, musisz rzucić palenie.

– Nie potrafię – mówi prosto i szczerze.

– Musisz.

– Wyobrażasz sobie, jaka chodziłabym wściekła? Gdybym nie mogła zapalić, codziennie przed śniadaniem musiałabym zabić troje ludzi.

– Skąd wiesz?

– Skąd? Ave, moje nerwy są w takim stanie, że przez większość dnia się trzęsę. Potrzebuję tego i wyjaśniłam to doktorowi.

– A co on na to?

– Powiedział, że rozumie, ale nie chce też, żebym miała rozedmę. Radził, żebym rzucała stopniowo. Mam palić coraz mniej, odejmując po jednym, póki nie zejdę do jednego dziennie. Jeden papieros dziennie. Wyobrażasz sobie?

– Potrafisz to zrobić. Wiem, że potrafisz.

– Nie poddam się łatwo – obiecuje Fleeta.

Speck Broadwater, Otto i Worley siedzą w bufecie, jedząc danie dnia: gulasz wołowy z bułeczkami i pieczone jabłka. Papieros Specka tli się na spodeczku. Zabieram papierosa w drodze po dzbanek z kawą.

– Hej, co ty wyczyniasz? – wrzeszczy Speck. Poprawia tabliczkę z imieniem na swojej odprasowanej koszuli khaki. Jego nogi, zbyt długie na taborety, rozwieszają się po bokach jak podkłady kolejowe. Speck nałożył żel na swoje gęste, białe włosy. Na skroniach tak lśnią i tak przylegają do głowy, że Speck przypomina mi George'a Jonesa, który słynął ze swojej fryzury równie szeroko, jak ze śpiewania.

– Nie możesz palić. Pamiętasz swój bypass?

– Pięciokrotnie. Nie martw się, Ave. Rzucam.

– Skoro rzucasz, powinieneś świecić przykładem Fleecie. Ona musi rzucić.

– Od kiedy muszę się przejmować Fleetą Mullins?

– Od kiedy poszła do lekarza i powiedział jej, że ma przestać palić.

– Jezu, Ave. Mam dość problemów na głowie. Nie rób ze mnie lekarza generalnego Wise County. – Speck poprawia sobie okulary i sięga po paczkę papierosów.

Zatrzymuję go. – Przychodzisz tu codziennie na lunch. Przyda jej się twoje wsparcie. – Nalewam sobie kawy i przy okazji dolewam Ottonowi.

– Sama potrafię o siebie zadbać, do cholery – oznajmia Fleeta z podłogi. – Nie potrzebuję niczyjego wsparcia.

– Och, Fleeta, wyluzuj.

– Nie mów mi, co mam robić, Ottonie Olinger. To, że jesteś prezesem klubu Gdzie Jest Moja Dupa, zbiegającego się tutaj codziennie na lunch, nie znaczy, że możesz mi wcisnąć każdą bzdurę.

– Co masz na myśli, mówiąc „gdzie jest moja dupa?" – pyta Otto.

– Popatrzcie no na siebie, wy wszyscy. Żaden z was nie ma dupy. Nie mam pojęcia, na czym trzymają się wasze spodnie.

– To się nazywa pasek, Fleeta. – Otto się śmieje.

– Nigdy nie odebrałem żadnego zażalenia na mój zadek – mówi Speck urażonym tonem.

– Ktoś w Lee County jest zbyt miły. Gdyby Twyla Johnson nie kłamała...

Na wzmiankę o kobiecie Specka z Lee County Otto i Worley chichoczą. (Myślałam, że Speck porzucił przyjaciółkę, ale jak widać, chyba nie). Fleeta ciągnie: – ... powiedziałaby ci prawdę: że twój zadek jest płaski i kwadratowy. Tak jakby ktoś wrzucił ci w kalesony telewizor. – Fleeta idzie do kuchni.

– Jest okropnie wściekła – stwierdza Worley, kręcąc głową.

– Jezu, czy ona musi robić takie osobiste wycieczki? – Speck dodaje śmietanki do kawy.

– To może się tylko pogorszyć, chłopcy – wrzeszczy Fleeta z kuchni.

Objeżdżam Johnson City, żeby kupić trochę oliwy z oliwek, której zażyczył sobie Jack. Robi się z niego szef kuchni, jest wybredny w kwestii dodatków i znakomity w swej metodzie. Czasami marzy o otwarciu włoskiej restauracji. Nie bierze pod uwagę, że tutejszych mieszkańców nie pociąga pesto zrobione ze świeżej bazylii; wolą swoją własną kuchnię – bułeczki i pieczone kurczaki z sosem. Poza tym bufet to kres moich możliwości, jeśli chodzi o usługi kulinarne, a serwujemy wyłącznie lunche. Pearl i ja byłyśmy zaskoczone, kiedy zobaczyłyśmy zestawienia zysków z ostatniego roku. Przy stanie miejscowej gospodarki, borykającej się z zamierającym przemysłem węglowym, to dobrze, że Pearl jest taką ryzykantką; bufet okazał się lepszym interesem niż apteka.

Przejeżdżam Wildcat Holler i kieruję się z powrotem do Cracker's Neck, ćwicząc początek rozmowy o seksie, którą zamierzam przeprowadzić z Ettą. Tyle jest do powiedzenia na ten temat, że nie mogę się zdecydować, czy powinnam zacząć od fizyczności i przejść niepostrzeżenie do emocji; czy też najpierw mam zapytać o uczucia i o to, co już wie; a może najlepiej zrobić zebranie rodzinne i zaprosić do dyskusji jej ojca? Niedobrze, że wciągam do tego Jacka. To przecież nie jest takie trudne. Chcę być z córką tak blisko, jak była ze mną moja matka. Ona się mną opiekowała, a ja jej broniłam. Nigdy nie rozmawiałyśmy o seksie, ale czułam, że mogę ją zapytać o wszystko. Prawdę mówiąc, nigdy nie czułam się swobodnie, kiedy pytałam ją o seks, związki albo intymność. Tkwiła w małżeństwie co najmniej nieromantycznym i wolałam nie przypominać jej o tym, czego nie ma. Nigdy nie chciałam wprawiać swojej matki w zakłopotanie, powiedzieć albo zrobić niczego, co sprawiłoby jej ból. Może to jest źródło mojego stłumienia – uczucia, których nie potrafiłam wyrazić. Nie winię jednak za to matki. To był mój wybór.

Kamienistą drogą zbliżam się do domu i widzę na dachu Ottona i Worleya. To Jack zawsze wszystko naprawiał, ale ironia jego kariery w budownictwie polega na tym, że nie ma już czasu niczego tu reperować. (Jak to mówią – szewc bez butów chodzi; cóż, żona budowniczego ma dziury w dachu). Wcale mnie to zresztą nie martwi. Otto i Worley w pobliżu przypominają mi te chwile samotnego życia, kiedy przychodzili do mojego domu w mieście i dbali o wszystko, co wymagało naprawy, nie czekając nawet na pozwolenie. Wyskakując z jeepa, dostrzegam na dachu trzecią postać – moją córkę.

– Etto, co ty tam robisz?

– Pomagam Ottonowi i Worleyowi.

– Zejdź na dół.

– Dlaczego?

– Łażenie po dachu jest niebezpieczne.

– Nie jest – spiera się Etta.

– Ja na nią uważam, panno Ave – mówi Worley, nie podnosząc wzroku.

– Ja też – zapewnia mnie Otto.

– Zejdź, Etto.

Z ziemi Etta wygląda na taką małą. Kiedy ostrożnie pełznie przez dach w stronę okna, przypomina mi się, jak zaczęła raczkować, a ja, zamiast się ucieszyć, że moje dziecko nauczyło się czegoś nowego, przeraziłam się, że teraz będzie się poruszać po świecie beze mnie.

– Etto! Uważaj!

Czubek prawego buta Etty zakleszcza się pod nieprzymocowaną dachówką. Etta próbuje ją podważyć, żeby uwolnić but, ale jest na czworakach i nie może sięgnąć ręką. Próbuje użyć lewego buta jako lewarka, ale trafia w śliskie miejsce i zaczyna zsuwać się w stronę rynny. Otto i Worley rzucają narzędzia i czołgają się do Etty, która jednak pod ciężarem własnego ciała zsuwa się coraz szybciej.

– Ave, dawaj drabinę! Dawaj drabinę!

Drabina stoi przy przeciwległej ścianie budynku. Stoję jak sparaliżowana. Czy zdołam złapać Ettę, kiedy spadnie? Na pewno nie. Krawędź dachu jest na wysokości niemal sześciu metrów, czas mija, a Etta dalej się zsuwa, rozdzierając kurtkę. Przynoszę drabinę i opieram ją o rynnę od frontu – tu stopy mojej córki zwisają nad przepaścią. Worley rzuca się na przełaj przez dach i chwyta Ettę za rękę, co powstrzymuje ją przed upadkiem.

– Na górę, Ave. Proszę wejść na górę i ją złapać – mówi Worley zasapany.

Otto próbuje się doczołgać do Etty, ale boi się też wprawić w ruch cokolwiek na dachu, więc się zatrzymuje. Wbijam nóżki drabiny w miękką ziemię i szybko się wspinam. Czuję się pewniej, kiedy docieram do nóg Etty i mogę jedną chwycić. Etta wydaje się taka krucha w moich ramionach, jak wtedy, kiedy wszystko kontrolowałam, każdy jej ruch, i sama dbałam o jej bezpieczeństwo. Ostrożnie przytulam ją do siebie. Worley puszcza Ettę, kiedy ja już pewnie trzymam ją w talii. Opuszczam córkę na pierwszy szczebel drabiny, osłaniając ją swoim ciałem.

– Dasz radę zejść? – pytam. Etta odpowiada ledwie słyszalnym szeptem i schodzimy po drabinie, powolutku, po jednym szczeblu. Staram się nie patrzeć w dół, ziemia jest tak daleko. Z każdym krokiem, najpierw moim, potem Etty, oddycham nieco lżej. Nim docieramy na dół, Otto i Worley schodzą przez dom.

– Przepraszamy, panno Ave. Myśleliśmy, że z nami jest tam bezpieczna – mówi Otto.

– Już w porządku – odpowiadam. Odwracam się do córki, która przygląda się swoim dłoniom, poznaczonym smużkami krwi w miejscach, gdzie poraniły je dachówki. Wzdrygam się. Nigdy nie mogłam znieść widoku krwi mojego dziecka.

– Chodź, umyjemy się. – Zabieram Ettę do domu i wytrzymuję, dopóki jesteśmy w zasięgu słuchu Ottona i Worleya.

– Co ty sobie, do diabła, myślałaś, Etto? – Nigdy nie słyszała, żebym wrzeszczała tak głośno, cofa się więc o kilka kroków. – Nie wolno ci wchodzić na dach, wiesz o tym. Nie obchodzi mnie, kto i co na nim robi, znasz zasady. Mogłaś spaść i skręcić kark.

– Ale nie spadłam! – naskakuje na mnie.

– Co?

– Nie spadłam!

– Bo masz szczęście. Szczęście, że tam byłam i cię złapałam.

– Tak, oczywiście, mam szczęście, że tam byłaś – mówi Etta z przekąsem.

– Kpisz sobie ze mnie?

– A co cię to obchodzi?

Etta nigdy nie odzywała się do mnie w ten sposób, nie mam pojęcia, jak się zachować. Nie wiem, czy upomnieć ją, że mi pyskuje, czy odpowiedzieć na pytanie.

Etta patrzy mi w oczy. – Nic cię nie obchodzę.

– Skąd ci to przyszło do głowy?

– Nigdy cię nie obchodziłam. – Etta jak burza wypada na schody.

Biegnę za nią. – Zatrzymaj się natychmiast.

Odwraca się twarzą do mnie.

– To, co powiedziałaś, było bardzo okrutne. Oczywiście, że mnie obchodzisz. Ale kiedy robisz coś głupiego, choć wiesz, że nie powinnaś tego robić, nie możesz wykręcać kota ogonem i winić za to mnie. To ty postąpiłaś źle, nie ja.

– Tylko to się dla ciebie liczy. Kto ma rację, a kto się myli.

– Uważaj, jak się do mnie odnosisz.

– Ty tylko nie chcesz, żebym umarła jak Joe. Nic więcej. – Etta trzaska drzwiami od swojego pokoju.

Przez chwilę myślę, że powinnam uszanować jej prywatność, ale gniew bierze górę. Wpadam do jej pokoju. – Co się z tobą dzieje?

Etta siedzi na łóżku. Moje serce pęka i idę usiąść obok niej. Odsuwa się.

– Musimy porozmawiać.

– Nie chcę z tobą rozmawiać. Chcę tatusia.

Kiedy znowu próbuję się do niej zbliżyć, wstaje z łóżka, idzie do starego wyściełanego fotela ze złamaną poręczą i rzuca się na niego, z dala ode mnie. Nigdy nie widziałam u swojej córki emocji tego rodzaju i jestem oszołomiona. Ale czuję się też tak zraniona, że nie wiem, co powiedzieć. Uciekam się więc do swojej zasady bycia konsekwentną. Nie zamierzam uwalniać jej od kłopotów.

– Tata cię dzisiaj nie uratuje. Musisz pomyśleć o tym, co zrobiłaś. I o tym, jak się do mnie odnosisz.

Wychodzę z pokoju i cicho zamykam za sobą drzwi. Idę na dół frontowymi schodami i wychodzę na werandę. Siadam na stopniach, tak jak często o zmierzchu. Otto i Worley w milczeniu ładują swoje rzeczy do ciężarówki. Czują się w pełni odpowiedzialni za to, że Etta była na dachu, a ja już nie chcę o tym rozmawiać. Wsiadają do ciężarówki i machają posępnie, zjeżdżając ze wzgórza.

Opieram się o schody i biorę głęboki oddech. Góry, wciąż zielone pod koniec lata, wyglądają jak zachodzące na siebie warstwy w rozkładanej, trójwymiarowej książce. Ten stary kamienny dom jest ukryty w skrzydełkach jak porzucony zamek, ze mną, jego zasuszoną gospodynią, przewidywalną i zacofaną. Czuję się, jakbym uderzyła w mur znany wszystkim matkom: córka zwróciła się przeciwko mnie. I zdarzyło się to w takim zwyczajnym dniu w Cracker's Neck Holler. Ani pogoda, ani wiatr nie zdradzają niczego niecodziennego, dziwnego ani szczególnie dramatycznego. Niebo styka się z krawędzią gór ciemnoniebieską kreską. Słońce rzuca złotoróżowe smużki, przesuwając się za Skeens Ridge. Zapamiętuję się w tym spokoju, kolorze i powiewie i wracam do prostszych dni, do krótkiego okresu, zanim Jackowi i mnie urodziły się dzieci, kiedy ten dom był miejscem, gdzie się kochaliśmy, przyrządzaliśmy pyszne posiłki i dbaliśmy o ogród.

Zimne powietrze ucisza dudnienie w mojej głowie. Nie sprostałam macierzyństwu. Co tak naprawdę wiem o dzieciach? Byłam jedynaczką. Czasem pilnowałam dzieci tu i tam, ale nigdy nie miałam wielkich planów dotyczących własnego potomstwa. Kiedy dowiedziałam się, że jestem w ciąży, kazałam Ivie Lou zamówić wszystkie książki o macierzyństwie. Przeczytałam je co do jednej, wybierając koncepcje, które miały sens, i wyobrażając sobie, jak je wcielić w życie. Moje dzieci się rozwijały, a ja myślałam, że wszystko się ułoży. Ale moja córka jest inna, niż się spodziewałam. Myślałam, że będzie jak ja, jak rodzina z mojej strony, makaroniarze z południowo-zachodniej Wirginii, którzy wiedli dobre życie i się asymilowali. Ale ona jest czystej krwi MacChesneyówną, piegowatą i nieustraszoną. Moje dziecko nie ma mrocznych zakątków duszy, włoskiego temperamentu ani śródziemnomorskiej szczodrości. I wiem, że ja także ją rozczarowałam – ona potrzebuje kochającej świeże powietrze, wysportowanej mamy, która by ją zachęcała do podejmowania ryzyka. Ja postępuję odwrotnie; zachęcam ją, by się zatrzymała i pomyślała. Moim celem jest zapewnić jej bezpieczeństwo, a ona ma o to żal. Czasami boję się przyszłości. Jak mam powstrzymać ten strach? Żadna książka mnie tego nie nauczy.

Silne światła pick-upa Jacka oświetlają pole, kiedy skręca w wyboistą drogę. Zwalnia, zagląda do skrzynki na listy, wrzuca kilka kopert na przednie siedzenie. Potem znowu rusza, wyrzucając żwir spod kół. Po chwili słyszę kroki mojej córki, zbiegającej po schodach. Drzwi siatkowe otwierają się szeroko, Etta przeskakuje po dwa stopnie na raz, nie zwracając na mnie uwagi, i biegnie ścieżką na spotkanie z ojcem, kiedy ten parkuje. Słyszę stłumiony początek jej wersji Katastrofy Dachowej i przez chwilę żałuję, że jednak jestem matką, a nie zasuszoną gospodynią, bo nie musiałabym jej zdradzać. Ale wiem, że nie mogę się wahać, tak aby w którymś momencie, gdy ona będzie musiała podjąć trudną decyzję, pamiętała te dni, znalazła mądrość zrodzoną z doświadczenia i dokonała słusznego wyboru (słusznego, jasne). Muszę być tą złą. Jack obejmuje córkę, kiedy idą ścieżką. Wstaję. Etta przechodzi obrażona, nie patrząc na mnie. Zatrzaskuje za sobą siatkowe drzwi.

– Dobrze się czujesz? – Jack mnie całuje.

– Moje nerwy są w strzępach – odpowiadam, odrobinkę rozczulając się nad sobą.

– Wymyślimy jakąś specjalną karę – obiecuje.

– Świetnie. – Moje starannie przećwiczone pogadanki o seksie leżą w gruzach, upadł kolejny plan.

– Dzieci podejmują wyzwania, ryzykują, to wszystko jest częścią życia, Ave – ziewa Jack.

Wchodzimy po schodach. Powiem mężowi, że się boję. Dla rodzica tym samym jest bezbronne niemowlę, co starsze dziecko, ale kiedy rozwija ono własną wolę, przyszłość staje się jasna – moja władza się kończy i nie będę w stanie chronić córki. Mój mąż musi przeprowadzić nas przez te trudne ścieżki, skoro dla niego rodzicielstwo jest takie naturalne. Ja muszę się nauczyć panować nad sobą i zajmować rodziną jak zawsze. A potem znaleźć sposób, żeby kochać swoją pracę matki przy zmieniających się wymaganiach, i będzie mi do tego potrzebna pomoc Jacka.

Rozdział drugi

Minęły trzy tygodnie, od czasu, kiedy Etta o mało nie spadła z dachu. Przetrwała dwa tygodnie szlabanu, co było dla niej straszliwą karą, jeśli wziąć pod uwagę wszystkie barbecue organizowane na pożegnanie lata i piknik w Natural Bridge. Snuła się bez celu całymi dniami, a potem, na początku kolejnego tygodnia, stosunki między nami nieco się poprawiły. W sobotę rano zrobiła dla nas francuskie tosty i uprała swoje rzeczy, nie czekając, aż ją o to poproszę. Skoro życie wróciło do normy, Jack zabiera ją do Kingsport na coroczne ojcowsko-córczyne zakupy przed rozpoczęciem roku szkolnego. Etta chce tornister, który widziała u Millera i Rhodesa.

Idę przez dom z koszem na bieliznę i zbieram do niego to, co trzeba odłożyć na miejsce: buty Etty, komiksy, notatniki, ołówki i przeróżne inne rzeczy. Kot Sio wspina się po schodach wraz ze mną. Wdziera się do pokoju Etty, a ja za nim.

Ostatniego lata pozwoliliśmy Etcie pomalować pokój. Wybrała kolor bladoniebieski z białym oblamowaniem. Metalowe łóżko, pomalowane na antyczny beż, nakryła jedną z narzut swojej babci MacChesney, tą we wzór zwany „ścieżka pijaczka". Nad łóżkiem wisi plakat Black Beauty (czy każda nastolatka w Ameryce uwielbia purpurę i konie?).

Na przeciwległej ścianie Etta powiesiła mapę świata. Na czerwono zaznaczyła miejsca, w których już była, a ołówkiem te, które chciałaby odwiedzić. (Zdumiewają mnie kółeczka w Indiach i Nowej

Zelandii). Jadę palcem ze Stanów Zjednoczonych do Włoch i znajduję miasteczko mojego ojca, Schilpario, na północ od miasta mamy, Bergamo, wysoko we włoskich Alpach. Obok punktów oznaczających górskie wioski Etta wypisała imiona swoich krewnych. Na południe od Morza Śródziemnego zaznaczyła Sestri Levante, napisała imię swojej kuzynki Chiary i otoczyła je serduszkiem. Odkąd zabrałam swoją córkę do Włoch, ona i Chiara są przyjaciółkami od serca i Etta traktuje piętnastoletnią kuzynkę jak starszą siostrę. Chiara chce kiedyś przyjechać do Ameryki. Sądząc z długości jej listów, będzie miała wiele do powiedzenia, jak już tu dotrze.

W skrzyni z zabawkami Etty, ledwie rok temu wypełnionej lalkami i pluszowymi zwierzakami, teraz znajduje się różnoraki sprzęt. Jest kosz na ryby, łyżworolki, piłka do koszykówki i kilka małych gałązek (nie mam pojęcia, do czego ona ich używa). Powinna być chłopcem, myślę, kiedy kłuję się w palec haczykiem na ryby. Zbieram z wierzchu kufra kilka rozrzuconych ołówków i wrzucam je do kubka na biurku.

Blat biurka jest pokryty papierem pakowym, na którym Etta narysowała mapę nieba z wykaligrafowanym u góry napisem GWIAZDY NAD CRAKER'S NECK HOLLER. Zrobiła wykres konstelacji i każdą podpisała. Rysunek został nakreślony ołówkiem przy linijce. Jest taki dokładny, że trudno mi uwierzyć, iż wyszedł spod ręki mojej córki. Co prawda w wielu miejscach wyraźnie widać ślady wycierania gumką, ale to drobiazg. Etta kocha astronomię – wyznacza Drogę Mleczną w pogodne noce albo wskazuje planetę, rozpoznając jej błysk na niebie – nie wiedziałam jednak, że pasjonuje się tą dziedziną do tego stopnia, by poświęcać czas na tak szczegółowe studiowanie nocnego nieba. Najwyraźniej Etta ma swoje ukryte życie, o którym ja niewiele wiem.

Jako dziewczynka dużo czasu spędzałam na myśleniu o tym, dlaczego urodziłam się w Big Stone Gap, skoro na świecie jest tyle innych miejsc. Spoglądałam w niebo i zastanawiałam się, gdzie się kończy. Ogarniała mnie taka tęsknota za odkrywaniem, że nie mogłam pojąć, co łączy mój los z miasteczkiem w górach południowo-zachodniej Wirginii. Myślałam, że taka osoba jak ja, która uwielbia czytać wielkie powieści podróżnicze sprzed stuleci, powinna pochodzić z bardziej ekscytującego miejsca, miejsca magicznego. Kiedy więc dowiedziałam się, że moja mama opuściła Włochy w ciąży i bez męża, w końcu doczekałam się swoich egzotycznych korzeni. Etta może jest zupełnie inna niż ja, ale ma we krwi moją tęsknotę za Wielkim Światem. Te góry chronią przed światem zewnętrznym, ale nas nie powstrzymają. Znajdziemy drogę, by je przejść i ruszyć jeszcze dalej, czego większość tutejszych ludzi nie jest w stanie nawet sobie wyobrazić.

U góry arkusza widnieje bardzo szczegółowy rysunek naszego kwadratowego wiejskiego kamiennego domu o czterech kominach i z jasnoniebieskimi frontowymi drzwiami. Etta narysowała okna i wiszące w nich koronkowe, wydęte wiatrem firanki. Ołówkiem kreśliła każdą dachówkę (teraz zna je z bezpośredniego kontaktu) i okno swojej sypialni, wychodzące na dach. W oknie siedzi sama Etta z ogromnymi oczyma i rzęsami jak gąsienice. Trzyma mały teleskop, przez który wpatruje się w gwiazdy na niebie. Musiała być na dachu wiele razy, zanim ją na tym przyłapałam.

Dzwoni telefon. Jedną z kar wyznaczonych Etcie było zabranie z jej pokoju aparatu, muszę więc zbiec schodami, żeby go odebrać. Udaje mi się to po trzecim dzwonku.

– Ave! – Słysząc głos swojego najbliższego przyjaciela od dwudziestu lat, znów jestem młoda i wolna od trosk. Największy problem z czasów, kiedy żyłam sama, dziura w dachu mojego domu, wydaje się głupi w porównaniu z upadkiem mojej córki.

– Theodore! Co u ciebie?

– Przeprowadzam się.

– Nareszcie, poczułeś zew krwi i wracasz do Big Stone Gap.

Theodore wybucha śmiechem. – Niezupełnie.

– No, śmiało. Mamy zabójcze mażoretki, a nasza sekcja dęta jest najlepsza w hrabstwie.

– Nie kuś mnie.

– Nie jedziesz daleko, prawda? – To cudowne mieć najlepszego przyjaciela tak blisko, w Knoxville. Często wskakuję przed weekendem do jeepa i jadę na przedstawienia semestralne Uniwersytetu Tennessee.

– Marzyłem o tej przeprowadzce.

– Chyba nie dostałeś pracy w...

– Owszem. W Nowym Jorku!

– Nie! – Theodore zazwyczaj mówił o Nowym Jorku, jakby leżał on między niebem a Krainą Oz, jakby był miejscem doskonałym i pełnym nieograniczonych możliwości. Teraz sam się o tym przekona.

– Przez całe życie chciałem tylko tego, i teraz właśnie to ma nastąpić. – Wyraźnie jest wdzięczny losowi.

– Która szkoła?

– Nie szkoła.

– Nie szkoła? Zmieniasz zawód? – Nie mogę uwierzyć, że Theodore rezygnuje z kierowania orkiestrą. To jego żywioł.

– Nie. Przechodzę tylko na zawodowstwo. Zaproponowano mi pracę zastępcy dyrektora artystycznego w Radio City Music Hall.

– O mój Boże! Rockettes!

– Gale bożonarodzeniowe i wielkanocne, koncerty. Sama wiesz. Będę pracował z wielkim dyrektorem Joe Laytonem. Reżyserował *The Lost Colony*, tę sztukę na świeżym powietrzu. Pamiętasz, jak pojechaliśmy do Karoliny Północnej, żeby to zobaczyć?

– To była jedna z naszych najlepszych wypraw – przypominam mu.

– Kto by pomyślał, że tak mnie ustawi rola pastora Rudego Lisa w twojej sztuce?

– Nic ci nie ustawiło tej pracy. Jesteś teatralnym geniuszem i teraz już wszyscy o tym wiedzą. Jedziesz do wielkiego miasta! Nowy Jork! – Mam nadzieję, że nie krzyczę, ale jestem niezwykle podniecona.

– Teraz musimy tylko ustalić, kiedy ty przyjedziesz.

Etta i Jack wracają do domu mniej więcej w porze kolacji, niosą nowy tornister, segregator z kometą Halleya na okładce, jaskrawo-różowy podkoszulek i parę innych rzeczy. Wychodzę do nich przed dom, żeby przekazać im wieści o Theodorze.

– Kiedy możemy jechać? – pyta Etta w podnieceniu.

– Theodore chciałby, żebyśmy wpadli na obchody Dnia Kolumba w październiku.

– Tata też jedzie, tak?

– Nie umiałbym się poruszać po Nowym Jorku, Etto – Jack puszcza do mnie oko.

– To nic trudnego. Musisz tylko szybko chodzić, przeklinać i spychać ludzi z drogi – poucza go Etta z wielkim przekonaniem.

– Etta wie wszystko o Nowym Jorku. Czytała *Małego szpiega* jakieś siedemnaście razy.

– Ty i mama świetnie sobie beze mnie poradzicie.

Zrobiłam ulubiony obiad Etty: spaghetti w świeżym sosie pomidorowym z klopsikami, mnóstwo sałatki i czekoladowe ciasteczka z orzechami, i lody waniliowe na deser. Ona natomiast umyła naczynia bez marudzenia.

– Macie pocztę, dziewczęta. – Jack wchodzi z korytarza, trzymając w dłoni znajome niebieskie koperty poczty lotniczej. Etta wprost rzuca się na ojca po swój list. – Zapomniałem, że mam je w kieszeni, są takie cienkie – przeprasza Jack.

– To od Chiary! – wrzeszczy Etta. – Patrz, mamo, masz list od dziadka.

– Tych dwoje zapewnia zajęcie włoskiej poczcie. – Mój mąż bierze gazetę i idzie do salonu.

– Bez żartów. – Rozrywam kopertę z listem od ojca. Jest pełen wiadomości. Papa żyje w zgodzie ze swoją nową żoną Giacominą, ale jego matka jest powodem niesnasek. *Nonna* została wystawiona na ciężką próbę, skoro musi pozwolić Giacominie zajmować się mężem. Papa donosi, że negocjacje trwają. Okazuje się, że Jack to nie jedyny mężczyzna na świecie, który gra rolę rozjemcy pomiędzy dwiema kobietami. Papa często jeździ do Bergamo spotkać się z rodziną mojej mamy na Via Davide. Są nawet najświeższe wiadomości o Stefanie Grassim, sierocie, o którego moja ciotka Antonietta troszczyła się jak o własnego syna. Po jej śmierci zaczęła o niego dbać reszta rodziny Vilminore. Stefano przychodzi na obiady i pomaga *Zio* Pietro w stolarni, chociaż nadal mieszka w pobliskim sierocińcu. Jest o kilka lat starszy od Etty, a ona w czasie naszej ostatniej wizyty straszliwie się w nim zadurzyła. Najwyraźniej rodzina Barbarich ma się dobrze jak zwykle: Papa z Giacominą zabrali Stefana do opery; do listu dołączył zdjęcie ich trojga na schodach la Scali w Mediolanie.

– Stefano Grassi jest bez wątpienia piękny. – Podaję Etcie zdjęcie.

– Mamo, on jest szałowy do bólu – poprawia mnie Etta. I ma rację. Szczupły, ma dużą twarz, prosty, wydatny nos, ciemne oczy i blond loki, które sprawiają, że wygląda jak poeta renesansu. – Stefano jest dużo bardziej dojrzały niż nasi chłopcy.

– Następnego lata zamierza przyjechać do Stanów i pracować tutaj. Studiuje budownictwo i architekturę i chce terminować u taty – mówię.

– Mamo, może przyjechać? Błagam... – Etta rozbłyska jak fajerwerk.

– Musimy zapytać tatę. Ale nie widzę przeciwwskazań.

Etta siada i przygląda się zdjęciu.

– To ta słynna opera La Scala – informuję.

– Lubię Włochy bardziej niż Big Stone Gap.

– Naprawdę?

– Może nie bardziej. Uwielbiam swoich przyjaciół i szkołę, i wszystko. Ale tęsknię za tamtą rodziną. Za dziadkiem. To mój jedyny dziadek.

– Tutaj nie mamy zbyt wielu krewnych, to prawda.

– Tylko ciocię Cecylię. A ona ma chyba ze sto lat.

– Cóż, twój tata jest jedynakiem, ja jestem jedynaczką...

– Wiem, wiem, a ty późno wyszłaś za mąż i dlatego nie macie kilkorga dzieci, jak ludzie, którzy się pobrali, kiedy byli młodzi.

– Kto tak mówi?

– Ty. Cały czas. – Etta się uśmiecha. – Mogę zatrzymać to zdjęcie?

Zgadzam się, a ona idzie do swojego pokoju. Nagle mam ochotę pójść za nią i wyjaśnić jej każdy wybór, którego w życiu dokonałam, wytłumaczyć, że nie chodziło o to, by pozbawić ją krewnych i kuzynów, hałasu i rywalizacji, i długiego czekania na łazienkę, że nasza sytuacja to raczej efekt przypadku, szczęścia czy też losu, który miotał moim życiem, budził mnie i z mojej samotnej ścieżki wprowadził w małżeństwo, a potem, nieoczekiwanie i zachwycająco – w macierzyństwo. Ale dzisiaj nie zamierzam tłumaczyć się ze swoich wyborów. I na pewno nie wyjaśnię jej śmierci brata ani tego, jak bardzo zmieniła nasze życie. Nie wiem, jak powiedzieć dwunastolatce, że są zdarzenia, których nie sposób wyjaśnić. Zastanawiam się, dlaczego ciągle bronię się przed córką. Jeśli rozszyfruję tę zagadkę, może będę gotowa stawić czoło wielkim problemom, na przykład temu, który Misty Lassiter przedwcześnie wysunęła na pierwszy plan.

We wtorek daniem dnia w bufecie jest zupa fasolowa i chleb kukurydziany, zbiegają się więc z tej okazji wszyscy zatwardziali konserwatyści. (Mamy dwa razy więcej roboty, kiedy we wtorek wypada pierwszy dzień miesiąca, ponieważ wtedy przychodzą czeki z zasiłkami dla chorych na pylicę). Ugrzęzłam w aptece wypełnionej lekarstwami, podczas gdy Fleeta obsługuje bufet. Ogólne szaleństwo.

– Ave Mario Mulligan MacChesney, jadę na Florydę i nie próbuj mnie zatrzymać! – oznajmia Speck od progu.

– Jedziesz na urlop?

– Owszem. Zdumiona?

– Bardzo. Nigdy nie miałeś urlopu.

– Nie, chyba żeby wziąć pod uwagę wyjazdy nad jezioro z Leolą i dzieciakami. Ale nie zdarzyło nam się wyjechać poza granice stanu. Skończyłem już sześćdziesiąt siedem lat, moja żona zasługuje na piaszczystą plażę i drinki z parasolką. Jak ci się zdaje?

– Myślę, że to fantastyczny pomysł. Kiedy jedziecie?

– W Święto Dziękczynienia. Najpierw pojedziemy na południe i spędzimy sześć tygodni w Disney Worldzie, potem walimy na Sarasotę, Leola ma tam kuzyna, a później zatoczymy kółko z powrotem na wybrzeże słonecznego stanu i wracamy do domu.

– Speck, przestań kłapać szczęką – wrzeszczy Fleeta z bufetu. – Nie będę trzymać dla ciebie tego miejsca, mam tu długą listę chętnych. – Speck nigdy nie opuszcza dania dnia, daje więc znak Fleecie, że już idzie.

W drzwiach staje Iva Lou (chyba wszyscy w miasteczku mają dzisiaj wielką ochotę na zupę fasolową). – Musiałam zastawić twojego jeepa, taki jest tłok – mówi, kładąc torebkę na barze.

– Nie szkodzi. Nigdzie się nie wybieram.

– Potrzebujesz pomocy?

– Możesz naklejać etykiety, jeśli chcesz. – Podaję Ivie Lou etykiety wysuwające się z drukarki. Przykleja je do torebeczek, a ja pakuję lekarstwa.

– Zatrudniłam Serenę Mumpower z Appalachii jako asystentkę w bibliotece. Jest najlepsza w klasie w Mountain Empire.

– I jak się spisuje?

– Ciągle wisi na telefonie. To chyba najpopularniejsza dziewczyna w hrabstwie.

– Jest śliczna.

– Nikt nie jest aż taki śliczny, żeby tyle wisieć na telefonie.

– Musisz z nią porozmawiać.

– Domyślam się. Nie chcę, żeby robiła z biblioteki centralę randek na telefon.

– Masz ochotę przejechać się później do Appalachii?

– Jasne. A czego potrzebujesz?

– Etta potrzebuje... ekhm... stanika – szepczę. – Pomyślałam, że moglibyśmy pojechać do Dave'a.

– Nie mogłabym tego przegapić. Pierwszy stanik Etty? Nic tak jak stanik nie podkreśla figury, a zwłaszcza talii. Nie mogę w to uwierzyć. Etta jest młodą kobietą, która potrzebuje wsparcia! To moja ulubiona kobieca inicjacja. A może wolę rozrabianie po raz pierwszy farby do włosów? Miałam czternaście lat, kiedy sprawiłam sobie pasemka, zrobiłam je sama wodą utlenioną. Wielkie, szerokie, jak pasemka Tammy Wynette na okładce albumu z największymi przebojami. To wtedy odkryłam, że bycie blondynką to jest to.

– W tym wypadku stawiamy na funkcjonalność, nie kupimy wonderbra – przypomniałam Ivie Lou.

– Jeśli chcesz zwykły, przaśny biustonosz, możesz przejść na drugą stronę ulicy do Zackiego. U Mike'a są staniki sportowe i to też jest po drodze.

– Etta nie chce kupować w mieście. Jest dosyć czuła na tym punkcie. Próbuje mnie przekonać, żebyśmy jechały do Kingsport, ale ja nie mam czasu.

– Założę okulary przeciwsłoneczne i szal, będę wyglądać jak Lana Turner. Żeby nikt nas nie rozpoznał.

– Nie śmiej się. Etcie to się pewnie spodoba.

Iva Lou i ja wymyśliłyśmy sposób, żeby pierwsza wyprawa Etty po biustonosz była niekrępująca. Iva Lou zamierza kupić buty, ja spódnicę z wyprzedaży. I w którymś miejscu listy sprawunków wpisałyśmy mimochodem stanik Etty. Wcześniej zadzwoniłam do Julii Isaac, właścicielki sklepu. Roześmiała się, jakby przechodziła przez to wszystko z każdą dziewczyną w Appalachii.

Dom Towarowy Dave'a działa od lat i sprzedaje różne ubrania, od górniczych kombinezonów po szyfonowe suknie dla matek panny młodej, wynajdywane przez Julię w trakcie wypraw do Nowego Jorku. Dział młodzieżowy jest bardziej nowoczesny, a jak na nasz teren całkiem awangardowy. Etta przebiega wzrokiem staniki na plastikowych wieszaczkach i idzie obejrzeć buty. Iva Lou i ja patrzymy po sobie. – Mam pomysł – szepcze Iva Lou.

Przyglądam się przyjaciółce piejącej z zachwytu nad parą mokasynów, które podobają się mojej córce. Obie przymierzają buty, a potem stawiają je na blacie przy kasie. Iva Lou prowadzi Ettę przez dział z dodatkami i pokazuje jej małą, przypinaną do paska portmonetkę, pasującą do mokasynów. Następnie obok swoich butów kładzie kilka paczek rajstop. Lada przy kasie się wypełnia. Iva Lou zatrzymuje się w drodze do działu młodzieżowego, podziwia koronkowy biustonosz i zmusza Ettę, żeby na niego spojrzała. Jak dla mojej córki jest zbyt dorosły, ale nie wtrącam się; mam nadzieję, że Etta wybierze coś bardziej stosownego. Wybiera. Zdejmuje z wieszaka sportowy stanik i pokazuje go Ivie Lou, która ocenia rozmiar Etty i wręcza jej kilka modeli z właściwego przedziału. Potem Iva Lou bierze koronkowy stanik, Etta znika za jedną z zasłon, a Iva Lou za drugą. Moja przyjaciółka doskonale się przy tym wszystkim bawi. Jest najbardziej naturalną matką pod słońcem, choć nigdy nie wychowywała dziecka.

– Mamo, jestem gotowa – krzyczy do mnie Etta zza pulpitu kasy.

– Gdzie jest ciocia Iva Lou?

– Ciągle przymierza ubrania.

Patrzę na stertę rzeczy Etty, kiedy Julia wystukuje ich ceny na klawiszach kasy. Trzy gustowne bawełniane staniki z pikowanym przybraniem są starannie ukryte pod koszulkami.

– Iva Lou? – mówię przez zasłonę w przebieralni. Nie odpowiada. – Jesteś tam? – Nadal milczy. Rozglądam się po sklepie. Jest pusty, już prawie pora zamknięcia. – Iva? – pytam raz jeszcze. Zaglądam przez zasłonę. Iva Lou jest w środku, siedzi na ławce z głową w dłoniach.

– Co się stało? – pytam ją.

– Nic, kochana, tylko zrobiło mi się trochę słabo – Iva Lou podnosi wzrok. W świetle jarzeniówek pomimo makijażu widać, że jest wyczerpana.

– Przepraszam. Czy to Etta cię wykończyła?

– Nie, to nie zakupy. Cały czas jestem zmęczona.

– Co to znaczy, cały czas?

– Codziennie około piątej, muszę tylko usiąść i odpocząć.

– Byłaś u lekarza?

– Doktor Daugherty powiedział, że się starzeję, że muszę zwolnić. To po prostu klimakterium.

– Och, błagam.

– Cóż innego to może być?

– Milion rzeczy. – Siadam obok niej na podłodze. – Możesz mieć problem z insuliną.

– Nie mam cukrzycy.

– Możesz mieć niedobór witamin.

– Niewykluczone, nigdy nie brałam żadnych tabletek.

– Pojedźmy do szpitala Holston Valley, żeby zrobili ci wszystkie badania.

Iva Lou wstaje. Nie spiera się, i stąd wiem, że cierpi.

– Dowiemy się, o co chodzi, okej? – dodaję jej otuchy. Klepie mnie po ramieniu, potem oddycha głęboko, odchyla zasłonę i wychodzi do kasy.

– Wy, dziewczyny, to potraficie robić zakupy. – Jack odrywa wzrok od wiadomości.

– Kupiłyśmy same potrzebne rzeczy, prawda, Etto?

– Zgadza się. – Etta bierze torby i idzie na górę.

– Nie wątpię. – Jack wraca do swojego programu. Dzwoni telefon. Jack nie wykonuje żadnego ruchu, żeby go odebrać (nigdy tego nie robi), więc ja podnoszę słuchawkę w holu.

– Ave?

Znajomy głos. Przenika mnie dreszcz. – Pete?

– Co u ciebie? – pyta mnie tonem, który sprawia, że wolałabym usiąść.

– Mam się świetnie – odpowiadam. Pete Rutledge zmienił status z mojej Włoskiej Letniej Katastrofy (no dobra, starej katastrofy, minęło pięć lat, odkąd figlowałam z nim na łące dzwonków pod Schilpario we włoskich Alpach) na status przyjaciela rodziny.

– Ja też. A jak tam Etta?

– Szybko dorasta.
– O ho ho.
– Tak, w kwietniu skończy trzynaście lat.
– Jestem pewien, że stawiasz czoło zmianom.
– Staram się.
– Jack jest w pobliżu?
– Jasne, zaraz go zawołam.

Wołam Jacka, który słysząc, że to Pete, uśmiecha się i podchodzi do telefonu. Kiedy po raz pierwszy spotkałam Pete'a, szukał we Włoszech marmuru; jest importerem z New Jersey. Ostatnio dodał do swego życiorysu profesurę gościnną na uniwersytecie nowojorskim – niewielu jest na świecie ekspertów od marmuru. Zaprzyjaźnił się z moim ojcem i z Giacominą i odwiedza ich za każdym razem, kiedy jeździ do Włoch w celach handlowych. Jack ostatnio często używa marmuru w swoich pracach, kupuje go więc od Pete'a. Ich stosunki służbowe w końcu przekształciły się w przyjaźń. Z początku przechodziły mnie ciarki, ale teraz uważam to za najzupełniej naturalne. Do czasu zamążpójścia nie zdawałam sobie sprawy, jak trudno jest mężczyznom znaleźć dobrego przyjaciela. Są wobec siebie uprzejmi, dowcipni. W przeciwieństwie do kobiet nie wiążą się emocjonalnie ani nie szukają rady. Tak więc, chociaż dzielenie się Pete'em Rutledge'em z Jackiem może wydać się dziwne, koniec końców jestem szczęśliwa, że mój mąż ma przyjaciela.

Jack odkłada słuchawkę. Wchodzi do kuchni i obejmuje mnie. Panieruję właśnie kotlety z kurczaka.

– Czego chciał Pete?

– Przerabiamy hol w Black Diamond Savings Bank w Norton, potrzebuję więc marmuru. Powiedział, że musicie wpaść do niego, jak będziecie w Nowym Jorku.

Jack idzie się umyć do kolacji, a ja oblewam się potem. Z Pete'em do niczego nie doszło – przypominam sobie – poza tym, że mnie kusiło. I oczywiście jak zawsze tłumaczę tę pokusę tym, że Jack zadawał się z Karen Bell, kierowniczką tartaku z Coeburn. (Jack kupuje teraz drewno na miejscu. Mamy taką małą niepisaną umowę). Te próby nas nie zatopiły – prawdę mówiąc, uratowały nawet nasze małżeństwo. Przyjrzeliśmy się bacznie naszym relacjom i zaczęliśmy rozwiązywać problemy. Gdyby Karen Bell i Pete Rutledge nie pojawili się wtedy, chybabyśmy się z Jackiem rozstali. Oczywiście daleka jestem od wysyłania Karen Bell kartek z podziękowaniami za podjęte trudy, ale z perspektywy czasu widzę, że wyświadczyła mi przysługę.

– Mamo? – Etta przerywa moje rozmyślania.

– Tak?

– Dziękuję za ubrania. – Etta zauważa, że stół nie jest nakryty, idzie więc po talerze i sztućce.

– To było zabawne.

– Tak, zabawne – przyznaje Etta.

Odwracam się i spoglądam na nią. – Przymierzyłaś go?

– Mam go na sobie – mówi Etta, poprawiając sobie przez koszulkę ramiączko od stanika.

– Co o nim myślisz?

Etta wzrusza ramionami. – Stanik jak stanik, mamo.

Śmieję się. To takie typowe dla Etty. Wychodzę z siebie, żeby jej ułatwić pewne sprawy, a ona wcale tego nie potrzebuje! Jest dokładnie taka jak jej ojciec, który stawia czoło problemowi, znajduje rozwiązanie i już go potem nie rozpamiętuje. A ja tymczasem wychodzę na Wielką Przesadnie Reagującą Wszech Czasów, skoro proszę o raport kontrolny z wyprawy po zakupy, którą zaplanowałam jak akcję CIA.

– Szybciej, Ave. Są już pod sklepem Zackiego. Ruszaj się! – Fleeta woła mnie od drzwi wejściowych apteki, trącając drzwiami dzwonki, na wypadek gdyby wrzaski nie przyciągnęły mojej uwagi.

– Już idę.

– Do diabła z tymi dzwonkami! Słyszę werble! Pospiesz się! – Fleeta rygluje drzwi od ulicy.

Na Main Street zebrał się spory tłum, czekający na paradę orkiestry reprezentacyjnej Powell Valley High School i minikoncert na schodach poczty – rytuał otwierający jesienny sezon futbolowy. Dzieciaki są wypoczęte po obozie szkoleniowym orkiestry i nie mogą się doczekać, żeby nam zaprezentować, czego się nauczyły.

Paradę prowadzi najnowocześniejszy wóz strażacki Big Stone Gap, kierowany przez kapitana Specka Broadwatera (który jest także kapitanem Brygady Ratowniczej). Nawoskowany wóz błyszczy tak mocno, że aż trudno na niego patrzeć. Kiedy Speck mija pierwsze światła, włącza czerwonego koguta, dając orkiestrze znak, żeby się przegrupowała i ustawiła na stopniach biblioteki. Speck ma na twarzy wyraz takiej powagi, że można by pomyśleć, iż zmierza na naradę z generałem Pattonem, by omówić strategię zdobycia Berlina. Na wozie jest mnóstwo dekoracji – cheerleaderki udrapowały się na drabinach niczym tancerki w musicalu Busby'ego Berkleya. Machają niebieskimi pomponami, pasującymi kolorem do popołudniowego nieba. Speck zwalnia i zatrzymuje się, zostawiając dla dramatycznego efektu błyskające światło. Zapala papierosa i przygląda się tłumowi. Napotyka wzrok Zackiego Wakina, poważnie kiwa sklepikarzowi głową, zamiast pomachać. Nieco z tyłu orkiestra, maszerując w rytm werbli, przesuwa się dalej Main Street w równiutkich rzędach, rozciągających się od budynku poczty przez całą drogę do Dollar General Store.

Orkiestra nie nosi mundurów, jej członkowie mają na sobie dżinsy i świeżutkie białe koszulki. Mażoretki są w krótkich czerwonych szortach i podkoszulkach bez rękawów; najwyraźniej współpracują z cheerleaderkami – dla odmiany w białych szortach i czerwonych podkoszulkach. Moją Ettę nowa szefowa orkiestry, Kate Benton, wybrała do niesienia transparentu. Transparent zawsze niosą dziewczynki ze średnich 3 klas; młodszym dzieciakom dodaje otuchy widok dwóch ich rówieśnic maszerujących ze starszymi i na pewno zachęca je to do spróbowania później swoich sił w zespole. Orkiestra aż oczy rwie. Theodore byłby taki dumny. W weekendy panna

Benton jest sierżantem Gwardii Narodowej, zna się więc na swojej robocie.

Etta prezentuje się doskonale. Kiwa głową do niosącej wraz z nią transparent małej Jean Williams, której warkoczyki, związane czerwonymi wstążkami, wyglądają olśniewająco na tle jej ciemnobrązowej skóry. Jean odpowiada Etcie poważnym skinieniem. Miałam zamiar im pomachać, ale nie chcę przeszkadzać – przewodniczenie paradzie to bądź co bądź bardzo odpowiedzialna funkcja.

Orkiestra ustawia się na schodach poczty. Tłum naciera, żeby lepiej widzieć. Dyrygent wręcza każdej dziewczynce czerwony celofanowy kapelusik (taki jakie nosi się na sylwestra), a drewniane instrumenty dęte odgrywają pierwsze takty *Puttin' on the Ritz*. Mażoretki wywijają pałeczkami jak Charlie Chaplin swoją laseczką. Nagle muzykę zagłusza gwizdek strażacki, którego dźwięk rozlega się długo i głośno w całym mieście. Przewodniczący sekcji dętej nie wie, co robić, ale nie przerywa dyrygowania muzykami.

Speck wychyla się i woła do tyłu: – Złazić! – Cheerleaderki patrzą po sobie zmieszane (nie ma to jak stado spanikowanych cheerleaderek).

– Powiedziałem, złazić! – Teraz tłum rusza do działania, wyciągają się ręce, by pomóc dziewczynom zejść.

– Dziewczyny, wynoście się z wozu, do cholery! – Speck wali pięścią w drzwi.

– Uspokój się, Speck! – Fleeta wrzeszczy z chodnika. – Bo dostaniesz ataku serca!

Dziewczęta szybko schodzą z wozu, stawiając stopy w miejscach, w których nie powinny, wydając dźwięki zupełnie nieprzystające damom, szarpiąc narzędzia i klnąc za każdym razem, kiedy zachwieją się na ostrych krawędziach i wąskich przesmykach w drodze na dół. Kelly Gembach, najzwinniejsza i najdrobniejsza, zsuwa się, używając węża zamiast liny. Reszta dziewcząt spada na ziemię jak deszcz czerwonych papryczek. Tylko solidnie zbudowana Kerry Necessary, kapitan i podstawa większości ich gimnastycznych popisów (w zeszłym roku zajęła także pierwsze miejsce wśród dziewcząt w zawodach całego hrabstwa w strzelectwie), potrzebuje więcej czasu, by zsunąć się po przedniej szybie, przesłaniając świat Speckowi i jego kumplowi Donowi Waksowi. Spocone ręce Kerry zostawiają smugi na całej szybie. Kiedy w końcu udaje jej się zatrzymać, leży na brzuchu oko w oko ze Speckiem. Wyraz jego twarzy przeraża ją tak bardzo, że chowa głowę w ramiona i spada z maski na krawężnik. Koleżanki cheerleaderki zbierają się dookoła niej i otrzepują z kurzu jej szorty.

– Z drogi! – Speck włącza syrenę. Gapie odsuwają się, zasłaniając uszy, a potem przepuszczają Specka, który pędem rusza w stronę Frog Level, gdzie wybuchł pożar.

– To zły znak. Zobaczysz, będzie gówniany sezon futbolowy – mówi Fleeta pod nosem. Szef sekcji dętej daje znak orkiestrze, ale dzieciaki, wciąż sparaliżowane wrzaskiem Specka, ledwie łapią oddech, by zagrać pierwsze takty. Spoglądam na Ettę, która patrzy na mnie i powoli kręci głową. Nie takiego początku jej kariery w orkiestrze się spodziewaliśmy.

Iva Lou i ja zdecydowałyśmy, że skoro Etta cały dzień jest w szkole, nic nie stoi na przeszkodzie naszym cotygodniowym lunchom. Opracowałyśmy harmonogram, według którego umawiamy się na zmianę w bibliotece (zaopatrzenie własne), u Stringera (samoobsługa, wszystko, co możesz zjeść) i u Bessie (zwykły bar hamburgerowy w Appalachii).

– Lepiej usiądź. – Iva Lou przesuwa się na swoim siedzeniu u Bessie, żeby zrobić miejsce dla nas obu. Zamówiła już mojego ulubionego hamburgera z sosem pomidorowym i colę light, dla siebie wybrała makaron z serem.

– Przepraszam za spóźnienie. Co się stało? Przyszły twoje badania? – Ivie Lou zrobiono badania w Holston Valley: krew, testy wysiłkowe i w ogóle wszystko.

– Diabła tam, powiedzieli, że nic mi nie jest. Muszę tylko wrócić na jeszcze parę badań, ale jak na razie jestem zdrowa jak koń.

– Świetnie.

– To, co chcę ci powiedzieć, kochanie, dotyczy Etty. Lepiej, żebyś usłyszała to od przyjaciółki.

– Co?

– To coś pięknego. Muszę powiedzieć, że przynajmniej twoja córka broni uciśnionych i prawych.

Moje myśli galopują, ale umiem sobie wyobrazić, co się wydarzyło. Od czasu Incydentu Dachowego Etta jest aniołem. Wzięła udział w festiwalu orkiestr w Bristolu, na którym Jack i ja byliśmy opiekunami. Jej pierwszy arkusz ocen w tym roku od góry do dołu wypełniały piątki. Nie gada za dużo przez telefon i nie szaleje na punkcie chłopaków. Za tydzień jedziemy do Nowego Jorku na spotkanie z Theodore'em, tylko my dwie. Nie mam pojęcia, o co chodzi Ivie Lou.

– Całe miasto będzie o tym mówić i ty musisz wiedzieć pierwsza.

– Ale co wiedzieć? – pytam ostrożnie.

– Etta wycięła numer.

– Numer? – Tego słowa nienawidzi każda matka.

– Posłuchaj, co się stało. Ta cała Kate Benton kazała dzieciakom zrobić jedno okrążenie po nieudanej próbie orkiestry. Najwyraźniej dzieciaki naprawdę się obijały i ona kazała biegać wszystkim, od flagowych po niosących transparent.

– No i?

– Dzieci uznały, że to nie w porządku, i się zbuntowały.

– Jak?

– Etta i kilkoro innych dzieciaków zamówiły tonę węgla do domu panny Benton na Wyandotte Avenue.

– Och, nie.

– Właśnie, a ona ma ogrzewanie gazowe.

– Nie. – Dostarczenie węgla komuś, kto ma piec gazowy, to jeden z klasycznych dowcipów robionych przez miejscowe dzieciaki i zdarza się mniej więcej co dziesięć lat. Odbywa się to tak: ktoś dzwoni do firmy i prosi o dostarczenie tony węgla na zimę. W tych stronach wszystko, także dostarczenie węgla, robi się na gębę, bez zadatku, płaci się po dostawie. Klient ustala termin (zazwyczaj w okolicach listopada), pojawia się ciężarówka i zrzuca górę węgla na podwórko. Zamawiający odpowiada za wrzucenie tego do piwnicy. Po tym, ile takich gór węgla piętrzy się na podwórkach w mieście, można poznać, jak blisko jest zima.

– Nie wierzę.

– Kiedy to prawda – śmieje się Iva Lou.

– To nie jest śmieszne. To niezgodne z prawem.

– Och, wyluzuj. Pamiętam, że kiedy ja byłam dziewczynką, zadzwoniliśmy do Domu Pogrzebowego Roya A. Greena pod Appalachią i powiedzieliśmy, że nasz dyrektor umarł na atak serca i muszą po niego przyjechać. Stary Roy wsiadł więc do swojego czarnego buicka i pojechał do domu dyrektora. Do drzwi podeszła jego żona, a Roy, patrząc na nią smutnym wzrokiem, powiedział: „Madame, przyjechaliśmy po ciało". Ona zemdlała. To był dopiero żart.

– Szalenie zabawny – mówię Ivie Lou. Ale się nie śmieję.

Dzwonię do Jacka. Okazuje się, że zna już wieści od zleceniodawcy (który jest ciotecznym bratem Ricka Harmona, wspólnika mojego męża) i właśnie wybiera się do szkoły. Jest wściekły i obiecuje, że się tym zajmie.

W drodze do miasta skręcam w stronę Wyandotte Avenue, by osobiście wycenić straty. Nie wiem, w którym domu mieszka kierowniczka orkiestry, ale upominam siebie: nie bądź głupia, wystarczy poszukać podwórka ze stertą węgla sięgającą piętra.

Znalazłam jej dom i jest gorzej, niż myślałam. Góra lśniących czarnych grudek połyskuje w popołudniowym słońcu jak diamenty, w które bryłki zamieniłyby się któregoś dnia, gdyby pozostały w ziemi. Jednopiętrowy dom zdaje się w tej chwili mniejszy niż ten kopiec, ale to wrażenie wywołuje prawdopodobnie moja wściekłość i perspektywa. Na podjeździe stoi samochód (w porównaniu z górą węgla wygląda jak zabawka). Zatrzymuję się. Obok węgla zaparkował wóz Brygady Ratowniczej. Speck obchodzi dom dookoła. Zbliża się do mnie, potrząsając głową. – To majstersztyk.

– Cześć, Speck. Co tu robisz?

– Panna Benton nie wiedziała, kogo ma wezwać, obiecałem jej, że przyjadę i coś ustalę.

– Nie mogę uwierzyć, że to zrobiło moje dziecko.

– Nie była sama.

– Nie broń jej, Speck – mówię grzecznie.

– Ależ nie bronię. Nie. Ale wiesz, jakie są dzieci, kiedy działają w grupie i takie są tego rezultaty.

– Słabo mi.

– Rozmawiałem z Delmerem Wilsonem z kompanii węglowej i jest gotów wysłać ciężarówkę, jak tylko zdecydujecie, kto zapłaci za robociznę.

– Chętnie posłałabym Ettę do akademii wojskowej.

– Posłuchaj, Ave... – Kiedy Speck tak mówi, oznacza to, że teraz nastąpi ojcowska rada. – Musisz zachować zimną krew w gorącej sytuacji. Zbyt gwałtowna reakcja jest równie niedobra jak jej brak. Pamiętasz, czego cię uczyłem o reagowaniu w sytuacjach niebezpiecznych? Pozostać na stanowisku i zachować spokój. Okej?

Speck prowadzi mnie na chodnik od ulicy, poklepuje mnie po plecach i idzie z powrotem do swego wozu. Na miękkich nogach kieruję się do drzwi frontowych, tak przerażona, jakbym to ja wykręciła ten numer.

Panna Benton podchodzi do drzwi. Jest ubrana w wiatrówkę i białe dresowe spodnie, a na jej szyi wisi gwizdek. Ma arystokratyczne rysy twarzy – wspaniały nos i wysokie czoło przywódcy. Ostry zarys szczęki łagodzą kasztanowe loki, związane w luźny koński ogon. Może mieć ze czterdzieści lat, ale jest wysoka i szczupła, z kwadratowymi szerokimi ramionami, należy więc do kategorii osób o nieokreślonym wieku.

– Witam. Jest mi bardzo przykro, panno Benton.
– To ohydne – mówi cichutko.
– Ukarzemy Ettę.
– Właśnie położyłam trawnik na podwórku, żeby się przyjął przed zimą. Teraz jest zdewastowany.
– Położymy nowy.
– Cóż.
– Jest mi naprawdę przykro. – Nie wiem, co jeszcze mogłabym powiedzieć. Nie zaprasza mnie do środka, ale dlaczego miałaby to zrobić? Moja córka zrujnowała jej własność. Nagle panna Benton odwraca się do mnie plecami.
– Panno Benton, dobrze się pani czuje?
Odwraca do mnie twarz, jej oczy są pełne łez. – To jest... to jest takie beznadziejne. – Bierze głęboki oddech. – Wie pani, przeprowadziłam się tu z Richmond, wielkiego miasta, i myślałam sobie: no dobra, Big Stone Gap, małe miasteczko w górach. Będzie fajnie, czeka mnie nowe wyzwanie. Wszyscy przyjaciele mnie ostrzegali, że to bez perspektyw przeprowadzać się w miejsce, gdzie nie ma życia poza szkołą. Ale ja kocham to, co robię, a w weekendy miałam Gwardię Narodową, myślałam więc, że dam radę. Ale to... no, to za dużo. Nie muszą mnie lubić, ale nie chcę być nienawidzona.
– Ależ oni pani nie nienawidzą!
– Jasne. Dzieci to robią tym, których kochają – rzuca.
Stoję twarzą w twarz z kobietą, która przeżywa to samo co ja przez większą część swojego dorosłego życia. Chciałabym jej powiedzieć, że rozumiem, co to znaczy być samotną w małym miasteczku, troszczyć się o dom, od przeciekającego dachu poprzez awarie pieca po wymianę trawnika, przekazywać złe wiadomości rodzinie, która jest daleko, i wysłuchiwać dobrych wieści od tejże, i nie mieć nikogo, z kim można by się tym podzielić. Wiem, jak to jest: marzysz o zostaniu częścią większego obrazka, a jednak kochasz swoją samotność, masz czas na przemyślenia i ciszę do czytania, nikt cię o nic nie pyta i nie musisz się o nikogo troszczyć. Bronisz swojej

samotności, bo to największy luksus, i chociaż to właśnie ona trzyma cię z dala od ludzi, jest tak ważna i rozkoszna, że w ogóle się tym nie przejmujesz. Pamiętam, jak pracuje się ciężko cały tydzień, a weekendy wcale nie są czasem odpoczynku, tylko dodatkowymi dwoma dniami zajęć. Wiem, co ona czuje, i chcę, żeby miała tego świadomość.

– Rozumiem. Bardzo długo byłam samotna w tym mieście – mówię.

– Wie pani więc, o co mi chodzi.

– Tak, proszę pani, wiem.

Kate opiera rękę na drzwiach na znak, że już dość tych zwierzeń. Odwracam się i schodzę ze schodów. Zatrzymuje mnie.

– Kto to jest ferriner? – pyta cicho.

– Ktoś, kto się tu przeprowadził z daleka. Obcy. Dlaczego pani pyta? – Ale robi mi się głupio, bo spodziewam się, co odpowie.

– Tak się zastanawiałam. Jedno z dzieci tak mnie nazwało.

– Uprzątniemy węgiel i zajmiemy się trawnikiem – obiecuję.

Zamyka siatkowe drzwi.

Jest mi bardzo przykro z powodu Kate Benton. Mogła czuć się obca, ale teraz wie, że właśnie tak ją postrzegają. Za każdym razem, kiedy uda się przyciągnąć w naszą okolicę utalentowanych ludzi, kończy się to tym, że ich odpychamy, gdy tylko ośmielą się zrobić coś inaczej albo ostro się postawią naszym dzieciom. Obcy to zawsze obcy, ale my traktujemy ich jak wyrzutków. Dlaczego panna Benton miałaby tu zostać? Co ją tu trzyma? Ja przynajmniej miałam Theodore'a, żeby z nim rozmawiać, spacerować, stworzyć sobie jakieś życie poza pracą. Kochaliśmy te same rzeczy – dobre książki, dobre jedzenie i teatr. Przez te dziesięć lat, gdy mieszkał tu Theodore, ledwie zauważałam upływ czasu, taka byłam szczęśliwa, że mam przyjaciela, który myśli tak jak ja. Urządzaliśmy wycieczki do jaskiń i do kina w Kingsport, przechadzaliśmy się po deptaku. Kiedy jedno z nas potrzebowało towarzystwa na przyjęciu czy imprezie, zawsze szliśmy razem. Kate Benton nie ma Theodore'a. Nie wiem, jak długo tu wytrzyma bez kogoś takiego.

Staję na chwilę przed apteką. Fleeta już zamyka.

– Jest bardzo źle? – pyta, przebierając klucze na wielkim mosiężnym kółku.

– Koszmarnie.

– Taaa, Misty wyznała wszystko swojej mamie, a ona powiedziała Ivie Lou w bi... bibliotece. – Fleeta przerywa, czekając na moją odpowiedź. Skoro nic nie mówię, ciągnie dalej: – Taaa, źle te dzieciaki zrobiły. Ale przynajmniej Etta zmusiła je, żeby cała grupa przyznała się przed dyrektorem. To powinno ci poprawić samopoczucie. – Fleeta zapala jednego z dwóch papierosów, które teraz muszą wystarczyć jej na cały tydzień.

To powinno mi poprawić samopoczucie, ale nie poprawia. – Nie chcę o tym rozmawiać, Fleeta.

– Dzieciaki od czasu do czasu wdają się w różne rozróby. Wiesz, przez co przeszłam z Pavisem. – Fleeta wydmuchuje dym z taką siłą, jakby pozbywała się wszystkich jego zapasów z głębi płuc.

Jak mogłabym zapomnieć Pavisa? Kiedy był w gimnazjum, kilka razy musiałam dać Fleecie pensję z góry, żeby zapłaciła kaucję i wyciągnęła go z aresztu, do którego trafiał za różne wykroczenia, od pijaństwa w miejscach publicznych po sprzedawanie fajerwerków nieletnim.

– Biedny, żałosny Pavis – wzdycha Fleeta. – Kiedy policja zabrała go po raz pierwszy, wpadli do mnie do domu, żeby dać mi znać, że mają mojego syna. Nie pamiętam nawet zarzutów, przypominam sobie tylko, że dostałam ataku płaczu. Powiedziałam do gliniarza: „Dlaczego? Dlaczego mam dwoje normalnych dzieciaków, które zawsze zachowują się należycie, i jednego Pavisa, który zawsze się wdaje w kłopoty?". A on odpowiada: „Proszę pani, jest takie stare przysłowie i ono mówi prawdę: «Siejesz zboże, zbierasz zboże»". Fleeta wzdycha i idzie zamknąć bufet.

Skręcam w Cracker's Neck Road. Ręce zaczynają mi drżeć na kierownicy. Staram się pamiętać, co mówił mi Speck, próbuję zachować spokój, ale moje ciało ma inne plany. Kiedy mówiłam Jackowi, że spotkamy się w domu, oboje byliśmy wściekli, ale myślę, że jego i tak nieco zaskoczył ton mojego głosu. Parkuję jeepa i siedzę przez chwilę, oddychając głęboko.

– Etta, zejdź na dół. Natychmiast.

Jack stoi tyłem do schodów, dając mi znak, że chce ze mną porozmawiać sam na sam. Podnoszę dłoń, żeby go zatrzymać. Nie odstawiam nawet torebki. Etta pojawia się u góry schodów i kurczowo łapie za poręcz.

– Wracam właśnie z domu panny Benton.

– Przykro mi, mamo.

– Naprawdę?

– Naprawdę mi przykro.

– Powiedziałaś to pannie Benton?

– Pan dyrektor wezwał nas do swojego gabinetu przed próbą orkiestry i przyszła panna Benton, i wszyscy ją przeprosiliśmy.

– I teraz wszystko już jest w porządku?

Etta wzrusza ramionami.

– Odpowiedz mi.

– Nie.

– Co nie?

– Nie, mamo.

– Zejdź na dół.

Etta ostrożnie schodzi na dół. Idę do salonu. Jack i Etta za mną. Gestem nakazuję jej usiąść. – Jak to się stało?

– Ja i Misty...

– Misty i ja.

– Misty i ja byłyśmy w bibliotece i ona mi powiedziała, że kiedy jej tata chodził do gimnazjum, zadzwonili do Westmoreland Coal i zamówili tonę węgla dla pana Batesa, nauczyciela biologii. I pomyślałyśmy, że to zabawne.

– Och, bardzo zabawne. Widziałyście, co zrobiłyście?

Etta kręci głową.

– Wiesz, że panna Benton dopiero co się tu sprowadziła i że jest całkiem sama? Czy potrafisz sobie wyobrazić, jak ona się czuje?

Etta patrzy na mnie. Widać wyraźnie, że nie myśli o pannie Benton.

– Przede wszystkim posprzątasz ten cały bajzel. Ty i twoi koledzy.

– Ona o tym wie. – Jack spogląda na nią surowo.

– I nie jedziesz do Nowego Jorku.

Etta patrzy na mnie. – Co?

Jack próbuje coś powiedzieć, ale nie daję mu szansy. – Słyszałaś. Nie jedziesz do Nowego Jorku.

– Ale to był żart!

– Mam nadzieję, że dobrze się bawiłaś, bo to już koniec rozrywek. Idź do swojego pokoju.

Etta wstaje powoli i zmierza w kierunku drzwi. Widzę, że chce coś powiedzieć, ale się rozmyśla i rusza po schodach do siebie.

Padam na kanapę. Jack siada obok mnie.

– Jak to się mogło stać? – pytam go.

– To są dzieci.

– To nie jest usprawiedliwienie. Naprawdę się o nią martwię.

– Dlaczego?

– Ona się zadaje z tymi starszymi łobuziakami. To niedobrze.

– Masz na myśli Misty?

– Misty, dzieciaki z orkiestry.

– Ona nosi transparent.

– Ale i tak.

– Naprawdę jest jej przykro.

– Co ty powiesz?

– Naprawdę jest jej przykro. Płakała w gabinecie dyrektora.

– O co chodzi, Jack? Uważasz, że przesadzam? – Jack nic na to nie odpowiada. – Pojechałam do Kate Benton, ona jest załamana. Założę się, że po tym incydencie wyprowadzi się z miasta.

– Dlaczego?

– Na Boga, Jack, nie rozumiesz? Ona jest tu całkiem sama. Przeprowadziła się, myśląc, że fajnie będzie mieszkać w małym miasteczku, i popatrz. Pada ofiarą kawału tych dzieciaków. Jak ty byś się czuł?

– Zapanowałbym nad sytuacją. Tak trzeba, kiedy się pracuje z dziećmi. – Jack odchyla się do tyłu i kładzie nogi na stoliku do kawy. Ten niedbały ruch rozdrażnia mnie jeszcze bardziej. Och, potrząsnęłabym swoim mężem, żeby się ocknął i zobaczył, co się dzieje. Przecież tu nie chodzi o okrutny kawał, że to jest poważniejszy problem. Tu chodzi o Nas i o Nich, o Obcych i Miejscowych. Jak mam wyjaśnić, że sama przez całe życie jestem obca i że doskonale rozumiem Kate Benton? Moja córka nigdy nie doświadczy bycia wyrzutkiem. Ze swoim rodowodem i nazwiskiem MacChesney jest jedną z Nich. Ja nie dostanę się do tego kręgu nawet dzięki mężowi. On też jest jednym z Nich. Nie rozumie tego, nie uważa, że to ważne. Zamiast więc cokolwiek wyjaśniać, mszczę się za jego obojętność.

– Wiesz co? Ty wcale nie kontrolujesz sytuacji.

– Powiedziała, że przeprasza.

– Nie wierzę jej. Jest wystarczająco duża, żeby wiedzieć, że zrobiła coś okropnego. Gdzie jej sumienie? Jej współczucie? Nie martwi cię, że ona nie jest wrażliwa na uczucia innych ludzi?

– Tak jak ty jesteś wrażliwa na moje? – pyta łagodnie Jack.

– Co?

– Wcale nie rozmawialiśmy o karze. Zaskoczyłaś i ją, i mnie z tym Nowym Jorkiem. Ja czekałem na twój powrót, a ty powinnaś była mi przynajmniej powiedzieć, co masz zamiar zrobić.

– Nie wierzę własnym uszom. Wychodzi na to, że to ja postępuję źle.

– Jeśli chcesz, żebym ci pomagał, musisz pozwolić mi podejmować decyzje razem z tobą. Tylko tyle mam do powiedzenia. – Ton głosu Jacka jest zrównoważony i spokojny, jakbyśmy się już wcześniej kłócili o to samo. (Owszem, kłóciliśmy się).

– Przepraszam. Ta sprawa mnie zupełnie rozbiła.

– Widzę. – Jack mnie obejmuje. Zanurzam się w nim jak łyżka w cieście naleśnikowym.

– Wszystkie książki mówią, żeby zapanować nad emocjami, zanim ukarzesz swoje dziecko. Zazwyczaj panuję nad emocjami, prawda?

– Tak, panujesz. Na ogół.

– Ale teraz zobaczyłam siebie. Przez wiele lat byłam jak panna Benton. To tak, jakby Etta zrobiła coś przeciwko osobie, którą kiedyś byłam.

Jack długo mnie przytula, a ja nie mówię ani słowa. Bez względu na upływ czasu zawsze zostanę tamtą osobą, obcą, starą panną, samotną Włoszką. I zawsze będę ją w sobie nosić.

Etta wcześnie wyszła do szkoły. Ma przed lekcjami mecz koszykówki Dziewczęcego Związku Sportowego, ale jestem pewna, że chciała uniknąć spotkania ze mną. Jack też już poszedł do pracy, dom jest więc cichy. Wyciągam kubek z szafki kuchennej i widzę zaadresowany do mnie list, oparty o parapet. Końcem łyżeczki otwieram kopertę i rozkładam kartkę, potem nalewam sobie kawy.

Droga Mamo,

wiem, że teraz mnie nienawidzisz, ale postaraj się mnie wysłuchać. Rzeczywiście zrobiłam coś złego. Zadzwoniłam do kompanii węglowej i złożyłam zamówienie w piątek, bo wiedziałyśmy, że wtedy będą się spieszyć z jego realizacją i go nie sprawdzą. Nie nienawidzę panny Benton. Poza tym, że kazała nam robić te okrążenia, jest świetnym kierownikiem orkiestry. Myślałyśmy, że to będzie śmieszne zobaczyć górę węgla na jej podwórku. Nie zastanawiałam się, jak to się skończy. Jest mi bardzo przykro. Przykro mi, że zraniłam pannę Benton i że nie pojadę do Nowego Jorku, do którego zawsze chciałam pojechać. Nie zamówię już zrzutki węgla na niczyje podwórko.

Etta

Chwytam jakiś papier i długopis i odpisuję Etcie.

Kochana Etto,
nie nienawidzę cię. Nie podoba mi się to, co zrobiłaś, a to różnica. Wierzę, że jest ci przykro z powodu zrzutki węgla i że nie zrobisz tego więcej. Ale następnym razem, zanim wymyślisz coś podobnego, czy możesz się zastanowić nad czyimiś uczuciami? Jak byś się czuła, gdyby tobie ktoś to zrobił?

Kocham Cię, mama

Zostawiam list na łóżku Etty. Jeszcze nigdy tak doskonale nie wysprzątała swojego pokoju. Ona nie jest złym dzieckiem. Nie próbuje wykręcić się od kary ani obwinić kogoś innego o ten kawał. Może nawet czegoś się nauczyła. Ale najbardziej mnie zadziwia, jak to dziecko potrafi rozgryźć moje uczucia. Wie, że jestem opiekuńcza w stosunku do nowych ludzi, którzy się sprowadzają do miasta. I równie dobrze wie, co musi zrobić, żebym jej wybaczyła.

Życie w Cracker's Neck Holler od czasu zrzutki węgla sprzed miesiąca płynie tak spokojnie, że można by pomylić ten stary dom z klasztorem. Zdecydowałam się nie rezygnować z kary. Etta nie pojedzie ze mną do Nowego Jorku (tym razem), a Jack się na to zgodził. Trudno mi wytrwać przy tej decyzji. Jednym z moich marzeń wobec córki jest to, żeby podróżowała, otworzyła się na świat zewnętrzny, chodziła do muzeów, obcowała ze sztuką, kulturą. Kilka dni temu niemal ustąpiłam, ale Jack mnie powstrzymał. Przypomniał mi, że to nie jest ostatnia szansa Etty na odwiedzenie Nowego Jorku. I zarówno Jack, jak i ja czujemy, że ważniejsze jest wytrwać w postanowieniu niż pozwolić jej myśleć, iż damy się zmiękczyć kilkoma ślicznie posłanymi łóżkami. Przez cały czas mam przed oczami obraz Pavisa Mullinsa. To żywy dowód na to, że jeśli dzieci zbyt łatwo wykaraskają się z opałów, dalej będą próbować.

Iva Lou odwozi mnie na lotnisko – złapałam dobre połączenie i będę w Nowym Jorku na kolację. Etta rozgrywa mecz piłki nożnej, a Jack przygotowuje bufet dla Band Boosters; Conley Barker, który prowadzi usługi taksówkowe, jest nieosiągalny, ponieważ transmituje też rozgrywki przez radio, Iva Lou zgłosiła się więc wspaniałomyślnie na ochotnika, mimo że uwielbia mecze piłki nożnej Powell Valley i stara się żadnego nie opuścić. Przepraszam, że sprawiam jej kłopot.

– To żaden problem. Więc kiedy już tam będziesz, spotkasz się z tym przystojniakiem z New Jersey? – Iva Lou poprawia wsteczne lusterko i spogląda na mnie. Droga prowadząca do lotniska Tri-Cities jest górzysta, a ja denerwuję się, kiedy Iva Lou zamaszyście omija wyboje.

– Z kim? – udaję idiotkę.

– Z Pete'em Rutledge'em. – Iva Lou cedzi powoli jego imię i nazwisko.

– Nie wiem. – Kłamię oczywiście. Chciałabym zobaczyć Pete'a, moją fantazję „a gdyby". Któraż mężatka nie ma Planu B? Wiecie, przystojniaka z przeszłości, który w sprzyjających okolicznościach stałby się Panem Aktualnym. Pete był bardzo romantyczny i bardzo mną zainteresowany pięć lat temu we Włoszech, ale ja oczywiście miałam męża. Więc asekurancko odsunęłam Pete'a na później, żeby podnosić pokrywkę od tego garnka tylko, kiedy jestem wściekła na Jacka albo znudzona swoim życiem, albo zdenerwowana przez córkę. Pete Rutledge to jak stary dobry film, który sobie puszczam przed oczyma wyobraźni, gdy potrzebuję wsparcia. W takich chwilach mówię sobie, że gdyby kiedykolwiek coś się stało z Jackiem, zawsze jest Pete. Mam w związku z tym ogromne poczucie winy, ale to Praktyczne Fantazjowanie: mąż uważa, że jestem na każde zawołanie, albo grzęznę w harówce, wracam do łąki dzwonków i wyobrażam sobie, co mogło się stać.

– Myślałam, że Nowy Jork i New Jersey są tak blisko siebie jak Coeburn i Norton.

– Bo są.

– Więc on i ty będziecie w tym samym miejscu. Spakowałaś szpilki?

– Po co?

– Żebyś mogła gdzieś z nim pójść.

– Nie sądzisz, że mam dość zmartwień?

– Tak, masz, kochana, tylko sobie żartuję – śmieje się Iva Lou.

– Rozmawiamy o mnie, nie o tobie. Ja nie flirtuję.

– Hmmm. Tylko myślałaś o tym, jak by tu się na chwilę zapomnieć.

– Absolutnie nie. Mam dobrego męża i nie potrzebuję żadnych podniet.

– Och, kochana, podniety to jedyna rzecz, dla której warto żyć. – Iva Lou zatrzymuje się na światłach pod Gate City. – Ale ja dopilnuję, żeby wszystko było równie nudne jak błoto w Gap. Będę strzec twojego męża, kiedy ty gdzieś tam nie będziesz szukać podniet.

– To nie jest konieczne.

– Sama to ocenię. Właśnie go wynajęliśmy do remontu magazynów w bibliotece, to go powinno zająć mniej więcej na tydzień. – Iva Lou mruga do mnie.

– Czy to nie zabawne... dokładnie tyle mnie nie będzie.

– Ehe. My, mężatki, musimy się trzymać razem i strzec naszych mężczyzn – Iva Lou mówi z determinacją, której nie słyszałam u niej od czasu, gdy stanęła przed radą okręgu, by zażądać nowego bibliobusu (i dostała go).

Wsiadam do samolotu, odwracam się i macham Ivie Lou. Mogę z pełnym zaufaniem zostawić swoje życie w jej rękach.

Rozdział trzeci

Pierwsza zasada życia w Nowym Jorku (wedle Theodore'a Tiptona) mówi, żeby nigdy nie odbierać gości z lotniska. Nigdy. Podobno lotnisko La Guardia to zoo i gość sam musi sobie poradzić: ustawić się w kolejce po taksówkę (nie decyduję się na autobus, wskazówki Theodore'a były zbyt zagmatwane), podać taksówkarzowi adres i usiąść z tyłu w nadziei, że nie zostanie zabrany na przejażdżkę do Connecticut albo jeszcze dalej.

Przed podróżą przekopałam garderobę w kufrach mojej mamy. Znalazłam klasyczną krótką marynarkę z niebieskiego aksamitu i haftowane spodnie w stylu z początku lat czterdziestych, z szerokimi nogawkami i wysoką talią. Theodore powiedział, że w Nowym Jorku wcześnie robi się zimno i mam się ciepło ubrać, wymyśliłam więc sobie, że najlepszy będzie aksamit. Chciałam olśnić przyjaciół Theodore'a. Rzuciłam się nawet na biżuterię mamy. Wybrałam broszkę z czarnych pereł, którą założę na wyjście do teatru. Moje jedyne garderobiane zmartwienie to buty – te, które mam, są żałośnie nieodpowiednie. Trudno, wykosztuję się na nowe w Greenwich Village (Theodore nazywa Ósmą Ulicę w pobliżu swojego mieszkania Zagłębiem Obuwniczym). Ubrałam się w golf i czarne dżinsy; to chyba standardowy nowojorski ubiór, nie będę wyglądać jak ktoś, kto ma na czole wytatuowane „turysta".

Zadziwiające, jaka się robię niezależna, kiedy zostaję sama. Bycie mężatką łączy się z rozleniwieniem; kiedy jestem w domu, całą logistykę (instrukcje dla Biltmore House and Garden na szkolną wycieczkę) i nieprzyjemne, dziwaczne prace domowe (czyszczenie pieca, zastawianie pułapek na myszy) powierzam mężowi. Pokonywanie drogi przez najbardziej ruchliwe lotnisko świata daje mi wiarę we własne siły. Mijam główne wejście, gdzie nad głowami pulsuje ogromny czerwony napis LA GUARDIA; jakie to ekscytujące, że mój rodak makaroniarz, były burmistrz Nowego Jorku, ma lotnisko swojego imienia!

Czekam na swój bagaż. Przetaczają się tu tysiące ludzi, a każdy z nich jest zupełnie inny. Nowy Jork to naprawdę stolica świata, a mnie intryguje równie mocno Hinduska z szeroko otwartymi oczami, w turkusowym sari z pasami złotego brokatu na brzegach, jak i wysoki, rozeźlony Rosjanin, który wyszarpuje ogromny worek marynarski z taśmociągu i ładuje go na wózek. Unoszę ręce nad głowę, ogarniając wzrokiem całą tę scenę, i przeciągam się mocno, podniecona tym, że się tu znalazłam, szczęśliwa, że jestem częścią czegoś tak ekscytującego i nowego (dla mnie w każdym razie).

– To pani pierwsza podróż? – mówi głos za moimi plecami (zgaduję, że zdradził mnie wygląd osoby zaciekawionej i zadziwionej). Opuszczam ramiona i odwracam się.

– Przejeżdżałam kiedyś przez JFK w drodze do Włoch. – Czyżbym mówiła jak turysta na pozycjach obronnych?

– Hmmm. Jest pani Włoszką?

– Tak. – W Nowym Jorku Amerykaninem jesteś dopiero w drugiej kolejności: przede wszystkim o twojej narodowości stanowi kraj pochodzenia.

– Ja też. – Mężczyzna ma około sześćdziesiątki i bujne szpakowate włosy. Jest niewysoki i drobny i ma długi nos ze wspaniałym garbem (zgodnie ze starożytną chińską sztuką czytania z twarzy, może wieść dobre życie i dociągnąć do setki).

– Skąd pochodzi pańska rodzina? – pytam.

– Z Neapolu.

– Jest pan południowcem.

– A pani?

– Ja jestem z północy. Z Alp.

– O, Włosi z północy to robotni ludzie. – Mężczyzna się śmieje.
– Skąd pan wie?
– Ożeniłem się z dziewczyną stamtąd. – Mężczyzna nie odrywa wzroku od wciąż kręcącego się taśmociągu z bagażami. – Kiedyś byliśmy z żoną w Atlantic City i poszliśmy na show. Występował tam komediant, wie pani, taki facet rozgrzewający publiczność. W każdym razie podchodzi do naszego stolika i pyta: „Państwo są małżeństwem?", my mówimy, że tak, a on na to: „Panie i panowie, ci dwoje nie zgadzają się w niczym". I wszyscy się zaczęli śmiać, my też, bo to prawda. Włoch z północy i Włoch z południa mogliby równie dobrze pochodzić z dwóch różnych planet, wie pani, co mam na myśli?

Kiwam głową. Nie mogę uwierzyć, jak szybko ludzie tu mówią. Ta sama historia komuś w Big Stone Gap zajęłaby ze trzy godziny. Oczywiście tam mamy te trzy godziny na zbyciu. Tutaj wszyscy się spieszą.

Mój taksówkarz jest Pakistańczykiem i z radością opowiada mi o swojej ojczyźnie. W ciągu pierwszych pięciu minut w Nowym Jorku odbywam więcej interesujących rozmów niż przez cały rok w Big Stone Gap. Skręcamy z Grand Central Parkway i jedziemy drogą, która prowadzi na koniec Pięćdziesiątej Dziewiątej Street Bridge od strony Queens. Kierowca macha w stronę Manhattanu, jakby pokazywał szkatułkę z klejnotami. Mam wrażenie, że na niebie zawirują zaraz Fred Astaire i Ginger Rogers; widzę chmury przypominające jej jedwabną pelerynkę, gwiazdy i obcasy jego czarnych lakierków. Kiedy Fred i Ginger tańczą, ich lśniące pantofle ledwie dotykają wyciętego w szmaragdzie horyzontu. Co mogłoby przebić wspaniałość tego obrazu? Theodore to szczęściarz, a ja też jestem szczęściarą, że mój najlepszy przyjaciel mieszka teraz pod tymi światłami i w środku tego fantastycznego szaleństwa. Czuję jednak ukłucie poczucia winy. Etta powinna tu być.

– Dobrze się pani czuje, proszę pani? – Kierowca patrzy na mnie we wstecznym lusterku.

– Chciałabym, żeby była tu ze mną moja córka – wzdycham.

– Nowy Jork nigdzie się nie wybiera. Zawsze tu będzie – mówi z uśmiechem. I to, o dziwo, poprawia mi nastrój.

Portier w granatowym uniformie ze złotymi epoletami wita mnie w małym, ale ozdobnym rokokowym holu budynku na rogu Piątej Alei i Dziewiątej Ulicy w Greenwich Village. Wysiadam z taksówki. Chcę postać pięć minut i popatrzeć w dół na łuk parku przy placu Waszyngtona, czteropoziomową bladoniebieską podkowę, która przywodzi na myśl Pola Elizejskie w Paryżu. – Jeszcze sobie popatrzę – mówię portierowi, a on dzwoni po Theodore'a. Na Piątej Alei żółte paski na środku ulicy tworzą ogromną strzałę, znikającą w ciemności miasta powyżej.

– Hej, spotkanie jest w środku! – Theodore wysiada z windy. – Udało ci się! – Wygląda przystojnie. Jego rude włosy są przyprószone siwizną. Ma doskonałą figurę, jakby wybierał się na przesłuchanie do zespołu tanecznego w Radio City, a nie dyrygował nim. Wygląda jakby młodziej. Zniknęły zmarszczki zmartwienia pomiędzy jego brwiami i sprawia wrażenie całkowicie odprężonego (niemały wyczyn w wypadku perfekcjonisty).

Interesuje mnie każdy szczegół w nowym domu Theodore'a: winda z lśniącymi mosiężnymi guzikami, panele z drzewa orzechowego intarsjowane posrebrzaną chińską tapetą z lat trzydziestych XX wieku; dywan w czarno-szary wzór (bardzo w stylu art déco). W każdej chwili spodziewam się Carole Lombard, która wyjrzy przez któreś drzwi, szukając Williama Powella. Docieramy do drzwi apartamentu Theodore'a. Mała tabliczka nad dzwonkiem z nazwiskiem TIPTON dowodzi, że cała ta podróż nie jest snem.

– I jak? – Theodore stoi na środku swojego salonu, szykownie urządzonego w prostych szarościach i złamanej bieli, bardzo skromnego i schludnego. Trzy wielkie okna wychodzą na Piątą Aleję. Rzucam okiem na scenę poniżej. Ruch uliczny prze w stronę placu Waszyngtona jak luźne sznurki ziaren kukurydzy.

– Na pewno bije na głowę twoją chatkę z bali w Powell Valley.

– Chciałbym mieć cichy gabinet taki jak ten w Big Stone Gap. Ale w tym mieście jedyni ludzie z wielkimi gabinetami to właściciele budynków. – Przechodzę za Theodore'em małym korytarzem z ruchomym oświetleniem. – Obejrzyj sobie sypialnie. Ta jest twoja. – Rzuca moje torby w pokoju tak małym, że mieści się tu tylko jedno pojedyncze łóżko, stolik nocny i krzesło z prostym oparciem. Theodore przystroił go starą narzutą zrobioną przez moją teściową (dostał ją w prezencie ode mnie, kiedy przyjął posadę na Uniwersytecie Tennessee). – A ta moja. – Theodore otwiera na oścież drzwi do swojej sypialni. Wygląda wytwornie z łóżkiem na podwyższeniu i szarym krzesłem w rogu. Jest niemal wielkości salonu, tyle że jej okna wychodzą na park przy placu Waszyngtona.

– O mój Boże – tyle tylko mówię.

– Wiem, wiem. Każdego wieczoru przed pójściem spać myślę o Henrym Jamesie.

– To jest dokładnie to miejsce, w którym mieszkał doktor Sloper, prawda? – Wskazuję na rząd fasad z czerwonego piaskowca, wychodzących na park.

– Możliwe.

– Pamiętasz, jak czytaliśmy na głos *The Heiress*?

– Jasne. Twoja interpretacja Catherine Sloper była niedościgniona. Szkoda, że jestem jedyną osobą na świecie, która ją słyszała. – Theodore się śmieje.

– Powiedzmy, że utożsamiałam się z bohaterką. – I na Boga, rzeczywiście. Historia ciemiężonej córki okrutnego ojca dla mnie brzmiała realnie. – Kto by pomyślał, że kiedykolwiek będziesz mieszkał w krainie Henry'ego Jamesa?

Theodore nie tyle bardzo się zmienił, co ewoluował. Czuje się dobrze w swojej skórze, w tym mieszkaniu, w swoim życiu. Jest w nim jakaś swoboda, której nigdy wcześniej nie zauważałam. – Wyglądasz lepiej niż kiedykolwiek. Nie żartuję.

– Tak się dzieje, kiedy znajdujesz miejsce, do którego pasujesz.

– Nie denerwowałeś się, że się tu przeprowadzasz?

– O Boże, nie. Nie mogłem się doczekać. Jestem szczęśliwy, że w końcu to zrobiłem. – Theodore patrzy na mnie i uśmiecha się. – Nieźle wyglądasz.

– Och, daj spokój.

– Nie, naprawdę.

Idę za nim do kuchni. Kontuar baru oddziela kuchnię od salonu, na małym stoliku Theodore kładzie biały obrus, stawia białą porcelanę. Nagle słyszymy dzwonek.

– Jest kolacja.

– Kolacja?

– Nie zdołałbym prawdopodobnie przebić chińszczyzny Mamy Charliego. Poczekaj, aż spróbujesz żeberek w miodzie. Siadaj tu i patrz.

Theodore otwiera drzwi. Miły chiński dzieciak dostarcza dwie brązowe torby. Wyobraźcie sobie. Gorąca kolacja dostarczona na próg. Jakże chciałabym mieć taką możliwość w Big Stone Gap! Theodore rozpakowuje torby, zastawia stolik małymi białymi pudełkami. – Powiedz mi, dlaczego nie przywiozłaś Etty?

Opowiadam Theodore'owi każdy szczegół węglowego numeru. Słucha, nie przerywając mi.

– Jaka była kara?

– Kazaliśmy dzieciakom wrzucić węgiel z powrotem na ciężarówkę i odtworzyć trawnik na podwórku.

– Wykręcili się sianem. Ja bym im kazał załadować węgiel na taczki i odwieźć go do Appalachii. – Theodore napełnia mój talerz specjałami wszelkiej maści: są tu maleńkie krewetki, puszysty ryż, siekane warzywa. – Etta zorganizowała sobie pięcioro dzieciaków do pomocy?

– Tak. Nie mogę w to uwierzyć. Ona stała na czele, ale to Misty Lassiter ją namówiła.

– Córka Tayloe?

– Tak. Ma całą urodę i talent Tayloe plus zmyślny przestępczy umysł, który naprawdę dodaje jej uroku.

Theodore się uśmiecha. – To źle, co?

– No cóż, to wszystko trochę mnie rozbiło. – Dźgam widelcem żeberka. – Czuję się, jakbym nie mogła już Etcie ufać, i nienawidzę tego uczucia. Jeśli nie włazi na dach, wykręca inne numery. Nie chcę śledzić każdego jej ruchu, nie chcę wokół niej krążyć, ale ona nie daje mi wyboru.

– Musisz jej znaleźć zajęcie.

– Jest w orkiestrze, przed lekcjami gra w koszykówkę, w weekendy pracuje z ojcem. Jakie zajęcie mam jej znaleźć? Nie wiem, co jeszcze mogę zrobić, może oprócz wysłania jej do szkoły przyklasztornej.

– Jest bardzo dobra po drugiej stronie rzeki w Jersey.

– Nie kuś mnie.

– Kiedy uczyłem dzieci, zauważyłem pewną prawidłowość...

– Jaką prawidłowość? – wypalam nerwowo. Jak zwykle moje myśli kierują się ku najgorszemu scenariuszowi.

– Spokojnie. Chodzi o to, że najbystrzejsze dzieci to te, które wycinają numery. Nie mówię o kujonach, tylko o dzieciakach, które bez względu na to, ile dasz im zajęć, i tak znajdą czas na kawały. Etta się nudzi. Zadaje się ze starszymi dzieciakami, w dni powszednie ma dużo wolnego czasu. Dlatego sprawia kłopoty. Musisz jej pomóc znaleźć sposób na zajęcie umysłu.

– Chciałabym znaleźć sposób na jej serce – mówię szczerze Theodore'owi.

– Co masz na myśli?

– Chciałabym, żeby myślała o innych ludziach i ich uczuciach. Nie zrozum mnie źle. Wiem, że mogłoby być gorzej i że ona ma dobre serce, ale kieruje się bardziej rozumem niż emocjami.

– Jakbym słuchał o pani Mac – Theodore odchyla się i wybucha śmiechem na wspomnienie mojej teściowej. – To dopiero była twarda kobieta. Chodziła o lasce, ale nie dlatego, że potrzebowała podparcia, używała jej do zastraszania ludzi. Zawsze uderzała nią w podłogę albo chwytała zamykające się drzwi. Pamiętam, jak kiedyś wychodziłem z poczty, a ona wchodziła. Spieszyłem się, niemal wybiegłem. Zatrzymała mnie i mówi: „Panie Tipton?". A potem walnęła mnie w tyłek i powiedziała: „Ta dzisiejsza młodzież! Zawsze się gdzieś spieszy!".

– A pamiętasz, jak weszła do apteki i zapytała mnie, dlaczego nie przyjęłam oświadczyn jej syna? Czułam się upokorzona.

– Potrafiła postawić na swoim, prawda? – Theodore śmieje się i dolewa wina. – Jak tam między tobą a Jackiem?

– Jesteśmy w dobrym punkcie.

– Żadnych rozterek?

– Masz na myśli Karen Bell? – Jeśli kiedykolwiek pojawią się jakieś plotki na temat romansu twojego męża, stanie się to obowiązkowym punktem każdej rozmowy o twoim małżeństwie. Ale tym razem nie mam nic przeciwko temu, bo to Theodore. – No cóż, nie znajduję żadnych liścików i nie ma podejrzanych telefonów, Iva Lou twierdzi, że Karen spotyka się z kimś na poważnie w Honaker, a Fleeta mówi, że nie słyszała nic o niej w Norton, domyślam się więc, że całkiem zniknęła z horyzontu.

– Aha, no to dobrze. Śmiesznie jest z tymi romansami, nie sądzisz? Są takie... nie wiem, jak to powiedzieć... naglące, kiedy się dzieją, niemal nie sposób nad nimi zapanować, a potem, kiedy już się skończą, ciężko sobie przypomnieć, dlaczego zżerała cię taka namiętność.

To dlatego Theodore i ja pozostaliśmy sobie tak bliscy przez te wszystkie lata. Umie zajrzeć w moje życie i zobaczyć je jasno, w sposób dla mnie nieosiągalny. Czyta moje serce jak fragment sztuki, z emocjonalnym wyczuciem chwili, ale zawsze obejmując szerszy plan. Gdziekolwiek jest, czuję się przy nim jak u siebie, nawet w Nowym Jorku, mieście, które kiedyś istniało tylko w mojej wyobraźni.

Łazienka dla gości jest wypełniona wszelkiego rodzaju płynami do kąpieli i mydłami w koszyczku. Wybieram ozdobną butelkę z napisem USPOKAJAJĄCY i nalewam obficie lawendowego mleczka do najgorętszej wody, jaką mogę wytrzymać. Stres podróży i cały niepokój odpływają przez zaparowane okienko. Oddycham głęboko.

Theodore wie, jak traktować gości. Świece, ustawione w kilku kryształowych czarkach, pachną jak ciasteczka i rzucają na ścianę cienie niczym płatki śniegu. Na staroświeckim stojaku z kutego żelaza piętrzy się stos puszystych białych ręczników. Zdobi je monogram, ale nie z inicjałów, tylko ze słowa ODPRĘŻENIE. Stoi tu nawet radio łazienkowe, włączam więc jakąś muzykę. (Jest nastawione na stację country, co mnie śmieszy). Theodore myśli o wszystkim; może to dlatego Radio City Music Hall rzuciło się na niego – wielka sztuka tkwi w szczegółach.

Theodore wcześnie podrywa mnie na nogi wielkim papierowym kubkiem kawy i ogromnym bajglem z cynamonem i rodzynkami, wyjętymi z brązowej papierowej torby (czy wszystko do jedzenia w tym mieście jest dostarczane w papierowych torebkach?). Mam wstać, ubrać się i przygotować do całodziennego biegania. Theodore musi iść do pracy i zaznacza na mapie miejsca w pobliżu Radio City, które mogę tymczasem zwiedzić. Opracował całą marszrutę; obejrzymy przedstawienia, punkty widokowe, a w poniedziałek zobaczymy nawet paradę z okazji Dnia Kolumba na Piątej Alei. – Będziesz miała naprawdę dość makaroniarzy – obiecuje.

Biura Radio City to tak naprawdę wcale nie biura, tylko małe, beżowe sześciany, coś w rodzaju gigantycznego kartonu na jajka. Ściany obwieszone są wykresami, kalendarzami i próbkami materiałów, wstążkami i dodatkami do kostiumów, akwarelami projektów dekoracji i butami (zdziwilibyście się, ile tu rodzajów butów do stepowania). Telefony nie przestają dzwonić nawet na chwilę. Wszyscy tu są młodzi i wszyscy zdają się spieszyć. Ledwie podnoszą wzrok, kiedy Theodore mnie przedstawia; nie są niegrzeczni, są zajęci. Kiedy on wchodzi w labirynt, oblegają go wszyscy od głównego tancerza po recepcjonistkę. To jest ich najgorętszy okres w roku; przygotowują produkcję na fetę bożonarodzeniową. Kiedy dookoła Theodore'a zbiera się mała grupka, sięgam do kieszeni jego marynarki, wyciągam listę miejsc, które mam sama zwiedzić, i pokazuję mu na migi, że wrócę na lunch.

Na parterze Saks Fifth Avenue są setki stoisk z kosmetykami do makijażu. Myślę o Fleecie, która narzeka, że musi dbać o wyposażenie dwóch nędznych stojaków w aptece; zastanawiam się, co by zrobiła, gdyby do niej należało uzupełnianie zapasów tutaj.

Po drodze spryskano mnie czterema różnymi perfumami (pytali grzecznie, czy można, a ja nie powiedziałam nie) i zaproponowano makijaż: francuski, haute couture, naturalny albo jaki tylko zechcę – te hostessy są otwarte na wszelkie możliwości.

Na jednym z krzeseł z wysokim oparciem, przed lustrem przy stoisku Clinique, siedzi dziewczyna mniej więcej w wieku Etty. Obok niej stoi matka (co można wywnioskować z badawczego wyrazu twarzy, z którym przygląda się córce). Konsultantka od makijażu nakłada troszkę korektora na twarz dziewczyny, matka się pochyla.

– Za dużo.

– Mamo...

– Amy, nie kłóć się ze mną.

– Nałożymy cieniutką warstwę – konsultantka uspokaja matkę. Dziewczyna patrzy do lustra. – Ledwie widać, że cokolwiek mam na twarzy.

– Nie chcę, żebyś wyglądała jak umalowana.

– Ale ja muszę mieć makijaż – odpowiada Amy tym wszystkowiedzącym tonem, którego moja córka używa nieustannie.

– Makijaż nic nie pomoże, piękno płynie z wnętrza człowieka – wygłasza wzniosłą maksymę matka.

– Mówisz jak zakonnica – kwituje Amy beznamiętnie.

– Czego chcesz od zakonnic? Służą ludzkości. Poza tym dalej zajdziesz w życiu, skupiając się na tym, co masz w glowie. – Teraz posuwa się za daleko; brzmi jak Matka Wszech Czasów, której ogólną mądrość można przełamać na dwoje i odczytać jak poradę z ciasteczka szczęścia.

Wjeżdżając schodami na następne piętro, spojrzałam w dół na Amy i jej matkę. Nagle zamiast nich zobaczyłam Ettę i siebie. Tak właśnie przebiegają nasze rozmowy, kiedy mamy odmienne zdania i spieramy się o mnóstwo nieistotnych rzeczy. Po każdej z takich sesji Etta czuje się niezrozumiana, a ja mam wrażenie, że nic nie potrafię powiedzieć tak jak trzeba. Dlaczego matkom tak trudno zapamiętać, że córki dopiero się uczą, jak być kobietami, i że ten czas w ich życiu nigdy nie powróci?

– Jak minął dzień? – pyta Theodore. Jedziemy na kolację, a ja trzymam się kurczowo uchwytu, siedząc z tyłu w wyjątkowo pospiesznej taksówce.

– Pracowicie. Poszłam do katedry Świętego Patryka, do Rockefeller Center, do Saksa. Potem do Central Parku. Spacerowałam tam sobie i zobaczyłam błąkającego się kota, ale kiedy przyjrzałam mu się bliżej, okazało się, że to szczur. Zanim to do mnie dotarło, było za późno, żeby krzyczeć, a on i tak uciekł za kamień. Później poszłam na karuzelę i tam sobie tylko siedziałam bardzo długo, przyglądając się ludziom. Kobiety w Nowym Jorku naprawdę wiedzą, jak się ubrać.

Drzwi do Czarnej Perły są jaskrawoniebieskie, z trompe l'oeil przedstawiającym złote frędzle. Theodore otwiera przede mną drzwi.

– Nie zwracaj uwagi na wystrój. Jest przesadzony – szepcze, kiedy wchodzimy.

Podoba mi się tu. Znajdujemy się w niebieskiej jaskini z boksami oświetlonymi nisko wiszącymi lampami. Stoły mają małe kwadratowe blaty, idealne dla dwojga, z rozsypanymi na środku płatkami niebieskiej róży. Nawet obwieszone lustrami ściany są w przyćmionym niebieskim kolorze, co przypomina nielegalne knajpki z lat dwudziestych XX wieku. Maître wprowadza nas przez zatłoczoną restaurację do stolika w rogu, wręczając każdemu z nas menu.

– Jak zdobyłeś to miejsce? – pytam Theodore'a.

– Znam szefa kuchni. Jest wyjątkowy.

Sposób, w jaki to powiedział, każe mi myśleć, że ten ktoś wyjątkowy jest dla niego bardzo ważny. – Masz chłopaka? – pytam zbyt głośno. Theodore kiwa głową. – Dlaczego mi nie powiedziałeś?

– A nie wolałabyś go poznać?

Idę za Theodore'em do drzwi kuchennych. Najpierw zaglądamy przez luk. Kuchnia jest mała, ale schludna. Duży, srebrny blat roboczy, piec z dwoma głębokimi piekarnikami. Theodore bierze mnie za rękę i wchodzimy; wciskamy się w kąt, ale i tak zawadzamy w tej niewielkiej przestrzeni. Na telefonie miga rząd światełek, jakby domagały się natychmastowej odpowiedzi. Theodore wskazuje telefon. – Mówiłem ci, że to gorące miejsce.

– Podpalaj brulée! – Stojący tyłem do nas szef kuchni przekrzykuje gwar, a kuchcik natychmiast wykonuje jego polecenie.

– To Max. – Theodore wskazuje barytona w wysokiej białej czapce. Max to mężczyzna o krępej budowie ciała (w większości złożonego z mięśni) i o ogromnych ramionach i rękach. Włosy ma czarne i przycięte krótko przy skórze wielkiej głowy (jej kształt wedle sztuki czytania z twarzy oznacza, że zawsze wiedzie mu się w życiu). Jego czarnym oczom nic nie umknie. Dogląda garnków, przestawia je, kiedy potrawy się ugotują. W końcu wyczuwa intruzów i podnosi wzrok. Uśmiecha się i idąc ku nam, wyciera ręce w ścierkę do naczyń przewieszoną przez pasek.

– To musi być Ave Maria – Max ujmuje moją dłoń.

– To jest Max Berkowitz – mówi Theodore z dumą.

– Jestem taka szczęśliwa, że mogę cię poznać – witam się z Maksem. Ma szeroki uśmiech i głębokie dołeczki (jego personel nie widuje ich raczej zbyt często).

– Mam nadzieję, że jesteś głodna.

– Jestem.

– Usiądź, odpręż się i bądź gotowa. Olśnię cię. – Max mruga do Theodore'a.

Uczta przy naszym stoliku zaczyna się od zupy z homara tak lekkiej i maślanej, że chcę dokładkę, ale wstydzę się o nią poprosić. I dobrze, ponieważ jedzenie, które pojawia się później, jest tak wyśmienite, że nie darowałabym sobie, gdyby mi się nie zmieściło. Max serwuje nam siekaną jagnięcinę na purée z batatów, a po niej sałatkę ze szpinaku, gruszek, orzechów i wiórków świeżo startego parmezanu; do tego... jest sos, który rzuca mnie na kolana, przyrządzony z malin i octu balsamicznego.

– Szkoda, że nie ma tu mojego męża. Max zyskałby terminatora. Jack ciągle mówi o otwarciu restauracji.

– Jesteś szczęściarą, że masz mężczyznę, który gotuje.

– Ty też. Jak się poznaliście?

– Na jednym z przyjęć „przedstawiamy nowego przybysza".

– Poznaliście się i od razu wiadomo było, że to jest to?

– No, niezupełnie. To dojrzewało powoli. Uznałem, że Max byłby dobrym przyjacielem. Wydawał się interesujący. Nigdy nie spotkałem kogoś takiego. Jest niezwykle otwarty i pełen pasji.

– I utalentowany! – dodaję.

– Zdecydowanie. Ale ja nie zmieniłem się za bardzo: nadal trudno mi zbliżyć się do kogoś. Więc Max spędza mnóstwo czasu na wyciąganiu ze mnie uczuć. I muszę przyznać, że mi się to podoba.

– Zasługujesz na kogoś, kto w pełni cię rozumie.

– Myślę, że Max jest dla mnie Tym Kimś.

– Oto nadchodzi ten ktoś.

Max przysuwa do mnie krzesło. – Stolik szósty zamawia risotto, mam wolne dwie sekundy. Gotowi na deser? – Kelner przynosi dwa małe talerzyki z czymś w rodzaju kremu budyniowego. – Flan lawendowy – oznajmia Max. – Z pozoru to dziwactwo, ale działa. – Max uśmiecha się do Theodore'a i wraca do kuchni.

– On mówił o waszym związku czy o flanie? – pytam Thoedore'a.

– O jednym i drugim.

Theodore i ja jesteśmy pełni, ruszamy więc na piechotę dwanaście przecznic z restauracji do domu. Uwielbiam kręte ulice Greenwich

Village, oświetlone lampami i starymi kinkietami w wejściach. Stłoczone fasady z czerwonego piaskowca, przylegające do siebie budynki przypominają mi mój ulubiony przedmiot – półkę z książkami. I to z wielkimi książkami, pełnymi postaci i ich historii. Jakże chciałabym mieszkać w takim miejscu, może nie na zawsze, ale na tyle długo, by podsłuchać jego sekrety.

Theodore włącza światło w mieszkaniu, jedną ręką rzuca klucze, a drugą włącza sekretarkę automatyczną. Bierze ode mnie płaszcz i odwiesza go do szafy.

– Ekhm. Theodore Tipton? Tu Peter Rutledge – zaczyna znajomy głos w aparacie. – Rozumiem, że masz gościa. Dostałem wiadomość od jej męża. Zapytaj Ave Marię Mulligan, czy może wpaść do mnie do biura w Nowym Jorku. 243 54 10. Dzięki.

– Mulligan? Nie słyszałem tego od piętnastu lat. On myśli, że ty nadal jesteś panną?

– Och, błagam. – Mówię to od niechcenia, rzucając się na duży wyściełany fotel Theodore'a. Za skarby świata bym się nie przyznała, że jestem podekscytowana telefonem Pete'a. Dlaczego miałabym wtajemniczać Theodore'a, że Pete to mój Plan B?

– O czym myślisz? – pyta Theodore podejrzliwie.

– O niczym. – Mój głos jest wyższy o oktawę.

– Zabłąkałaś się gdzieś. W jakieś niebezpieczne miejsce – zauważa Theodore.

– Myślałam o Jacku i Pecie. No wiesz.

– Nie, nie wiem.

– Nie zamierzam nic robić z Pete'em w czasie tej wizyty, nie martw się.

– A kto mówił, że zamierzasz coś robić z Pete'em Rutledge'em?

– To właśnie miałeś na myśli, prawda?

– Nie, ty to miałaś na myśli. – Theodore patrzy na mnie, jakby mnie podejrzewał, i rzeczywiście ma trochę racji. Jestem w tym wieku, że lubię patrzeć w oczy ryzyku, no dobra, może tylko zerknąć, ponieważ to przyprawia mnie o dreszcz, a tyle to jestem w stanie wytrzymać.

Śpię spokojnie i budzę się taka wypoczęta, że aż trudno mi w to uwierzyć. Śniło mi się, że jestem na przechadzce (tym razem było to Schilpario zimą, wysoko we włoskich Alpach, śnieg sypał z nieba jak cukier puder z sitka) i gawędzę sobie z ojcem o niczym na alpejskiej ścieżce, gdy nagle zrywa się wiatr, ja rozkładam ramiona, a wiatr podnosi mnie z ziemi i niesie w niebo. Wznoszę się coraz wyżej ku gwiazdom, aż świat pod spodem zamazuje się, a moje ruchy stają się spokojne i cichnie nawet szum wiatru. Lecę, nurkuję, żegluję tak lekko, że niemal rozpływam się w chmurach, przez które przemykam.

Theodore wyszedł już do pracy, zostawiając mi kolejną torebkę ze śniadaniem, tym razem duże cappuccino i ogromną bułkę cynamonową. Przytyję z pięć kilo w tej podróży, ale nie przejmuję się – jestem na urlopie. Czuję się świetnie. Podnoszę słuchawkę i wybieram numer Pete'a Rutledge'a. Odbiera sekretarka i pyta, czy zamierzam uczestniczyć tego wieczoru w wykładzie Pete'a dla studentów architektury. Ja z kolei pytam, czy wstęp mają także goście, a ona odpowiada, że jak najbardziej, mówię więc, że chętnie przyjdę i żeby mnie wpisała na listę. Theodore będzie pracował do późna. Dodaję też, że Pete nie musi do mnie oddzwaniać, zobaczę się z nim po wykładzie. Odkładam słuchawkę i natychmiast zaczynam żałować, że zdecydowałam się przyjść. A jeśli Pete potraktuje mnie chłodno albo nie będzie miał czasu się ze mną spotkać, albo nie wygląda dobrze? (Ale jestem płytka!). Zniknie różana polewa z mojego ulubionego włoskiego marzenia. No dobrze, jeśli tak się właśnie stanie, będę z tym żyć. Muszę jednak odzyskać formę. Dzisiaj wieczorem chcę wyglądać świetnie. Zacznę od nóg. Wyprawiam się na Ósmą Ulicą w poszukiwaniu idealnych pantofli (w wypadku Kopciuszka zadziałało).

Co powiem Pete'owi, kiedy go zobaczę? Mimo wszystko minęło dużo czasu. Zdarzało nam się rozmawiać przez telefon, wysyłać kartki bożonarodzeniowe i tym podobne, ale go nie widziałam. Czy się zmieniłam przez te pięć lat? Jestem pewna, że on nie – po mężczyznach ledwie widać przeskok między czterdziestką a pięćdziesiątką. Pewnie jest równie atrakcyjny jak zawsze. Pewnie spotkał tysiące kobiet w czasie swoich podróży i wędrował z nimi po włoskich Alpach, brodził w ciepłych źródłach i tarzał się po polach dzwonków. Czy mi się zdaje, że jestem jedyna? Wiem, że nie. I może ta właśnie wiedza przekonuje mnie, żebym tam poszła wieczorem; w końcu jesteśmy Tylko Przyjaciółmi.

Budynek Casa Italiana Zerilli-Marimo stoi tylko kilka przecznic od mieszkania Theodore'a, idę więc na piechotę i napawam się chłodnym wieczornym powietrzem. Włożyłam spodnie mamy i żakiet, ale uznałam, że spodnie czynią ten strój zbyt wytwornym, zamieniłam je na dżinsy, a zostawiłam żakiet. Na nogach mam nowe czarne, zamszowe nowojorskie buty, których znalezienie pochłonęło pół dnia i cały mój obuwniczy budżet. W kwestii wyglądu osiągnęłam szczyt swoich możliwości, a to zawsze się przydaje, jeśli człowiek ma uczestniczyć w dwuosobowym nieplanowanym spotkaniu.

Hol jest zatłoczony studentami i ludźmi sprawiającymi wrażenie profesjonalistów. Podążam za tłumem do wielkiego audytorium i zajmuję siedzenie w przejściu z tyłu. Sala jest pełna. Skrupulatna z wyglądu pani profesor wychodzi z tylnej salki i staje przed słuchaczami. Jej uwagi wprowadzające brzmią oschle, ale na wspomnienie Pete'a Rutledge'a przez jej ciało zdaje się przepływać fala ekscytacji. Kobieta wspina się na palce i utrzymuje tę pozycję przez chwilę, póki nie zda sobie sprawy, że okrasiła swoją przedmowę nieco za dużą dawką entuzjazmu. Opada na pięty i wyjaśnia, że Pete to ekspert od marmuru i profesor wykładający gościnnie na wydziale architektury. Oklaski. Pete wyłania się z drzwi w połowie przejścia i przedziera się w stronę podium, niosąc butelkę wody.

Kobiety w audytorium wstają z miejsc. Przyglądają się Pete'owi tak, jak ja, kiedy zobaczyłam go po raz pierwszy. Wszystko to, co w dyskotece na świeżym powietrzu przyprawiło mnie o szybsze bicie serca, nadal istnieje: jego wzrost, rzeźbione rysy (teraz jeszcze bardziej przypomina Rocka Hudsona), doskonałe usta i te oczy, szaroniebieskie i jasne. Ma na sobie dżinsy i brązową tweedową marynarkę i wygląda seksownie. Czy on musi wyglądać tak dobrze?

Pete odstawia butelkę z wodą i przygląda się słuchaczom, jakby kogoś szukał. Chętnie schowałabym się pod stojącym przede mną krzesłem, ale cieszę się, widząc na jego twarzy wyraz całkowitego zdumienia, kiedy nasze oczy się spotykają.

Pete opowiada obszernie o kopalniach marmuru we Włoszech – jego ulubione znajdują się w Bari nad Adriatykiem – i opisuje szczegółowo proces wydobywczy. Wykład dobiega końca, zamiera już entuzjastyczny aplauz. Wokół podium zbiera się grupka studentów. Pete słucha ich pytań, ale wciąż patrzy na mnie, jakby chciał się upewnić, że nadal tam jestem. Daję mu znać, że będę czekać w holu. Po minucie czy dwóch nerwowego przechadzania się kusi mnie, żeby rzucić się do ucieczki i pobiec z powrotem do Theodore'a. W porządku, widziałam Pete'a Rutledge'a, nie zmienił się, wciąż na jego widok szybciej bije mi serce i tylko tyle chciałam wiedzieć, teraz mogę wracać i zapomnieć o tym zadurzeniu czy cokolwiek to jest. Zwiewam. Nie będzie za mną tęsknić; ma pełną salę fanów. Dokładnie w chwili kiedy odwracam się do drzwi, czuję dłoń na ramieniu.

– Dokąd idziesz? – W drzwiach stoi Pete. Zwija notatki w rulon, i postukuje nim o udo.

– Właśnie zamierzałam trochę się przewietrzyć.

– Nieprawda, wychodziłaś. – Pete ujmuje moją dłoń i całuje mnie w policzek. – Wyglądasz pięknie.

– Świetny wykład.

– Cieszę się, że przyszłaś.

– Interesuje mnie występujący naturalnie włoski marmur.

– Doprawdy?

– Taaak. Zaintrygował mnie zwłaszcza opis nowych technik wydobywczych.

– Nie wątpię.

– Naprawdę.

– Jesteś głodna?

– Bardzo – rzucam bez sensu. Powinnam była skłamać. Na pewno nie planowałam kolacji z nim. Chciałam tylko się przywitać i wrócić do Theodore'a.

– Mów. Co tu robisz, jak długo zostajesz, zwłaszcza jak długo zostajesz. – Uśmiecha się TYM uśmiechem, a ja czuję, że zemdleję (może to nie z jego powodu, może naprawdę jestem głodna). Odruchowo kładę dłoń na ramie ogromnego obrazu wiszącego obok drzwi i opieram się o niego. Ochroniarz zabija mnie wzrokiem. Cofam rękę.

– Profesor Rutledge? – podchodzi do nas przepiękna dziewczyna w wieku około dwudziestu lat. Ma wspaniałe rude loki, rosnące we wszystkich kierunkach, szczyptę piegów na nosie i ciało, które... no cóż, nigdy takiego w lustrze nie widziałam.

– Jestem Sharon Hall. Studiuję tutaj architekturę.

– Gratuluję.

– Dziękuję. Chciałabym zrobić z panem wywiad dla naszej gazetki.

– Jasne.

– Gdzie mogłabym pana złapać?

– Hmmm, wie pani co? Proszę zadzwonić do biura i zostawić mi wiadomość, a ja się do pani odezwę.

– Świetnie. Świetnie. Przepraszam, że przeszkodziłam. – Obdarza mnie ciepłym uśmiechem. – I bardzo dziękuję. – Uśmiecha się skromnie do Pete'a (wszystkie rude mają wspaniałe zęby).

– Nie sądziłam, że architekci tak wyglądają – mówię po odejściu dziewczyny.

– Większość wygląda zupełnie inaczej – śmieje się Pete.

Pete i ja idziemy przez Village. Opowiadam mu, dlaczego tu jestem i co robiłam od chwili wylądowania. Za każdym razem, kiedy próbuję skierować rozmowę na temat jego życia, on jakoś sprowadza ją z powrotem na mnie. Docieramy do biblioteki na rogu Szóstej Alei i Dziesiątej Zachodniej. Pete znajduje mały iks wyryty na chodniku i każe mi na nim stanąć.

– Teraz spójrz w górę. Widzisz sowę?

– Widzę zegar. – Na wieży jest przepiękny zegar z czterema tarczami, każdą zwróconą w inną stronę.

– Spójrz jeszcze raz. – Pete staje za mną i obejmuje mnie; przebiega mnie dreszcz.

– Widzę! – Dwie tarcze tworzą oczy, a dach czoło sowy. – Etcie by się to podobało.

– Pokażesz jej następnym razem. – Pete dźwięczy kutymi z żelaza wrotami do Patchin Place, szeregu małych kamienic z czerwonego piaskowca, pomalowanych na żółto i biało, oddzielonych wąską brukowaną uliczką. – Tu mieszkał e.e. cummings.

– Wiersze Patchin Place!

– Zgadza się! Greenwich Village bywało domem dla mnóstwa świetnych pisarzy. Tam dalej mieszkał Bret Harte, a tam Eugene O'Neill. To największa przygoda związana z pracą na uniwersytecie nowojorskim. Jestem w samym środku historii literatury. To romantyczne, prawda?

Źle, że myślę o romansie, jeszcze gorzej, że on też; ale to cały Pete: doskonały mężczyzna w romantycznej scenerii (ciekawe, czy to część jego planu?).

– Jesteśmy na miejscu. – Pete bierze mnie za rękę i prowadzi małymi schodami do cichego bistro ze staroświeckimi meblami z mahoniu, osobliwymi krzesłami o gobelinowych obiciach i ławami pod każdą ścianą. Jedyne światło pada z lady chłodniczej, w której ułożono najzdobniejsze ciasta, jakie kiedykolwiek widziałam: torty pokryte lukrem, eklerki udekorowane maleńkimi różyczkami na czekoladowych cylindrach, truskawkowe napoleonki z paskami budyniu i dżemu między płatkami ciasta cienkimi jak papier.

– Mają tu też prawdziwe jedzenie.

– To jest prawdziwe jedzenie – prostuję.

– Chodźmy tam. – Pete zabiera mnie do sali z wyjściem na ogródek i wskazuje boks w najdalszym kącie. Siadamy, a chociaż drewno jest stare i plamiste, siedzi się wygodnie.

– Podoba ci się tu?

– Szalenie. – Kelner stawia przed nami koszyk chleba i masło. – I uwielbiam świeży chleb! – Odrywam sobie kawałek.

– Jesteś kobietą, którą łatwo uszczęśliwić. Więc jak tam Etta? Co u Jacka?

– Dobrze. Też dobrze.

– Wiesz, że go lubię.

– Wiem. Przecież w końcu to świetny facet. Dlaczego miałbyś go nie lubić? – Natychmiast zaczynam zachwalać i popierać swojego męża, jak dobry żołnierz, którym zresztą jestem.

– Zazwyczaj nie lubię konkurencji.

Ignoruję jego zaloty i wgryzam się w chleb, Pete zmienia więc temat rozmowy (dzięki Bogu). – Widziałem twojego tatę, kiedy ostatnio byłem we Włoszech.

– Mówił mi. Miło, że go odwiedziłeś.

– To interesujący człowiek. Mieszka w górskim miasteczku, ale nie ma w nim nic małomiasteczkowego. Czyta i interesuje się szerokim światem. Chce, żeby jego rodzinna miejscowość rozrastała się, ale zachowała przy tym swój urok. Gdyby mieszkał w Stanach, byłby doskonałym urbanistą.

– Czasami chciałabym, żeby tu mieszkał.

– A przeprowadzić się tam?

– Nie. Firma budowlana Jacka prosperuje naprawdę dobrze, ja mam aptekę, a Etta szkołę...

– Ja rzuciłbym wszystko i przeprowadził się tam choćby jutro – mówi Pete zdecydowanie.

– I co cię powstrzymuje?

– To skomplikowane. – Mówiąc to, uśmiecha się, ja śmieję się również.

– Jak bardzo?

– Żenię się.

Cóż, jestem kiepską aktorką i wiem o tym, uśmiecham się więc z aprobatą, chociaż jego rewelacje to ostatnia rzecz, jaką spodziewałam się usłyszeć. – Och – mówię zamiast „gratuluję".

Nie czeka, aż się rozluźnię, tylko relacjonuje mi swoją love story z technicznymi szczegółami, jakby opisywał pracę w kopalni. – Wiesz, żyłem już z kilkoma kobietami i nigdy nie wydawało się to właściwe. Aż mniej więcej rok temu poznałem Ginę. Ona jest rozwiedziona, ma trzynastoletniego syna. Z początku wcale nie byłem zainteresowany. Nie jest w moim typie – mała blondynka o analitycznym umyśle. Ale przypadliśmy sobie do gustu. Jest bystra i opiekuńcza. I zaangażowana. Chce tradycyjnej rodziny ze względu na syna, i ja ją rozumiem. To ważne.

– Kiedy ten wielki dzień? – Mówię to chyba za głośno, mężczyzna przy sąsiednim stoliku ogląda się.

– Nie wiemy.

– Och.

– No i co ty na to?

– Zastanawiam się, nad czym się jeszcze zastanawiać?

Pete odrzuca głowę i wybucha śmiechem. – Jedno mnie powstrzymuje.

Boże, czy ja muszę tego słuchać? Czy muszę słuchać, jak ciężko mu będzie zrezygnować z kobiet, tak różnych i rozkosznych jak francuskie ciastka na ladzie? – Co to takiego? – pytam, znając odpowiedź.

– Ty. – Sięga przez stół i bierze mnie za rękę.

– Ja? – Zabieram dłoń, nie tylko po to, żeby rozładować napięcie, ale też żeby podeprzeć głowę, zanim spadnie na stół jak blok marmuru.

– Tak. Ale nie mogę cię mieć. Więc co mam robić? – Podnosi menu i zaczyna je czytać.

– Pete? – Ton mojego głosu każe mu odłożyć menu i spojrzeć na mnie. – Widziałeś kiedyś *Ducha i panią Muir*?

– Z Gene Tierney.

– Tak. I z Reksem Harrisonem.

– No i?

– To trochę o tobie i o mnie. Ty jesteś jak kapitan Gregg.

– Czy on aby nie był martwy?

– Był duchem, mieszkał w chacie, którą Gene Tierney wynajęła od spadkobierców jego posiadłości. A on nie chciał, żeby ktokolwiek żywy mieszkał w tym domu, i straszył lokatorów. Ale Gene Tierney zakochała się w nim, mimo że przybył z zaświatów. Był dla niej nieosiągalny, tak jak ty jesteś nieosiągalny dla mnie, a ja dla ciebie.

– Ja jestem prawdziwy.

– Wiem. Ale już mam męża i kocham go. Prawdę mówiąc, równie dobrze mógłbyś więc być duchem. Widzisz, mamy jedno życie i dokonujemy wyborów. I nie możemy mieć wszystkiego, czego chcemy. Gina z opisu prezentuje się wspaniale. Dbaj o nią. I nie powinieneś myśleć o tym, czego nie możesz dostać, tylko o tym, co trzymasz w ręku.

– Na pewno masz rację. – Pete na chwilę odwraca wzrok.

Cóż, nie powiem mu, że podobał mi się jego wieczny kawalerski stan, status Wolnego Kosmopolity i Bon Vivanta, niezwiązanego z żadną kobietą, bez ślubów i bez kraju. Dobrze było wiedzieć, że jest gdzieś tam, podróżuje po świecie, zbiera próbki skał i czasami o mnie myśli. Żegnaj, mój Planie B. Podczas jedzenia rozśmieszam go opowieściami z domu. Rozmawiamy o poezji i architekturze, i o Włoszech. Mamy mnóstwo rzeczy do omówienia (zawsze tak było), przeskakujemy z tematu na temat, zaspokajając głód konwersacji, świadomi, że może nigdy już nie spotkamy się sam na sam, tak jak dziś.

Pete odprowadza mnie do Theodore'a. Nie rozmawiamy prawie wcale, co jest o tyle dziwne, że pozostało mnóstwo tematów, których nie poruszyliśmy. Docieramy na miejsce, stajemy pod markizą i patrzymy na siebie. To nie jest zwyczajne spojrzenie, to tak jakbyśmy się sobie przyglądali, zastanawiając się, co znaczymy dla siebie nawzajem. Wszystko we mnie cichnie, niemal czuję swój oddech. Opieram dłonie na piersi Pete'a. Nie wiem, dlaczego to robię, ale w tej ciszy czuję, jak bije jego serce, i to daje mi pewność.

– Muszę iść. – Pete patrzy gdzieś w dal Piątej Alei, jakby widział tam coś, co go przyzywa. Zaczyna coś jeszcze mówić i milknie.

– Słucham?

– Gdyby ktoś mi powiedział, że taka będzie historia romansu mojego życia, zabiłbym go śmiechem – mówi.

– Przykro mi. To chyba moja wina.

– W porządku. Siła wyższa. – Pete wkłada ręce do kieszeni.

– Mogę ci coś powiedzieć?

– Jasne.

– Kiedy jest mi smutno, myślę o tobie.

Pete patrzy na mnie uważnie. – Dlaczego?

– Bo ty... – Zamykam oczy, jakby słowa, których potrzebuję, były wypisane w mojej głowie. – Bo ty widzisz we mnie dziewczynę.

– To prawda. Nikt już jej nie pamięta. Zginęła gdzieś po drodze, w poczuciu odpowiedzialności i w naturalnym procesie starzenia (fuj). Pete Rutledge mówi, że jestem piękna, i wierzę mu. Zresztą, Boże, czy ja muszę to słyszeć? Muszę to wiedzieć. Z nim nie czuję się jak ktoś na każde zawołanie, nie jestem tylko farmaceutką, żoną, matką, jestem sobą, naprawdę sobą. Jestem świetna. Tego nie da nawet najlepszy mąż; to powinno pochodzić od kogoś obcego albo od kogoś nowego, albo z samej pamięci. To kompromis, na który wszyscy się zgadzamy w służbie zobowiązań: radosne podniecenie dla lepszego samopoczucia.

– Dobrej nocy, Ave.

– Żegnaj, Pete.

Patrzę, jak odchodzi ulicą. Odwraca się. – Ave?

– Tak?

– Powiedz Jackowi, że wyślę próbki w tym tygodniu, dobrze?

– Dobrze.

Pete skręca za rogiem i znika. Ale tak jak Gene Tierney mam przyjemne uczucie, że to nie jest koniec mojej fantazji. To nie jest koniec Pete'a Rutledge'a.

Rozdział czwarty

– O nic nie pytaj. Pozwól mi wskoczyć w piżamę – mówię do Theodore'a, który siedzi na sofie jak kot czyhający na mysz. – Nie do wiary, że nie śpisz o tej porze. Tak bardzo jesteś zainteresowany opowieścią o Pecie Rutledge'u?

– Cóż mam powiedzieć? Uwielbiam opery mydlane. Naleję wina. – Theodore podskakuje i idzie do kuchni.

– Mogłam się wplątać w Wielkie Kłopoty – oznajmiam Theodore'owi w drodze do łazienki. – Ale się nie wplątałam.

Przebieram się, a Theodore krzyczy z kuchni: – Jezu, no to szczęściara z ciebie. Masz wymówkę „mój najlepszy przyjaciel gej czeka na mnie na górze".

Biorę z jego dłoni kieliszek wina i wypijam do dna.

– A teraz poproszę ze szczegółami.

– Gdzie Max?

– Nie przejmuj się nim. Jest w domu. Wyczerpany. No dalej, co się stało?

– Cóż, poszłam na wykład, a potem spacerowaliśmy, a potem poszliśmy do Caffe dell'Artista na Greenwich Avenue.

– Tamtejsze cannoli są równie dobre jak gra wstępna.

– Nie żartuj sobie.

– Mów dalej.

– I powiedział mi, że się żeni.

– Niemożliwe.

– Z miłą kobietą, Giną, która ma syna.
– Czy on aby nie uderzał do ciebie?
– Owszem, uderzał. Mniej więcej. Troszkę. I byłam z tego powodu bardzo szczęśliwa, w porządku?
– Nie wściekaj się na mnie. Tylko pytam. Czy on kocha tę Ginę?
– Tego nie powiedział. Stwierdził, że Gina chce małżeństwa i że jej syn go potrzebuje, no wiesz, zupełnie jakbym słuchała siostry miłosierdzia. Niesie im zbawienie czy coś w tym rodzaju.
– Och, ach.
– I potem oświadczył mi, że...
– Sam zgadnę. Kocha cię, ale nie może cię mieć.
– Tak! Właśnie tak! Słowo w słowo!
– To zbyt piękne.
– To straszne.
– To doskonałe.
– Jak to doskonałe? – Dolewam sobie wina.
– Wiesz, że gdzieś na świecie jest facet, który cię uwielbia, i nigdy nie będziesz musiała po nim sprzątać ani mu gotować, ani się zastanawiać, gdzie się szwenda, ani nic z tych koszmarów. Dostajesz same plusy. Kto powiedział, że fantazja jest lepsza niż rzeczywistość?
– Wszyscy tak mówią.
– Bo to prawda. Kiedy już jesteś zakochany, magia pryska. Nie twierdzę, że codzienność miłości jest niepotrzebna, oczywiście, że jest. Ale to flanelowa koszula zamiast jedwabnej.
– Jack i ja to zdecydowanie flanela. Ale ta sytuacja jest bardziej złożona. Pete pomógł mi poradzić sobie ze śmiercią Joego i narodziła się między nami więź taka silna, że zastanawiałam się, czy nie odejść od Jacka. W moim małżeństwie był świat przed śmiercią Joego i świat po niej. I czasami w nocy, kiedy jesteśmy tylko we dwoje, Jack i ja, rozmawiamy o tym, jak wszystko się zmieniło, odkąd nie ma Joego. Nigdy tego nie robiliśmy, dopóki nie wyjechałam tamtego lata z Ettą i nie spotkałam Pete'a. Dzięki niemu zobaczyłam, w jakim punkcie swojego życia się znalazłam. W pewien

sposób pomógł mi się przekonać, że to Jack jest dla mnie właściwym mężczyzną.

Theodore nic nie mówi. Co ma powiedzieć? Właśnie przyznałam, że Pete'owi Rutledge'owi zawdzięczam niejako swoje największe szczęście. To on zmusił mnie, bym wejrzała szczerze w siebie i zdecydowała, gdzie jest moje miejsce. Wybrałam Jacka MacChesneya i może już zawsze będę się zastanawiać, co by było, gdyby... Ale kto się nad tym nie zastanawia?

Płakałam przez całą paradę z okazji Dnia Kolumba. Kiedy mijała nas usłana mnóstwem czerwonych papierowych róż platforma wioząca Miss Włoch, zobaczyłam młodość, piękno i nieograniczone możliwości i poczułam się dziwnie. Przemaszerowała orkiestra grająca na kornetach, złożona ze starych Włochów z podkręconymi wąsami. Grała *Och, Marie*, a ja pomyślałam o swojej mamie i jej nagraniach Louisa Primy, i o tym, że nie mogła być z mężczyzną, którego kochała jak nikogo na świecie. A może na kobietach z mojej rodziny ciąży jakaś stara wioskowa klątwa? Mam nadzieję, że Etta jej uniknie. Właściwie czuję, że jej uniknie, bo ona odziedziczyła przebojowość MacChesneyów. Mojej córki na pewno nie przydusi żadne przekleństwo.

Mama i ja byłyśmy jedynymi Włoszkami w Big Stone Gap. Myślałam, że jesteśmy jedyne na świecie, od świata oddzielały nas Blue Ridge Mountains. Myliłam się jednak. Makaroniarze to liczna nacja i otaczają mnie rodacy. Czuję się swojsko wśród tych ludzi o mocnych rysach, wydatnych nosach, gęstych włosach, dumnej postawie, wszystkich cechach charakteryzujących mego ojca w Schilpario i moją matkę. Czasami mam przed oczyma jej twarz. Widzę ją przy zlewie albo w ogrodzie, albo jak klęczy przede mną, podpinając obręb spódnicy. Pamiętam jej uśmiech i poczucie bezpieczeństwa, które mi dawała. Widzę ją w tych młodych kobietach, w sile ich ciemnych oczu.

Chciałabym wbiec w sam środek parady i krzyknąć głośno: – Jestem jedną z was! Należę do was! – Od czasów dzieciństwa marzę, żeby należeć do grupy, żeby być częścią licznej rodziny, która wygląda jak ja i czuje to samo, co ja. I oto tu są tysiące moich rodaków, uśmiechają się, stojąc na chodnikach i maszerując ulicą. W końcu pasuję do świata, a jednak nadal jestem sama. Rozglądam się – nikt inny nie płacze.

Samolot wyłania się z chmur. Przede mną rozciągają się Blue Ridge Mountains w rozkwicie jesieni. Drzewa przybierają barwę jasnożółtego topazu; ze względu na babie lato w tym roku nie będzie w liściach zbyt dużo pomarańczowego koloru. Jestem szczęśliwa, że znowu widzę te góry, że wracam do domu, gdzie czekają na mnie mąż i córka. Południowo-zachodnia Wirginia to nieskomplikowane miejsce dla skomplikowanych ludzi i gdziekolwiek jestem, tęsknię za nią.

Kupiłam Etcie mnóstwo drobiazgów, nie po to, by wynagrodzić jej karę, ale okazać, że cały czas o niej myślałam. Mam cel tej jesieni: dobre stosunki z córką. Chcę ją rozumieć. Chcę, żeby ona rozumiała mnie i wiedziała, dlaczego postępuję wobec niej tak, a nie inaczej. Dotarło już do niej chyba, że kiedy robi źle, ponosi tego konsekwencje. Teraz trzeba popracować nad jej współczuciem. Wiem, że go nie ma, muszę po prostu pomóc jej je znaleźć.

– Juhuuu. Dziewczyno! Tutaj! – Iva Lou macha do mnie zza punktu kontrolnego. Nie ukrywam wzruszenia, że przyjechała mnie odebrać. – Jak było? – pyta i ściska mnie mocno.

– Theodore czuje się taki szczęśliwy. Jest w swoim żywiole.

– Mów wszystko. – Podnosi brew i wiem, że jej następne pytanie będzie dotyczyło Pete'a Rutledge'a. – No? – mówi, ciągnąc to „o", póki nie odpowiem.

– Żeni się.

– Wiedziałam, że się z nim spotkasz!

– Spotkałam się.

– Smutno ci?

– Nie.

– Jak wygląda?

– Lepiej niż kiedykolwiek

– No jasne. To jest ich haczyk na nas. Podstępni zdrajcy.

Czekamy na mój bagaż. Iva Lou wierci się nerwowo, głośno i szybko przekazuje mi najnowsze wieści z Gap – maniakalne plotkowanie nie jest w jej stylu.

– Nic ci nie jest?

– Nie.

– Nieprawda. Coś jest nie w porządku.

– Och, Ave. – Iva Lou bierze głęboki oddech i chowa ręce w kieszeniach dżinsów.

W pierwszej chwili myślę o jej mężu. – Co się dzieje? Lyle?

– Nie, nie. Z nim wszystko w porządku. To ja, kochanie, i to chyba nic takiego.

– Ale co?

– Wiesz, jak się męczyłam. Nie byłam sobą.

– Poszłaś do lekarza i zrobiłaś sobie badania, prawda?

– Taaa. – Iva Lou bierze głęboki oddech. – Znaleźli coś.

– Co znaleźli? I gdzie? – W takich chwilach najlepiej zebrać fakty i nie okazywać paniki. Iva Lou potrzebuje wsparcia; jej oczy wypełniają się łzami.

– W mojej piersi. Guzek. Mniej więcej wielkości groszku. Ale był twardy, więc zrobili biopsję.

– Dobra. I co wykazała? – Wiem wszystko na ten temat, przechodziłam przez to z mamą.

– Jest złośliwy.

– Boże.

– Złośliwy. Wyobrażasz sobie? – Iva Lou tupie nogą.

– Przede wszystkim bez paniki.

– To właśnie powiedział mi lekarz.

– Mogą cię z tego wyciągnąć.

– To też powiedział. Poszłam do tego nowego oddziału w Holston Valley. Mają tam Centrum Badania Piersi. Są bardzo nowocześni, jeśli więc ktokolwiek może mi pomóc, to właśnie oni.

– I co teraz?

– Wcześnie go znaleźli, ale i tak muszę działać szybko.

– To dobre wiadomości. – Zanim wykryto raka u mojej mamy, było za późno. Iva Lou chyba czyta w moich myślach.

– Dużo myślałam o twojej mamie.

– Tak, ale to było dawno temu, Iva Lou. I mama nie chciała się leczyć. Nie zdecydowała się na chemioterapię ani nic w tym rodzaju. Uważała, że lepiej pozwolić naturze robić swoje, i to był wielki błąd. Lekarze mogli jeszcze jej pomóc i gdyby ich słuchała, wciąż byłaby pewnie wśród nas.

– No cóż, ja jestem zdecydowana nie umierać.

– To dobrze.

– Mam zupełnie inne podejście niż twoja mama. Koniecznie chcę coś zrobić, nie dać się. To mnie wykańcza i może tak działa ta choroba na psychikę, ale nie jestem sobą. Wracam do domu przed siódmą, a przed ósmą jestem w łóżku. To szaleństwo. Zawsze byłam nocnym markiem, a teraz zachowuję się jak obłożnie chora staruszka. To do mnie niepodobne!

– No jasne. – Obejmuję moją starą przyjaciółkę. – Będę przy tobie w każdej chwili, na każdym kroku.

– Wiem. A teraz powiedz mi o Radio City. Złożyłaś moje podanie do Rockettes, tak jak prosiłam?

Nie odpowiadam. W końcu czym jest moja podróż w porównaniu z tym, przez co ona przechodzi? Stoimy długo, a gdy podnosimy wzrok, zdajemy sobie sprawę, że wszyscy pozostali pasażerowie już poszli. Jesteśmy same, a mój bagaż kręci się na taśmociągu, czekając, aż się o niego upomnę.

– Chodźmy do domu – mówię Ivie Lou.

Po drodze opowiadamy sobie plotki i śmieszne historyjki. Iva Lou nie należy do ludzi rozpamiętujących swoje problemy. Ściskam ją mocno i mówię, że wszystko będzie dobrze. Wysadza mnie przed domem. Chce jak najszybciej pojechać do siebie, do Lyle'a, a ja jestem szczęśliwa, że wracam do Cracker's Neck, otoczonego starymi górami. Znam ich każdą grań, przeszłam każdy szlak. Tu jest tak spokojnie, myślę, stojąc przed frontowymi schodami i patrząc na ciemne pole, schodzące ku niżej położonej drodze do miasta. Nowy Jork jest magiczny, ale tęskniłam za szumem wiatru i cichym szelestem, który wydają drzewa, zanim stracą liście.

– Witaj, piękna – wita mnie mąż.

– Będę częściej wyjeżdżać – informuję Jacka, a on obejmuje mnie i całuje.

– Nie. Nie beze mnie. Chciałem po ciebie pojechać, ale Iva Lou nalegała...

– Nie ma problemu – Iva Lou prosiła, żebym zatrzymała dla siebie jej kłopoty, i chociaż korci mnie, by wyjawić je Jackowi, dotrzymuję słowa.

– Gdzie Etta?

– Na górze. Ma dzisiaj piżama party.

– Zgadza się. To urodziny Tary Kilgore.

Sio zbiega ze schodów. Próbuję go zatrzymać i popieścić, ale on prycha i ucieka. – Nie wszyscy tu za mną tęsknili.

– Ona tak. – Jack wskazuje na górę.

– Poważnie?

– Kiedy wyjechałaś, dużo rozmawialiśmy. Może zauważysz małą różnicę.

Drzwi do pokoju Etty są otwarte. Pakuje nocną wyprawkę – zbiera schludny stos z łóżka i wtłacza do torby.

– Cześć, Etta! – Staję w drzwiach. Uśmiecha się do mnie (dobry znak). Podchodzę do niej, a ona mnie ściska (jeszcze lepiej).

– Jak było w Nowym Jorku? – pyta, a potem dalej się pakuje.

– Świetnie. Zrobiłam listę wszystkich miejsc, do których cię zabiorę, kiedy tam wrócimy. Wujek Theodore przekazuje ci uściski. A teraz powiedz, co nowego.

– Niech pomyślę. Dostałam piątkę z testu z geografii. Jako jedyna w klasie wiedziałam wszystko o Azji Mniejszej. I musieliśmy zawieźć Sio do weterynarza. Miał problemy z oddychaniem. Został na dworze na całą noc, a akurat padało.

– Teraz wydaje się zdrowy.

– Bo jest. Dawaliśmy mu kropelki. I tata zrobił polentę.

– Jak wyszła?

– Była twarda. Ale wiesz, jaki jest na punkcie swojego gotowania, więc i tak zjadłam.

Uśmiecham się. Może jednak w Etcie jest więcej współczucia, niż myślałam.

– Wiesz, mamuś, Benton już nie jest taka wściekła. – Poprawia się szybko: – Panna Benton.

– Nie jest?

– Nie, w piątek w szkole nawet się trochę z tego śmiała. Narzekaliśmy, że mamy dodatkowe ćwiczenia, a ona powiedziała, że po tym numerze z węglem dodała siedem ćwiczeń tygodniowo. Kiedy już załadowaliśmy cały węgiel, tata położył nowy trawnik. Ja pomagałam.

– Dobrze. Cieszę się, że już jej lepiej.

– Nie jesteś już na mnie zła, co nie? – pyta Etta, nie patrząc na mnie.

– Tylko jak mówisz „co nie". – Siadam na łóżku. – Tara robi wielkie przyjęcie?

– Dla naszej szóstki. Jej mama poprosiła Ethel Bartee, żeby przyszła i nauczyła nas, jak robić manicure. Pani Bartee nie jest jednak zbyt cierpliwa. Zrobiła nam fryzury do zdjęcia zespołu i tak się spieszyła, że bolało, kiedy nas czesała. Jestem pewna, że ona tam przyjdzie i spróbuje coś pokazać, a potem się podda i da nam lakier, żebyśmy same sobie pomalowały paznokcie.

Etta zapina torbę i siada obok mnie. Nic nie mówi, ale to nie jest krępujące milczenie. Nasze rozmowy bywają dziwne. Często mała odpowiada na pytanie jednym słowem albo krótkim zdaniem, ale ja zawsze czuję, że chce powiedzieć więcej. Czasami nawet bierze oddech, jakby już miała zacząć, ale w ostatniej chwili się zatrzymuje.

– Mam dla ciebie prezent z Nowego Jorku. – Daję Etcie kupiony u Saksa zestaw do makijażu dla dziewczynek. Nic nadzwyczajnego: bezbarwny błyszczyk do ust, tonik do twarzy i perfumy, które pachną wanilią.

– Super! – Etta ogląda zestaw. – Dziękuję!

– I co ważniejsze, to. – Daję Etcie egzemplarz *Małego szpiega* w twardej oprawie.

– Moja własna książka! Teraz nie muszę jej ciągle wypożyczać.

– Dasz ją innym dzieciom do czytania, dobrze?

– Dzięki, mamo. – Etta znowu mnie ściska, i to jest warte wszystkiego, przez co przeszłyśmy. Trzymając ją w objęciach, żałuję przez chwilę, że mam tylko jedno życie i nie zdążę być jej przyjaciółką, a nie mamą.

Odwiozłam Ettę na piżama party. Jack czeka na mnie na schodach z koszem piknikowym.

– Co to?

– Zabieram cię na kolację.

– Ty?

– Tak. Znalazłem pewnego szefa kuchni. Jest mierny, ale robi naprawdę niezłe pieczone kurczaki i ciasteczka tak puszyste, że aż szkoda je jeść. I poleca toskańskie, mocne czerwone wino. Zaklina się, że wprawia jego żonę w wyśmienity nastrój.

– Naprawdę? A gdzie znalazłeś tego kucharza?

– Mieszka w okolicy.

– Hmmm. – Włączam się do gry. – W starym kamiennym domu w Cracker's Neck, wymagającym nowej drogi, nowego podgrzewacza do wody, a wiosną pompy ściekowej, ponieważ piwnica wypełnia się deszczówką?

– Wiesz co? To brzmi znajomo. – Uśmiecha się. – Ruszamy?

– Jasne.

Wsiadamy do furgonetki Jacka i zjeżdżamy z góry, skręcając w drogę do doliny, która wiedzie nas aż do Big Cherry Holler. Przesiadam się na środek i obejmuję męża, wyglądamy zupełnie jak dzieciaki, kiedy pożyczają ciężarówkę od taty i jadą na Strawberry Patch, ulubione w Big Stone Gap miejsce randek samochodowych.

– Tęskniłeś za mną? – pytam, chociaż znam odpowiedź.

– Tęskniłem.

– Dlaczego?

– Bez ciebie jest tu niewesoło.

– E tam.

– Nawet nie zdajesz sobie sprawy, jakim jesteś niewyczerpanym źródłem wesołości dla Etty i dla mnie. – Mąż klepie mnie po nodze.

– Dzięki. – Zdejmuję jego rękę z uda i odkładam ją na kierownicę, ale nadal się do niego przytulam.

Księżyc w pełni wisi nad jeziorem Big Cherry jak twarz starego zegara. Jack dźwiga torbę, kosz piknikowy i latarkę. Oświetla wąską ścieżkę zasypaną sosnowymi igłami. Nad wodą wyciąga z kosza latarnię kempingową i zapala ją. Blask tworzy delikatną złotą mgiełkę. Śmieję się, kiedy on rozpakowuje bagaże. – Jesteś Szerpą z krwi i kości.

– Do tego właśnie dążę. Ci Szerpowie z reguły są bardzo seksowni, prawda? – Mruga do mnie.

– Nie wiem. Jesteś pierwszym Szerpą, którego w życiu spotkałam.

Jack kładzie na ziemi starą kołdrę. – Chcesz jeść? – pyta.

– Jeszcze nie. – Siadam mężowi na kolanach i ujmuję jego twarz w dłonie. Naprawdę go kocham, myślę sobie, przyglądając się orzechowym oczom i grzbietowi jego doskonałego nosa. Całuję go długo i mocno przytulam. – W ogóle się nie zmieniasz – mówię.

– To dobrze czy źle?

– Dobrze.

– Wiesz, co to za wieczór?

– Wieczór, kiedy mój mąż zaskoczył mnie piknikiem?
– Jesteś gorsza niż facet. Nie pamiętasz.
– O czym nie pamiętam?
– Czternastego października. Tego wieczoru po raz pierwszy ci się oświadczyłem.
– Wieczór Musu Jabłkowego!
– Nazywaj to sobie, jak chcesz, kochanie. Dla mnie to Wieczór, Kiedy Mnie Odrzuciłaś.

Nie do wiary, że Jack pamięta tę datę. Użył wtedy dwóch słoików świeżego musu jabłkowego swojej matki jako pretekstu do wizyty. Wpadł do mojego domu, zaczął gadać, i ni stąd, ni zowąd przeszedł do małżeństwa. To były najgorsze oświadczyny na świecie. Porównał mnie do ciężarówki z pełnym wyposażeniem i zasugerował, że żadne z nas nie ma już za dużo czasu na wybrzydzanie. Powiedziałam „nie", i to niezbyt grzecznie, ale nie zamierzam mu tego przypominać. – Cieszę się, że zmieniłam zdanie, kochanie.

– Ja też. Jesteś teraz szczęśliwa? – pyta.
– Bardzo.

Tego ranka przy śniadaniu Theodore poradził mi, żebym pokazywała się mężowi taką, jaką widzi mnie Pete. Pomyślałam, że to dziwne, chociaż zdaję sobie sprawę, że można kochać męża i wciąż być atrakcyjną dla innych mężczyzn. Wedle metafory Theodore'a, Pete mnie „podsmażył", ale to Jack „dokończy przyrządzać danie". Znowu całuję Jacka, tym razem tak naprawdę.

– Ty rzeczywiście za mną tęskniłaś – śmieje się mój małżonek.
– Ćśśś. – Staram się nie śmiać, słysząc echo naszych głosów znad jeziora. Po co ma nas znaleźć jakiś góral polujący tu na pędraki. Jack gasi latarnię. Teraz świeci tylko księżyc mieniący się nad wodą. Jack całuje mnie w szyję i przykrywa mnie sobą. Patrzę w księżyc i widzę pędzące po nim wskazówki. Zamykam oczy. Po raz pierwszy w swoim życiu dostrzegam, jak szybko płynie czas, i chcę go zatrzymać. Czuję się nasycona, pełna i pożądana i nie ma we mnie ani skraweczka samotnego i bezładnego. Każdy pocałunek

mojego męża mówi mi, że on trwa przy mnie i że jestem dla niego jedyną kobietą na świecie. Leżąc na zimnej ziemi, obejmuję go z całych sił. Tej nocy znów go wybieram spośród ludzi całego świata i wiem, że jak zawsze jest to najlepsza decyzja.

W aptece uzbierało się tyle recept, jakbym wyjechała na rok, a nie na tydzień. Odliczam lekarstwa na zatoki Nancy Toney i wyczuwam powiew wody kolońskiej Jade East, a w Big Stone Gap został już tylko jeden mężczyzna, który jej używa.

– Co jest, Speck?

Stoi w drzwiach, przesiewając drobne w kieszeni. – Muszę z tobą porozmawiać. Na osobności.

– Nikogo oprócz mnie tu nie ma.

– Słyszałem o Ivie Lou.

– Gdzie?

– Podwoziłem Arline Sharpe do centrum kardiologicznego, ona swoją drogą jest zdrowa, i pojechałem do Beth Hagan, szwagierki Lyle'a Makina, i ona przekazała mi te złe wieści.

– Iva Lou nie chce, żeby ktokolwiek wiedział.

– Nie rozumiem dlaczego. Można wziąć tych metodystów, prezbiterian i baptystów, wszyscy się ścigają ze swoimi kółkami modlitewnymi, i na Boga, będzie wyleczona raz, dwa.

– Na razie chce to zatrzymać w tajemnicy. – Odnotowuję sobie w pamięci, żeby powiedzieć Beth o życzeniach Ivy Lou.

– No to nie jest dobrze. – Speck sięga po papierosy.

– Wiem, ludzie za dużo gadają. – Oczywiście, czego się spodziewałam? Iva Lou powinna właściwie zamieścić w gazecie ogłoszenie o swojej chorobie.

– Nie. Nie, chodzi mi o Ivę Lou i jej... Cóż, ona ma najlepszą figurę w Wise County, wliczając te laski o połowę młodsze. Prawdę mówiąc, gdyby chciała, mogłaby choćby jutro wygrać zawody Miss Samotnej Sosny.

Potrząsnęłabym Speckiem albo nawrzeszczałabym na niego, ale on nie ma na myśli tego, co mówi. – Speck, zdrowie jest ważne, a nie wygląd zewnętrzny. To raczej kwestia życia i śmierci.

– Wiem. Wiem. Ja tylko mówię jako mężczyzna, jakie to straszne, że ze wszystkich ludzi ta choroba dopadła właśnie ją. Walory Ivy Lou Wade Makin są jak Natural Bridge, Roaring Branch albo Huff Rock. To są rzeczy piękne, dane od Boga i przez Boga, za które powinniśmy być Bogu wdzięczni. Jej figura to jak kamień probierczy, niedościgniony wzorzec.

– Liczy się Iva Lou a nie jej wspaniałe ciało.

– Wiem. Tak tylko mówię. – Speck wzdycha niecierpliwie. – Zjeżdżam do Pennington. Potrzebujesz czegoś?

– Nie, ale dziękuję.

Przez drzwi przepycha się Fleeta, balansując dwiema kopułami ciasta Tupperware. – Jezu, Speck, ty tu mieszkasz? – Speck przytrzymuje jej drzwi, wychodząc. – Jedź do domu czy gdzie tam chcesz, dobra? – Kaszle, a potem mówi do mnie: – Ave, słyszałaś o Ivie?

Zabijam Fleetę spojrzeniem. – A ty gdzie o tym słyszałaś?

– W supermarkecie. Kupowałam jajka.

– Boże, miej w opiece każdego, kto by chciał mieć tutaj jakąś tajemnicę.

– Boże, miej w opiece każdego, kto by mi powiedział cokolwiek, zanim usłyszę to z trzeciej ręki na ulicy. O co się tak wściekasz? Jezu Wszechmogący na wysokościach, zostanę w domu, jeśli ktoś ma na mnie warczeć. – Fleeta kieruje się do bufetu, żeby go otworzyć.

Przed apteką zatrzymuje się Pearl. Wysiada z samochodu. Naprawdę już widać, że jest w ciąży.

– Jak twoja podróż? – pyta. – Co u Theodore'a?

– Ma najlepszy okres w swoim życiu. Przesyła ci pozdrowienia. Jak się czujesz?

– Mam poranne mdłości przez cały dzień.

– To przejdzie. Próbowałaś pasów morskich? – Kiedy byłam w ciąży z Joem, żeby powstrzymać mdłości, nosiłam elastyczne bransoletki uciskające, które regulowały ciśnienie. Działały.

– Noszę je na ramionach jak cygańskie bransolety. Opróżniłam magazyn sklepu Nortona. – Pearl się uśmiecha.

– Przywiozłam z podróży coś dla twojego dziecka – mówię. Pearl otwiera paczuszkę z Saks Fifth Avenue i piszczy z uciechy na widok maleńkiego żółtego sweterka we wzór złożony z czarno-żółtych kwadratów, jak na nowojorskich taksówkach. – Jest boski. Dziękuję!

– Mówiłaś Pearl o Ivie Lou? – chce wiedzieć Fleeta.

– Nie, nie mówiłam.

– Iva Lou ma raka piersi – oznajmia Fleeta.

– Nie!

– Tak, ale lekarze uważają, że wykryli go na czas.

– Dziwię się, że nie przekazujecie sobie zdjęć rentgenowskich. – Na te słowa Fleeta burczy coś do mnie i rusza na zaplecze. – Iva Lou chciała to utrzymać w sekrecie – wyjaśniam Pearl.

– No cóż, to taki sekret à la Big Stone. W tym mieście wszyscy wiedzą wszystko o wszystkich, znają nawet rozmiar twojej bielizny.

– Dla pamięci, ja noszę szóstkę – woła Fleeta z zaplecza.

– Ona wyzdrowieje, prawda?

– To jest bardzo wczesne stadium, mamy więc nadzieję, że tak – zapewniam Pearl, ale sama wcale nie mam pewności. Nie mogę uwierzyć, że dwie najważniejsze kobiety w moim życiu zachorowały na raka piersi. No i pamiętam moją ciotkę Alice Lambert, która nie leczyła swojego raka, aż przerzucił się na kości. Pearl wygląda na zmartwioną, mówię więc jej to, co powtarzam w kółko i sobie, że medycyna i technologia poszły do przodu i że dla Ivy Lou naprawdę jest nadzieja.

– To nie chodzi tylko o Ivę Lou – wzdycha Pearl.

– Coś się dzieje?

– Ave, myślałam, żeby zamknąć filię w Lee County. Nie idzie tam za dobrze. Mają teraz Rite Aid, a to bardziej przypomina dom towarowy. I za mało jest mieszkańców, żeby się utrzymały dwie apteki. Niechętnie o tym myślę, ale tracimy pieniądze.

– A więzienie nie rozruszało interesu? – Wszyscy byliśmy tacy podnieceni, kiedy rząd zdecydował się zbudować więzienie federalne w Big Stone Gap. Nasi ludzie ucierpieli na upadku przemysłu wydobywczego, a nowe stanowiska pracy stworzone przez więzienie wydawały się dobrym rozwiązaniem.

– Rozruszało. Ale potrzeba nam tu większego przemysłu.

Pearl wchodzi do biura, a ja nie mogę uwierzyć, że to ta sama dziewczyna z gór, która w średniej szkole układała u mnie towar na półkach. Pearl jest wyjątkową osobą. Nie zapomniała o swoim pochodzeniu ani o ludziach, którzy pomogli jej dotrzeć tam, gdzie jest teraz. Bałam się, że będzie zbyt łagodna, żeby prowadzić interes, że ludzie ją zahukają, ale ona ma naturalny spryt ulicy – jestem pewna, że dałaby popalić wielu cynicznym biznesmenom z Nowego Jorku.

Częścią mojego planu podnoszenia Ivy Lou na duchu (udaje, że tego nie potrzebuje, ale to oczywiście nieprawda) jest zrobienie wokół niej dużo hałasu. W sobotę zabieram ją na babski wieczór do historycznego Abingdon. Jemy niesamowitą kolację w Zajeździe Marthy Washington, zabytkowym, ciągnącym się bez końca kolonialnym budynku, który, z latarniami gazowymi i idealnym do przechadzek zagajnikiem różowych dereni, wygląda jak obrazek z książki dla dzieci. Kupiłam bilety na przedstawienie Barter Theatre po kolacji, naprawdę więc czeka nas tu wspaniały wieczór.

Teatr jest po drugiej stronie drogi, idziemy piechotą. Zaczyna się listopad i wiatr się zmienia. Ludzie włączają już ogrzewanie; wdychamy zapach palonego drzewa jabłoni, mój ulubiony znak, że nadeszła jesień.

– Patrz, Ave – mówi Iva Lou, wciągając mnie za drzewo.

– O co chodzi?

– Spójrz na powóz. – Iva Lou niecierpliwie wskazuje powóz zajazdu, przejeżdżający majestatycznie po podjeździe, w akompaniamencie stukotu końskich kopyt.

Z tyłu pojazdu, z kocem na kolanach, siedzą ubrani odświętnie Fleeta i Otto. Nie widzą nas.

– Oni są na randce? – pytam zadziwiona.

– Nie zbierają nasion kasztanowca. Wiedziałaś o tym?

– Nie miałam pojęcia!

– Jak to się mogło stać i jakim cudem nikt tego nie zauważył? – zastanawia się Iva Lou.

– Może to coś nowego.

– Nie wygląda na coś nowego. Otto ma wyraz twarzy pod tytułem „właśnie się zalecam w sobotni wieczór", a Fleeta wygląda na cholernie szczęśliwą.

– Co robimy?

– Idziemy na przedstawienie i zachowujemy się, jakbyśmy ich nie widziały – uśmiecha się Iva Lou. – Zawsze uważałam, że stary Otto robi maślane oczy do Fleety.

– Żartujesz, prawda? Ona jest dla niego taka surowa. Raz powiedziała mu, że nie ma dupy. Sama słyszałam.

– A co on na to? – chce wiedzieć Iva Lou.

– Śmiał się.

– No widzisz, lubi ją. Ona z nim flirtowała. Jeszcze nie spotkałam na tej ziemi człowieka, który nie potrzebowałby seksu.

– Nie zauważyłam, żeby poprawiło to Fleecie humor.

– No wiesz, są tacy ludzie, chociaż ze świecą ich szukać, których seks, zamiast uspokajać, wkurza. Może Fleeta należy do tej kategorii. – Iva Lou wzrusza ramionami.

Iva Lou i ja przyjeżdżamy do Barter Theatre od lat. Od czasów Wielkiego Kryzysu to teatr stanowy Wirginii, ale najbardziej słynie z tego, że jest najstarszym teatrem regionalnym w Stanach Zjednoczonych i kolebką wielkich aktorów, takich jak Ernest Borgnine. Lubimy mowy, które dyrektor artystyczny, Robert Porterfield, wygłasza z okazji premiery, i losowanie nagród, w którym zwycięzca dostaje szynkę wirgińską. Na początku wielu ludzi nie było stać na bilety, robili więc barter, czyli wymieniali towary i usługi na prawo wstępu (stąd nazwa teatru). Te nieskazitelne białe ściany ze stiukiem à la tort weselny, wielki kryształowy żyrandol i balkon, który wisi nad miejscem dla orkiestry i proscenium, mają za sobą długą historię. Siedzenia pokryto rubinowym aksamitem, i zdaniem Ivy Lou wyglądają jak róże.

– Chcesz coś? – pyta Iva Lou, kiedy w przerwie stoimy w kolejce do bufetu. – Ja biorę białe wino. Nie rozglądaj się. Nie ma ich tutaj. Fleeta nie lubi sztuk, tylko zawody wrestlingu.

– Masz rację. – Nie wydaje mi się, żeby Otto i Fleeta byli miłośnikami teatru. – Jak ci się podoba sztuka?

– Już czas, żeby podstawili słowa Lee Smitha do muzyki. *Urodziwe i subtelne panie*. To o nas, nie sądzisz? – śmieje się Iva Lou.

– O nas nocą.

– Wiesz, Ave, namyśliłam się. – Iva Lou podaje mi kieliszek białego wina.

– Nad jaką kwestią?

– Widziałam się w szpitalu z doktorem Phillipsem.

– Co powiedział?

– Wyłożył wszystkie opcje i zalecił usunięcie guzka – wtedy wycinają część piersi – a potem chemioterapię i naświetlania. Mówi, że są lekkie przerzuty do węzłów chłonnych, ale żeby się nie martwić, bo naświetlania sobie z tym poradzą. Niektóre z tych węzłów są w drugiej piersi, ale też je może złapać naświetlaniem.

– Więc kiedy operacja?

– Wkrótce. Ale ja nie zgadzam się na ten plan.

Serce mi zamarło. Przeszłam przez to z mamą. Miała własne wyobrażenie na temat tego, jak sobie poradzić z rakiem, i żaden doktor nie miał nic do powiedzenia. – Och, Iva Lou, słuchaj lekarzy, oni wiedzą najlepiej. Jeśli twierdzą, że to pomoże, to tak będzie.

– Pewnie masz rację. Ale ja jestem dziewczyną stuprocentową.

– Co to znaczy?

– Chcę mieć stuprocentową gwarancję, że jestem wyleczona. Muszę z tego wyjść, wiedzieć, że to nie wróci. Nie mogę za pięć, sześć lat dowiedzieć się, że trzeba zaczynać od początku. I to może z mniejszymi szansami. Chcę mieć to za sobą.

– Więc co masz zamiar zrobić?

– Powiedziałam mu, żeby je zabrali.

– Zabrali?

– Obie. Chcę podwójnej mastektomii.

– Iva Lou, może jeszcze to przemyślisz? To się stało za szybko. Przeprowadza się tyle badań i lekarstwa są coraz lepsze. I chemioterapia daje dobre rezultaty...

Przerywa mi. – Nie, już się zdecydowałam. Rozmawiałam z Lyle'em i on trzyma moją stronę. Mój lekarz rozumie, co czuję, ale uważa, że może wystarczyć to, co on zaleca. Nie wątpię w to, ale ten sposób nie zagwarantuje mi wyleczenia. Remisję, owszem, ale nie wyleczenie. A ja chcę być zdrowa.

– O Boże. Nie wiem, Iva Lou. Może to dziwne ale cię rozumiem. Wiesz, nauczyłam się dużo od mamy. Nauczyłam się, że każdy człowiek radzi sobie z takimi rzeczami na swój własny sposób. Być może ja na twoim miejscu też bym tak zrobiła. Nie wiem. Mama była gotowa odejść. Wykonała swoje zadanie, skoro mnie wychowała, i nie sądzę, żeby widziała przed sobą świetlaną przyszłość. Ale ty jesteś inna. Ty chcesz żyć, i to długo.

– Zgadza się! – Iva Lou wygląda, jakby poczuła wielką ulgę. Po raz pierwszy od tygodni zniknęła mała zmarszczka między jej oczyma. Naprawdę to przemyślała. – Słuchaj, to nie jest łatwe. Kocham swoje piersi. Przez większość życia kochałam je i rozsławiałam od jednego końca Wise County po drugi. Zawsze byłam taka dumna ze swojej figury. Miałam wszystko, co trzeba. Kochana, przepracowałam to, wiem, że zostałam obdarzona czymś specjalnym. Przeżyłam parę ładnych lat, ciesząc się tym. A teraz one muszą odejść, bo przestały służyć, a zaczęły sprawiać kłopoty. Dobrze, że je miałam.

To była ogromna radocha. Ale teraz potrzebuję czegoś więcej. Chcę pewności, że obudzę się rano i będę żyć.

Nie mogę się spierać z Ivą Lou. Ona to zrobi bez względu na opinię drugiej, trzeciej, czwartej osoby.

– Co się z tobą dzieje? – Iva Lou daje mi kuksańca. Widocznie się zamyśliłam.

– Po prostu bym chciała, żebyś w ogóle nie musiała przez to wszystko przechodzić.

– Kochanie, nie ma takiej możliwości. Jest tyle rzeczy, które jeszcze powinnam zrobić w życiu. Nie pozwolę, żeby coś mi przeszkodziło. Mam plany. Myślę o tych wszystkich miejscach na świecie, które chcę zobaczyć, i o tym, jaka będę szczęśliwa, kiedy się tam znajdę. Nigdy nie patrzyłam na swoje życie jak na coś, co się kiedyś skończy. Ale teraz mam dowód, że czas biegnie. I na Boga, nie odejdę, dopóki nie zobaczę i nie zrobię wszystkiego, co chciałam. – W głosie Ivy Lou słychać zdecydowanie. Jest stanowcza i pełna nadziei, podjęła decyzję i najwyraźniej się z nią pogodziła.

Wracamy na swoje miejsca i chociaż muzyka i słowa są przepiękne, ja ich nie słyszę. Myślę o swojej przyjaciółce, dziewczynie stuprocentowej.

Lekarze nie żartowali, mówiąc Ivie Lou, że ustalą nieodległy termin jej operacji. Chcieli ją zrobić przed Świętem Dziękczynienia, i zrobili. Pracowałam tego dnia, ale nic do mnie nie docierało, bo wiedziałam, że Iva Lou będzie wieczorem operowana. Odebrałam Ettę ze szkoły, pojechałam do domu i wzięłam długą, gorącą kąpiel, a teraz przygotowuję się do wyjazdu do Kingsport. Iva Lou nie chciała tam tłumu, tylko Lyle'a i mnie. Maluję się w łazience. Etta wchodzi i siada na skraju wanny.

– Mamuś, mogę iść na wrotki z Tarą?

– A tata idzie? – pytam, nakładając szminkę.

– Powiedział, że tak.

– No to możesz iść.

Etta stoi i patrzy na mnie jak wtedy, kiedy była mała. Pamiętam, że swego czasu przyglądałam się tak samo mojej mamie. Byłam zafascynowana sposobem, w jaki pudruje swoją doskonałą skórę i dokładnie nakłada szminkę na usta. Nabierała troszkę wody w dłonie i wygładzała nimi włosy. Kiedyś Etta będzie odgrywać ten sam rytuał ze swoją córką. Perfumuję się i odrobinę skrapiam Ettę (mój mały dodatek do rytuału mamy).

– Czy ciocia Iva Lou umrze? – pyta cichutko Etta.

– Nie, skąd.

– Ale twoja mama umarła na raka, prawda?

– Tak.

– Bałaś się?

Siadam na wannie obok Etty. – Byłam przerażona.

– Jak się czułaś, kiedy to się stało?

Większość ludzi skupia się na smutku, który następuje po śmierci bliskiej osoby, albo na wszystkim, co dzieje się wcześniej, ale nikt nigdy aż do tej pory nie zapytał mnie o dzień, kiedy umarła. – Myślałam, że to jest najgorszy dzień mojego życia. I był, dopóki nie umarł twój brat. Ale kiedy odchodziła mama, trochę to rozumiałam; długo chorowała, a pod koniec błagałam już Boga, żeby ją zabrał. Była taka chuda i strasznie cierpiała. Zawsze mówią, że na ból można coś podać, że można zaradzić, ale tak naprawdę nie można. I nie chodzi tylko o fizyczny ból. Człowiekowi jest smutno, że opuszcza świat i ludzi, których kocha.

– Byłaś przy niej, kiedy umarła?

– Nie – biorę głęboki oddech.

– Dlaczego?

– Poszłam do pracy. Mama nalegała. Czuła się dobrze, a ja przez kilka dni zostawałam w domu i zajmowałam się nią. Ona w zasadzie nie była obłożnie chora. Cały czas mogła chodzić i robić różne rzeczy, tyle że w którymś momencie słabła i musiała usiąść na krześle. Nie chciałam się z nią spierać, poszłam więc do pracy.

Pamiętam, że tego dnia Nellie Goodloe przyniosła mi torbę jabłek Czerwony Delicjusz. Mama uwielbiała pieczone jabłka i nie mogłam się doczekać powrotu do domu, żeby jej te jabłka upiec. – Siedzimy w milczeniu. Wolałabym na tym skończyć swoją opowieść, ale Etta chce wiedzieć więcej.

– I co się potem stało?

– Weszłam do domu i zawołałam ją, ale nie odpowiedziała. Było bardzo cicho i to mnie przeraziło. Rzuciłam jabłka, a one potoczyły się po podłodze. Wszystko działo się jakby w zwolnionym tempie, bez dźwięku. Wiedziałam, że stało się coś straszliwego, ale nie mogłam się ruszyć, żeby do niej pójść. W końcu jednak pobiegłam do jej sypialni, a ona siedziała na krześle. Odeszła.

– Myślisz, że kiedy umrę, twoja mama mnie rozpozna? – zastanawia się Etta.

– O tak.

– A Joe, on będzie nas pamiętał?

– Chyba tak.

– Był taki malutki, może nas nie poznać – mówi cicho Etta.

Nie wiem, co jej odpowiedzieć. Czasami dzieci pytają o rzeczy, na które nie ma odpowiedzi. Gładki opis życia wiecznego, perłowych bram, aniołów na chmurach i Boga z białą brodą wydaje się równie daleki od rzeczywistości, jak święty Mikołaj na biegunie północnym. Etta jest za duża na takie śliczne opowiastki i zadaje poważniejsze pytania.

– Mam nadzieję, że nas pozna. – Siadam obok niej.

– Nie jesteś pewna, prawda, mamo?

– Nie, nie jestem pewna. – Może nie powinnam pozwalać sobie na szczerość. – W wielu sytuacjach pomaga mi myśl, że zobaczę jeszcze swoją mamę i Joego.

– Więc zobaczysz. – Etta uśmiecha się i wstaje. – Mogłabyś w coś wierzyć, mamo. To nie boli.

Szpital Holston Valley góruje nad Kingsport w Tennessee niczym zamek. Parkuję, a słońce znika za brązową górą w pomarańczowo-złote prążki jak tygrysie oczko. Nie boję się, kiedy wchodzę do szpitala, wierzę w Ivę Lou. Nie mam pojęcia, skąd czerpię ten optymizm, ale czuję, że jest uzasadniony.

– Słuchaj, Lyle'u Emmecie Makin, nie zagadaj Ave na śmierć. – Iva Lou w nietwarzowym papierowym czepku kąpielowym leży na wózku. Pielęgniarka otula ją kocem. Nawet bez makijażu Iva Lou wygląda olśniewająco. Ma gładką twarz kobiety, która pogodziła się ze swoją decyzją. Sądząc po wyrazie oczu jej męża, on myśli o tym samym. Lyle całuje żonę w czoło, po czym wtaczają ją do windy jadącej na salę operacyjną. Posyłam jej całusa, a ona uśmiecha się.

– Skoro już tu jestem, to podciągnę sobie twarz – krzyczy zza zamkniętych drzwi. Winda rusza. Słyszę jeszcze śmiech pielęgniarki.

– Napijemy się kawy, Lyle?

– Chętnie, proszę pani.

Lyle Makin jest mężem Ivy Lou od trzynastu lat, a ja mogę z ręką na sercu powiedzieć, że znam go dzisiaj równie dobrze, jak pierwszego dnia naszej znajomości. Nigdy nie mówi za dużo (chociaż jest dobrze wychowany), nie słyszałam zbyt wiele o jego przeszłości (pochodzi z Roseville, w hrabstwie Lee) ani o jego pracy (naprawia ciężkie maszyny wydobywcze), ale to mąż Ivy Lou i kocham go, bo ona go kocha.

Lyle ma ponad metr osiemdziesiąt wzrostu. Podobnie jak Iva Lou, przez wszystkie ich wspólne lata zachował sylwetkę. Jego brązowe włosy posiwiały i ostatnio zapuścił brodę, wygląda więc jak jeden z tych starych gitarzystów w Zagrodzie Carterów. Ma głęboko osadzone ciemnoniebieskie oczy (oznaka osoby skrytej, co się akurat zgadza) i śniadą cerę. Nie zdziwiłabym się, gdyby był Melanżem. Melanże, miejscowy ród góralski, niegdyś pogardzany, ostatnio stał się popularny, a ich egzotyczny wygląd jest opiewany w książkach i sztukach. Lyle ma brązową karnację, która wskazuje na mieszankę krwi czirokeskiej, tureckiej, francuskiej, afrykańskiej i angielskiej.

– Jak się trzymasz, Lyle?

– Nic mi nie jest. A ty?

– Ze mną też wszystko w porządku.

Idziemy w milczeniu długim korytarzem, a kiedy docieramy do kolejki w kafejce, jestem zdumiona, ile Lyle stawia na tacy. Bierze pieczoną rybę, szpinak ze śmietaną, dwie bułki, czarną kawę, mały kartonik soku pomarańczowego i kawałek ciasta kokosowego z kremem. – Iva powiedziała, że mam jeść – mówi i wzrusza ramionami.

– Mówiła, że bardzo jej pomagasz.

Lyle przez chwilę milczy, potem wzdycha. – To moja dziewczyna.

– Wiem.

– Byłem w Wietnamie. Wiedziałaś o tym?

– Nie.

– Byłem. Zgłosiłem się na ochotnika, późno. Służyłem w czasie wojny w Korei, a potem, kiedy zaczął się Wietnam, poczułem, że muszę iść. No i się zgłosiłem.

– Niewielu ludzi myślało w ten sposób.

– Wojsko to najlepsza rzecz, jaka mi się kiedykolwiek zdarzyła. Rzuciłem szkołę w 1951, a do wojska mnie przyjęli, czułem się więc, jakbym był im coś winien. – Lyle wstrząsa sok pomarańczowy przed otwarciem. – Byłem w czynnej służbie, tam dopiero się działo. Straciłem kilku kumpli, jeszcze więcej zostało rannych, poważnie rannych, kiedy więc pewnej nocy siedzieliśmy sobie, powiedziałem im, że gdybym został ranny i by mnie sparaliżowało, to chcę, żeby mnie dobili na miejscu. Jeden z moich kumpli, Bill Kelly z Lansing w Michigan, obiecał, że spełni moje życzenie, kiedy coś takiego się zdarzy. Jakiś miesiąc później postrzelili mnie. Mówię do Billa: „Skreśl, co powiedziałem, koleś. Chcę żyć". A on spojrzał na moją nogę i stwierdził: „To nie jest straszna rana. Trafiło w kość udową. Ale i tak cię zastrzelę, bo powiedziałeś, że mogę sobie wziąć twój zegarek". Mieliśmy niezły ubaw, a on wyniósł mnie stamtąd i zataszczył do lekarza. Oczywiście to nie był mój koniec i uratowali mi nogę. Ostatniej nocy opowiedziałem Ivie Lou tę historię, żeby jej poprawić humor, żeby wiedziała, jak ja rozumiem, jako facet, przez co przechodzi. A ona spojrzała na mnie w ten swój sposób i mówi: „Na miłość boską, Lyle, ja nie mogę chodzić na swoich cyckach". Lyle się śmieje. – Nie zrozumiała. – Miesza kawę i patrzy na mnie. – Widzisz, mam tylko ją. – Odsuwa tacę, nie tknąwszy jedzenia. – Nikt z mojej rodziny nie żyje.

– Ona wyzdrowieje, Lyle.

– Tak myślisz?

– Wiem to. Zmiotłaby każdego i wszystko, co stanęłoby jej na drodze.

– To prawda.

Bez wątpienia to najdłuższa rozmowa, jaką kiedykolwiek odbyłam z Lyle'em Makinem, ale na pewno dała mi pojęcie, dlaczego Iva Lou poświęciła dla niego swoje Szczęśliwe Życie w Pojedynkę. Lyle kocha ją wieczną miłością, a Iva Lou wyczuła, że pod koniec drogi tego właśnie będzie potrzebować.

Rozdział piąty

Droga ze szpitala do domu mija jak z bicza trzasł (jadę osiemdziesiąt mil na godzinę, a pomiędzy Gate City a Big Stone Gap nie ma żadnych ciężarówek). Lekarze spotkali się z nami po operacji Ivy Lou i powiedzieli, że „mają wszystko". Kiedy wyjeżdżałam, Iva Lou była nadal nieprzytomna po narkozie; lekarze sądzili, że prześpi całą noc. Personel okazał się na tyle miły, że dostarczył Lyle'owi łóżko polowe, żeby mógł spać w sali z żoną.

Moja rodzina jest już po kolacji, Jack ogląda telewizję w naszym pokoju. Zdaję mu raport o Ivie Lou i idę na górę sprawdzić, co z Ettą. Jej łóżko jest zarzucone otwartymi podręcznikami, zeszytami i ołówkami.

– Wygląda na to, że masz jeszcze bardzo dużo pracy.

– I mam. Co z ciocią Ivą Lou?

– Wszystko w porządku. Będzie zdrowa.

– Kiedy mogę jechać ją zobaczyć?

– W sobotę.

– Dobrze. Tata zostawił ci w kuchni trochę pizzy.

Etta wraca do swojej pracy domowej. Zamiast skierować się do kuchni, wychodzę przed dom i siadam na schodach. Nie jestem głodna, potrzebuję powietrza, dużo powietrza. Powoli zataczam głową małe kręgi, tak jak przed laty nauczył mnie Theodore, żeby zapobiec nadchodzącemu bólowi głowy. Działa. Z początku słyszę, jak chrzęszczą mi kręgi szyjne, a potem, po kilku obrotach, nic.

Okrążam dom, idę na podwórko. Zastanawiam się, czy nie wybrać się do lasu, ale jestem zbyt zmęczona, kładę się więc na ziemi. Czuję się wyczerpana. Martwiłam się o Ivę Lou i kryłam się z tym z obawy, że zdradzę się ze swoimi uczuciami przed nią albo przed moją rodziną, i teraz to całe napięcie mnie dopadło. Czuję zimną łzę w kąciku oka.

Dzisiejszej nocy niebo ma dziwny kolor, jest stalowoszare, a chmury wyglądają jak plątanina starej wełny. To mi przypomina burze w filmach przygodowych, gdzie spokojne jest wszystko oprócz nieba, które złowieszczo kłębi się nad głową. Może to dlatego jest ciepło; w każdej chwili niebo jak sufit nasiąknięty wodą z pękniętej rury może spaść na dół z lodowatym zimowym deszczem.

– Hej, mamo. – Etta podaje mi kurtkę. – Nie wstawaj. – Kładzie się na ziemi obok mnie i patrzy w górę. – Te chmury są niesamowite.

– Prawda?

– Widziałaś kiedyś, żeby miały taki kolor? – pyta.

– Chyba nie.

– Czy to nie dziwne, że jest tak ciepło? Już prawie Święto Dziękczynienia, a jeszcze nie zrobiło się zimno.

– To bardzo dziwne – przyznaję.

Leżymy przez chwilę, aż Etta pyta: – Gdybyś ty miała raka, co byś zrobiła?

– Pewnie poszukałabym najlepszych lekarzy i wysłuchałabym tego, co mają do powiedzenia. Potem wróciłabym do domu i porozmawiała z tobą i z tatą. Czemu pytasz?

Zanim Etta odpowie, przerywa nam dźwięk starej sprężyny w drzwiach siatkowych. Na ganku staje Jack. – Co tu robią moje dziewczyny?

– Rozmawiamy – mówi Etta.

– Nie ma dzisiaj księżyca. – Jack siada obok mnie.

– Och, jest tam – zapewnia Etta.

– Gdzie? – chce wiedzieć ojciec.

– Na północnym wschodzie – pokazuje Etta.

– Skąd wiesz? – pytam.

– No cóż, pod koniec tygodnia będziemy mieli rosnący sierp Księżyca, który jest jasny, ponieważ oświetla go Słońce. Poza tym dociera do niego promieniowanie Ziemi, która odbija światło słoneczne.

– Skąd to wszystko wiesz? – Siadam i patrzę na swoją córkę z nowo odkrytym szacunkiem.

– Z książek. Poza tym pan Zander pozwala mi zostawać po lekcjach i studiować jego mapy. Oczywiście uprzedził mnie, że mogę przez resztę życia studiować gwiazdozbiory i nigdy ni w ząb nie zrozumieć, o co w tym wszystkim chodzi.

– Stawałaś w łóżeczku, żeby wyglądać nocą przez okno. Nigdy nie mogłam zrozumieć, na co patrzysz. Teraz już wiem. – Szturcham Ettę, a ona się śmieje.

– Lubię gwiazdozbiory, bo są stałe. Tak jak dzisiaj. Nie widzimy żadnych gwiazd, bo zasłaniają je chmury. A kiedy księżyc jest w pełni, daje dużo światła, które tłumi blask gwiazd, wydaje nam się więc, że zniknęły. Ale one tam są. W nauce tylko jedno jest pewne: że wszystko ciągle się zmienia. Prawda wygląda jednak tak, że to zawsze te same gwiazdy.

– To już jest filozofia. – Jack spogląda w niebo.

– To oznacza, że tak jak gwiazdy mamy stałe miejsce. Przeznaczenie. Istnieją jakieś fakty i jest przeznaczenie, nad którym nie mamy kontroli.

Chmury nad naszymi głowami się rozchodzą i dokładnie w miejscu wskazanym przez Ettę wyłania się księżyc – biały półuśmiech przykryty przezroczystym welonem chmur.

– No dobra, mój mały naukowcu – zaczyna Jack. – Jak określiłabyś ten księżyc?

Etta podnosi wzrok: – W pierwszej kwadrze?

– No nie, chociaż to prawdopodobnie właściwy pomiar. Mój dziadek nazywał go księżycem z mlecznego szkła, bo chmury dają takie zamglenie, jak mleko na szklance tuż po jej opróżnieniu. I mówił, że to zapowiedź deszczu na następny dzień.

– To ładne, co powiedziałeś, tato, ale nie sądzę, żeby miało jakiś związek z nauką.

Jack i ja wybuchamy śmiechem; to najlepsza chwila w życiu rodziców, kiedy widzą, że dziecko zaczyna ich przerastać, że jego ciekawość już się obudziła i że uczy się rzeczy, o których nigdy nawet nie pomyśleli. Jeśli chodzi o pomysł Etty, że historia naszego życia została już napisana, cóż, będę musiała to przeanalizować. Czuję się lepiej na myśl, że sprawy, które nie mają wytłumaczenia albo wywołują ból (tak jak rak Ivy Lou), to część większego planu; dzięki temu wydają się możliwe do rozwiązania i mniej przytłaczające. Trudno mi jednak zaakceptować ten pogląd i stosować go wobec wszystkiego, co kocham. Kiedy wrócą chmury, nie będę wcale taka pewna, że za nimi są gwiazdy.

Fleeta, Pearl i ja zdecydowałyśmy się pojechać do Kingsport, żeby zobaczyć Ivę Lou po godzinach odwiedzin w szpitalu. Otoczona pracownikami biblioteki hrabstwa, starymi klientami bibliobusu i kółkiem byłych chłopaków nie może narzekać na brak towarzystwa. Dzwoniłam dzisiaj do niej trzy razy i za każdym razem donosiła mi o kolejnej dostawie kwiatów do pokoju. – Szkoda, że nie umieram – powiedziała – bo te kwiaty wypełniłyby zakrystię baptystów. – Najbardziej oszałamiający bukiet pochodzi od Theodore'a Tiptona, który zamówił żółte róże pomalowane złotym brokatem. Iva Lou nazywa go bukietem Viva Las Vegas.

Pearl siedzi z tyłu, żeby mogła sobie wyciągnąć nogi (to konieczność u ciężarnych kobiet), a Fleeta wierci się z przodu. Wciąż przyciska plaster antynikotynowy na ramieniu, jak guzik alarmowy.
– Fleeta, to nie jest kroplówka z morfiną. Naciskanie nie wstrzyknie ci porcji nikotyny do krwi – informuję ją.

– A właśnie, że tak. Naciskam co kilka minut i to daje mi kopa.

– Myślę, że tylko w twojej wyobraźni.

– Zgaduję, że ciągłe drgawki to też wytwór mojej wyobraźni.

– Wspaniale sobie radzisz – mówię. I to prawda, ograniczyła się do jednego papierosa dziennie.

– Fleeta, czy ty masz przed nami jakiś sekret? – pyta Pearl.

– Jaki sekret? – pokasłuje Fleeta.

– Z chłopakiem – wyjaśnia delikatnie Pearl.

– Nieeeee, do cholery. – Fleeta wygląda przez okno.

– Słyszałam, że się spotykasz z Ottonem Olingerem. – Nie wierzę własnym uszom, że Pearl tak po prostu z tym wyskakuje.

– Gdzie to słyszałaś? – Fleeta kaszle.

– Ludzie was widują tu i tam. U Arby'ego w Kingsport, w Galley w Norton. No wiesz, tu i tam. – Pearl niedbale wzrusza ramionami.

– Ja was widziałam w powozie w Abingdon – włączam się.

– Kiedy?

– Niedawno.

– Dlaczego się z nami nie przywitałaś?

– Wyglądaliście, jakbyście chcieli być sami.

– I tu miałaś rację. Więc zostawmy to. – Fleeta wygładza zmarszczki na swoich nowych dżinsach.

Przez kilka minut jedziemy w milczeniu. W końcu Pearl mówi: – Myślę, że to miło.

Fleeta odwraca się do Pearl. – Słuchaj, nie rób z tego wielkiej sprawy. To jest coś zupełnie, zupełnie niezobowiązującego. Opierałam się, ile wlezie. Faceci są jak wysypka – mają sposoby, żeby zaleźć ci za skórę i swędzieć. Słuchaj, wiem na pewno, że April Zirkle od dawna ostrzy sobie zęby na Ottona. Jej mąż odszedł jakieś trzy lata temu, nie umarł, tylko zniknął, ale mniejsza z tym. Powiedziałam Ottonowi, że April z chęcią by się z nim spotkała i że ona nadal ma czym oddychać, że nie miota się jak ja z miejsca na miejsce i nie pali, chyba. Powiedziałam mu, żeby do niej wpadł i się nią zajął.

– Ale on woli ciebie! – przerywam.

– Wiem. Nie jestem idiotką. Otto Olinger lata za moim przepalonym tyłkiem od czasu, jak złożyliśmy Portly'ego do grobu na cmentarzu Glencoe. – Fleeta poprawia się na siedzeniu i splata ramiona na piersi jak mała dziewczynka.

– Tak długo? Niemożliwe! – Pearl wychyla ze swojego siedzenia.

– Tak, proszę pani. I naprawdę próbowałam wszystkiego, żeby go odstraszyć. Ale on lubi to, co widzi. – Fleeta oddycha głęboko przez nos i wypina pierś. – Ale ja tego nie potrzebuję.

– On cię nie pociąga?

– Nie, Ave. Szczerze.

– To nic złego.

– Gdybym mogła wybierać, nie chciałabym starego faceta. Wiem, patrzycie na mnie i mówicie sobie „Fleeta, sama jesteś stara". Zdaję sobie z tego sprawę. Ale nigdy nie lubiłam starszych facetów, ani kiedy byłam młoda, ani teraz. Nie mam ochoty oglądać w sypialni ich patykowatych nóg ani obwisłych pośladków. Przykro mi. Kiedy już ośmielam się myśleć o tych rzeczach, mam przed oczyma Pierce'a Brosnana czy kogoś takiego. Na pewno nie jakiegoś kolesia z mięśniem piwnym, płaskim tyłkiem i zestawem sztucznych zębów od doktora Polly'ego.

– Zawsze byłaś wyjątkowa, Fleeta – mówię.

– Miło mi, że to zauważyłaś. – Fleeta pociąga nosem.

– To bardzo słodkie – mówi delikatnie Pearl.

– Jesteś taka łatwowierna. Zaufałabyś facetowi, prawda?

– Gdybym go szanowała, to tak.

– Możesz faceta szanować, a on i tak będzie ci wciskał kłamstwa. Uwierz mi na słowo.

Nie mogę już wytrzymać, wybucham śmiechem. Pearl po chwili mi wtóruje, i śmiejemy się do łez. Fleeta też w końcu zaczyna się śmiać i kiedy parkujemy przed szpitalem Holston Valley, można by pomyśleć, że przyjechałyśmy do cyrku.

Szpitale wieczorem to puste miejsca. Cieszę się, że dziewczyny są ze mną.

– Ona jest w 602 – oznajmia Fleeta, spoglądając na skrawek papieru wyjęty z portfela.

Iva Lou leży w pokoju narożnym. Słyszymy jej płacz. Nie marnujemy czasu na pukanie, tylko tarabanimy się do środka. Iva Lou leży w łóżku z pudełkiem chusteczek na brzuchu.

– Cześć, dziewczyny – mówi i wydmuchuje nos.

– Dobrze się czujesz? – pytam delikatnie. Iva Lou kiwa głową, że tak.

– Przywiozłam ci trochę nugatu. – Fleeta daje Ivie Lou puszkę, siadając ciężko w nogach łóżka.

Pearl całuje Ivę Lou w policzek i kładzie jej prezent na stoliku nocnym. – Przyda ci się krem do rąk. – Schylam się, by uściskać Ivę Lou, ale nie mogę. Jest obandażowana i wyraźnie cierpi.

Fleeta kicha. – Tu muszą być lilie. – Wskazuje ścianę kwiatów. – Więc co tam u ciebie, mała?

– Czuję się dziwnie – przyznaje Iva Lou. – To średniowiecze, czy co? Oto moja zbroja. – Wskazuje bandaże, które krępują ją od szyi po pas. – Ej, dziewczyny, nie patrzcie tak na mnie. Nie żałuję swojej decyzji. Tylko czasami tak mnie dopada i robi mi się smutno.

– Gdzie Lyle?

– Przyjechała do mnie ciotka Shirley Jackowski z Johnson City i poszli coś zjeść. Za to naprawdę będę miała u niego dług wdzięczności, ciotka to trudna osoba.

– Lekarz powiedział, że operacja poszła dobrze – mówi Pearl pocieszająco.

– To prawda. Wyzdrowieję. Dostanę trochę chemii, no wiecie, i będę jak nowa – obiecuje Iva Lou. – Wcześniej byli tu Otto i Worley ze Speckiem.

– Przywieźli ci coś? – pytam.

– Dwa tuziny chrupiących donatów z kremem. Zjedli jakieś trzy czwarte, a resztę dałam pielęgniarkom. – Iva Lou mruga do Fleety. – Chcesz mi coś powiedzieć?

– Jezu Chryste. Ty też? – Fleeta uciska lekko plaster na ramieniu.

– Otto Olinger jest w tobie bez reszty zakochany, młoda damo – mówi Iva Lou.

– No i mam problem. – Fleeta podnosi jakąś nitkę z koca.

– Fleeta jest trochę na nas zła, bo po drodze rozmawiałyśmy o jej romansie – wyjaśniam.

– Nie mam żadnego romansu!

– A jak nazwałabyś przejażdżkę powozem pod jesiennym księżycem w Abingdon? – pyta Iva Lou.

– Wycieczką na placek dyniowy, do cholery! – broni się Fleeta. – Słuchaj, miłość nie leży w kręgu moich zainteresowań. Owoce morza i befsztyk u Scoby'ego, owszem. Lubię gdzieś wyjść raz na jakiś czas i fajnie mieć wtedy kogoś do towarzystwa. I o to w tym chodzi. Boże wszechmogący, ale tu duszno. – Fleeta wstaje, by uchylić okno.

– Dobrze już, dobrze, wystarczy tych tortur. Kto chce coli? Zejdę do bufetu. – Zbieram zamówienia.

Winda jest na drugim końcu piętra, muszę więc przejść cały korytarz. Podążam za strzałkami i wpadam na jakąś kobietę.

– Przepraszam.

– Nic się nie stało – uśmiecha się.

Patrzę jej w oczy i już mam coś dodać, kiedy zdaję sobie sprawę, że ją znam: tak niesamowicie opalona na początku listopada może być tylko jedna osoba. – Cześć – mówię, a mój umysł kojarzy szybko serię wydarzeń.

– Cześć – odpowiada. – Ty jesteś...

– Ave Maria MacChesney. – Jak dobrze, że pomalowałam usta i przebrałam się w nową parę dżinsów i sweter, i straciłam dziesięć funtów, które wisiało mi w talii jak opona. – A ty jesteś...

– Karen. Tak. Nie wiedziałam, że mnie pamiętasz. – Zakłada pukiel włosów za ucho.

Czy cię pamiętam? A jakże. Niemal ukradłaś mi męża, pozbawiłaś moje dziecko ojca i zrobiłaś ze mnie idiotkę od Cumberland Gap po krańce Cracker's Neck Holler. Pamiętam? Nigdy cię nie zapomnę. Szkoda, że nie ma tu mojego męża, żeby mógł cię zobaczyć w tym zielonkawym świetle jarzeniówek, żeby mógł popatrzeć, co się dzieje ze „ślicznymi", kiedy się starzeją. Przez cztery lata kochanka mojego męża bardzo się zmieniła.

– Karen, skarbie? – Z poczekalni wyłania się mężczyzna. Ma około sześćdziesięciu lat. Ma też największą głowę, jaką w życiu widziałam (nawet większą niż Speck Broadwater), szare włosy uczesane trochę zbyt starannie, perkaty nos (to dziwne u mężczyzny tej postury i według starożytnej chińskiej sztuki czytania z twarzy świadczy o braku mądrości, chociaż muszę sprawdzić, bo nie jestem pewna, co oznacza połączenie wielkiej głowy i małego nosa) i brzydkie uszy (ten człowiek miałby trudne zadanie z rozwiązaniem prostej krzyżówki).

– To mój chłopak, Randy Collier.

– Cześć! – mówię tak głośno, że przechodząca pielęgniarka odwraca się, by na mnie spojrzeć. – Miło mi poznać. Jestem Ave Maria.

– Witaj! – uśmiecha się Randy.

– Jego tata właśnie miał operację. Wycięli mu jakieś dwa metry jelit. Ale wydobrzeje – opowiada Karen, wypełniając ciszę. – Jak twoja rodzina? – Obie wiemy, co ma na myśli, nie chodzi jej o moją rodzinę, tylko o mojego męża.

– Och, mamy się świetnie. Po prostu świetnie. Ja właśnie odwiedzam przyjaciółkę. No cóż, nie będę cię zatrzymywać.

Zza rogu wyłania się Pearl. – Tu jesteś. Przyszłam ci pomóc.

– A ja właśnie wpadłam na Karen Bell i jej chłopaka Randy'ego.

Usta Pearl otwierają się szeroko, ale zmusza się do uśmiechu. – Hej.

– Miło mi poznać – wita się Randy.

– Mam nadzieję, że twój tata wkrótce poczuje się lepiej – mówię.

– Ten szpital jest niezły – rzuca Randy do Karen – zawsze wpadamy na jakichś twoich znajomych. – Obejmuje ją i patrzy na nas. – Cóż, popularna jest ta moja dziewczyna.

– Och tak. Bardzo popularna – Pearl w końcu odzyskuje głos.

Wsiadamy do windy i Pearl opiera się o poręcz. – Że też wpadłaś akurat na nią?

– To właśnie moje szczęście.

– Ależ ona się zmieniła! – Pearl się śmieje.

Szybko wypełniamy tacę kubkami z colą. Nie mogę się doczekać, żeby wrócić do pokoju Ivy Lou i przekazać jej wieści. Przeprowadziła mnie przez najtrudniejszy okres mojego małżeństwa, dając mi nieocenioną radę, jak powstrzymać Karen Bell. Nie wiem, co bym bez niej zrobiła. Iva Lou to jedna z nielicznych osób, które naprawdę radzą sobie z każdym; nigdy nie ma do nikogo żalu, a jeśli jest zła, zachowuje spokój i stara się wszystko przemyśleć. Iva Lou ma tak czyste emocjonalne konto, jak nikt, z kim się w życiu zetknęłam.

– Zgadnij, kogo spotkałyśmy! – krzyczę znad tacy z colą.

– Kogo? – pyta Fleeta.

– Karen Bell.

– Nie! Co tu robi ta stara lampucera? Jak wygląda?

– Źle – odpowiada Pearl.

– Bardzo źle? – Iva Lou dopomina się o szczegóły.

– Solarium zamieniło jej skórę w torebkę z krokodyla – melduje Pearl.

– A jak włosy?

– Jeszcze gorzej – mówię. – Myślę, że używa taniej farby z kiosku.

– Spalone utleniaczem. – Iva Lou kręci głową.

– Jak siano. – Pearl spogląda na mnie z uśmiechem.

– Dobrze, że się dzisiaj ładnie ubrałaś. – Fleeta ogląda mnie od stóp do głów.

– To samo pomyślałam, kiedy tam stałam z nią twarzą w twarz.

– Pójdzie do domu i będzie się gryzła całą noc, że tak dobrze wyglądasz – obiecuje Iva Lou.

– Tak myślisz?

– Jestem pewna. Masz tyle szczęścia. Włosi się nie starzeją, tak jak Grecy czy Afrykanie. Wy wszyscy opieracie się czasowi. Ale Karen Bell? Ma twarz puszystą jak suflet. Taka twarz zapada się koło czterdziestki i już nigdy się nie podnosi. – Iva Lou sączy swoją colę.

– Spotkałyśmy też jej chłopaka – dodaje Pearl.

– I co?

– Hmm, ma smutną twarz, wielkie zęby i zadarty nos.

– Taki, że widać mu włosy w środku?

– Nazywa się Randy Collier – dodaję.

– Ten stary cap? No, nie! Ja się z nim kiedyś umówiłam. Jest z Pound. Najbardziej skąpy facet, z jakim zdarzyło mi się spotykać. Zabrał mnie do Cab's w Norton na donaty. Donaty! I była noc! Siedzieliśmy tam w samochodzie i jedliśmy je z torby. A potem chciał się kochać. Powiedziałam mu: „Nie wiem, co słyszałeś, ale żeby zaciągnąć mnie do łóżka, nie wystarczy prysznic, golenie i torba świeżo smażonych donatów". Natychmiast odwiózł mnie do domu i nigdy więcej go nie widziałam.

Iva Lou częstuje nas nugatem z puszki i sama bierze kawałek. Na chwilę zapomina o problemach; znowu jest wśród nas.

– Na pewno nie jest to Lyle Makin – zauważam.

– Czy ja tego nie wiem? Kobiety, dziękuję Bogu za tego człowieka. Po operacji Lyle wdrapał się na moje łóżko i owinął się wokół mnie bardzo delikatnie. Był taki szczęśliwy, że już po wszystkim. On chyba myślał, że ja tam umrę. Powiedziałam mu, że wiele się zmieniło od czasów, kiedy lekarz przyjeżdżał do domu pacjenta i operował go na stole kuchennym. Wiecie, on pochodzi z hrabstwa Lee, tam wszyscy są samowystarczalni. Zdaje się, że jego ciotka w latach czterdziestych sama sobie wycięła wyrostek.

– To stąd pochodzi jego siła – wzdycha Pearl.

– Pewnie tak. – Iva Lou wzrusza ramionami. – Kochaliśmy się tuż przed wyjazdem do szpitala. Tak, postanowiliśmy uroczyście pożegnać moje piersi, a kiedy już to zrobiliśmy, uśmialiśmy się tylko, bo zdaliśmy sobie sprawę, jak niewielką one grają rolę w naszym szczęściu, a jednak są ważne, bo stanowią część całości. Człowiek nie zdaje sobie z tego sprawy, dopóki nie musi. A ja musiałam. Lyle po chwili przycichł i powiedział: „Ivy, chcę się z tobą zestarzeć". No i pytam was, czy umiałybyście powiedzieć „nie"?

– Nie, nie sądzę – mówię.

– O nie.
– To dlaczego płakałaś, kiedy tu weszłyśmy? – Fleeta leży w poprzek łóżka Ivy Lou, żując nugat.
Iva Lou zastanawia się przez chwilę, patrząc na pustą ścianę, jakby na niej widniała odpowiedź, wypisana wielkimi literami.
– Bo już nie będę taka sama. To gorzka pigułka do przełknięcia, jeśli człowiek siebie lubi.
– Tak nam przykro, Iva Lou – szepczę. Fleeta i Pearl potakują. I to prawda. Jest mi przykro, że to musiało się zdarzyć jednej z najlepszych osób, jakie znam.
– Cóż, mnie jest przykro, że spotkałaś tę lafiryndę – rzuca Iva Lou.
– Nie, nie, to było fajne. W pewnym sensie nawet się z tego cieszę.
Fleeta siada. – Powiesz Jackowi, że ją widziałaś?
– Ani słowa!
– Moja dziewczynka! – Iva Lou poklepuje mnie po dłoni. – W końcu mówisz jak Wade-Makin. Mężczyźni pragną kobiet, które można adorować i które nie sprawiają kłopotów, słodkich jak ciastko, ot co. I wyrozumiałych. Nie lubią, żeby im wypominać błędy przeszłości.
Fleeta patrzy na mnie. – Najłatwiejszy sposób, żeby stracić faceta, to wytknąć mu słabość. Bo kiedy oni czują się źle ze sobą, idą prosto do kobiety, która sprawiła, że czuli się dobrze.
– Z waszych słów wynika, że mężczyźni to idioci. – Pearl popija colę.
Przez chwilę siedzimy w milczeniu, a potem Fleeta, Pearl i ja wybuchamy śmiechem. Po chwili dołącza do nas Iva Lou i jest to najsłodszy dźwięk, jaki w życiu słyszałam.

Aby uczcić powrót Ivy Lou, Fleeta zaplanowała przyjęcie powitalne w aptece. Speck nalegał, żebyśmy zaczekały z uroczystością do jego powrotu z Florydy, oto więc w szczycie sezonu zakupowego przed Bożym Narodzeniem bierzemy się za organizowanie wielkiej balangi na cześć powracającego żołnierza.

Nellie Goodloe wzięła na siebie opracowanie programu. Sama będzie czytać wiersz; Cindy Ashley kupi Ivie Lou złoty wisiorek w kształcie serca (zebrała pieniądze, przekazując kapelusz z domu do domu); Nicky i Becky Bottsowie zaśpiewają jedną z ulubionych piosenek Ivy Lou *Sleeping Single in a Double Bed*; a mój mąż najwyraźniej zgodził się przyrządzić poncz (w domu była notatka „przynieść rum").

– Nie dotykaj lukru, Specku Broadwaterze! – wrzeszczy Fleeta z kuchni. Nie wiem, jakim cudem ona widzi z zaplecza Specka krążącego wokół lukrowanych ciastek, ale jakoś jej się ten cud udaje.

– Powinnaś była dać mi łyżkę do wylizania – odkrzykuje Speck figlarnie.

Fleeta staje w drzwiach. – Nie masz dosyć słodkości w Pennington?

Tłum ma niezły ubaw, ale dzięki Bogu nie ma tu Leoli, żony Specka. Na pewno nie chciałaby, żeby jej wypominać w twarz przyjaźń Specka z Twylą Johnson, a my na pewno nie chcemy małżeńskich awantur na przyjęciu Ivy Lou.

– Powiedziałbym, że ty wiesz więcej o słodkościach niż ja, Fleeto Mullins – zauważa Speck głośno. Wszyscy milkną i patrzą na Fleetę.

– Słuchaj, Speck – Fleeta wymierza w niego szpatułkę. Czy przyzna się w obecności wszystkich, że ona i Otto mają romans? Słychać tylko bzyczenie świateł fluorescencyjnych nad głowami. Speck zaciąga się papierosem i patrzy na Fleetę. Nie widziałam takiej wojny spojrzeń od czasu, kiedy w kinie Na Szlaku pokazali *Za garść dolarów* na Festiwalu Filmów Clinta Eastwooda.

– Masz mi coś do powiedzenia? – Fleeta się nie cofa, a szpatułka nadal jest wymierzona w Specka.

– Nie, proszę pani – wycofuje się Speck. Fleeta wraca do kuchni, a gwar ożywa.

– Jak ci minął urlop? – pytam Specka. – Jesteś taki opalony!

– No cóż, nie wylegiwaliśmy się na słońcu, za tu dużo siedzieliśmy w wodzie. Poszedłem na ryby z kuzynem Leoli i dobrze się bawiliśmy. Ale padłem tam.

– Co się stało?

– No wiesz, zemdlałem. Wiesz, Floryda, sześciopak i trzygodzinne przepychanki z miecznikiem zmogłyby każdego. Zabrali mnie do ambulatorium, przekonałem się więc, jak to jest, kiedy jedziesz z tyłu na noszach, a nie za kierownicą. Nie mogę powiedzieć, żeby mnie to doświadczenie ubawiło.

– No i co się okazało? – Powinnam przyjąć do wiadomości, że moi przyjaciele się starzeją (ja też) i czasami chorują. Wciąż jednak ciężko mi o tym myśleć, zwłaszcza kiedy sobie przypomnę, jacy byli przed laty i że nasza młodość już nie wróci.

– Miałem staroświecki udar słoneczny i na dodatek się odwodniłem. Wypiłem więc trochę gatorade na resztę podróży. Nie miałem więcej problemów. – Speck wzrusza ramionami. – Tu dzisiaj będzie nieziemski tłum. I wygląda na to, że są tylko miejsca stojące.

Fleeta wraca z kuchni z kolejnym lukrowanym ciastem i stawia je na ladzie.

– Ile ciast zrobiłaś? – pytam. Parking się wypełnia, a Włoszka, która we mnie siedzi, zawsze się niepokoi, że zabraknie jedzenia.

– Sześć. To ulubione Ivy Lou. Ciasto czekoladowo-colowe.

– Ja chcę przepis – mówi Nellie Goodloe radośnie.

– Więc idź do kuchni i sobie weź. Wisi na tablicy ogłoszeń. Rób i jedz na własne ryzyko. To ciasto jest tuczące. Jedna dziewczyna uzależniła się od niego, jak była w ciąży, i przytyła czterdzieści kilo, tak że się zmieniła nie do poznania.

CIASTO CZEKOLADOWO-COLOWE

Ciasto

2 szklanki mąki
2 szklanki cukru
1 szklanka coca-coli
2 kostki masła
3 łyżki stołowe kakao
1,5 szklanki miniaturowych pianek ślazowych

0,5 szklanki maślanki
2 jajka dobrze ubite
1 łyżeczka sody
1 łyżeczka wanilii
szczypta soli

Polewa
2 łyżki stołowe kakao
1 kostka masła
6 łyżek stołowych coca-coli
funt cukru pudru
łyżeczka wanilii

1. Ciasto: wymieszać w rondlu mąkę, cukier i sól, dodać i zagrzać masło, kakao, coca-colę i pianki, podgrzewać, aż zaczną pyrkać (na końcu dodać pianki). Zdjąć garnek z ognia i mieszać, póki pianki się nie rozpuszczą. Wsypać cukier z mąką i dokładnie wymieszać, dodać pozostałe składniki i też dokładnie wymieszać. Wlać do nasmarowanej formy i piec przez 30–40 minut w temperaturze 180 stopni.
2. Polewa: Wymieszać w rondlu masło, kakao i colę i zagotować. Dodać cukier puder i mieszać, póki masa nie zgęstnieje, potem rozsmarować na cieście wyjętym z piekarnika.

Dzikie okrzyki, gwizdy i oklaski mogą oznaczać tylko przybycie Ivy Lou. Jest tu pewnie ponad setka ludzi, w tym personel głównej biblioteki Wise County, gdzie Iva Lou załadowuje bibliobus. Lyle obejmuje Ivę Lou, która wygląda szczupło i promiennie w jaskrawoniebieskiej skórzanej marynarce i dopasowanych do niej spodniach. W uszach ma kolczyki z markazytu w kształcie piramid, z emaliowanymi drozdami zwisającymi na końcach.

– Dziękuję wam wszystkim, dziękuję, że przyszliście na tę imprezę. – Iva Lou przemawia do mikrofonu za ladą. – Jestem szczęśliwa, że mogę tu być. Tak szczęśliwa, że brak mi słów. Ale muszę wam opowiedzieć pewną historię. – Tłum krzyczy. – Wszyscy wiecie, że nie jestem osobą religijną. Wychowałam się w kilku wiarach protestanckich, żadnej z nich nie pamiętam, ponieważ moja mama nigdy nie mogła się zdecydować, gdzie zaparkować swoją duszę, a mój tata nigdy za bardzo nie dbał o to, gdzie jego dusza idzie w niedzielę albo w inne dni tygodnia. Cóż, wierzę w Boga i w Jezusa i tak dalej, ale nigdy nie lubiłam chodzić do kościoła ani na żadne spotkania, bo nie można tam było tańczyć ani pić wódki, ani robić żadnej z tych wspaniałych rzeczy, które wynikają z połączenia tych dwóch czynności.

– Musiałaś być baptystką – krzyknął ktoś.

– Tak. Może przez tydzień. – Iva Lou mruga okiem. – W każdym razie, kiedy byłam w szpitalu, przyszedł do mnie miły kapłan z Kościoła Baptystów, któremu się wyspowiadałam. Obiecał, że Bóg mi wybaczy, a ja poczułam dziwny spokój. Spałam tej nocy i czułam się jak nowo narodzona. A następnego dnia, mniej więcej o tej samej porze, odwiedził mnie inny duchowny, tym razem z Amerykańskiego Kościoła Luterańskiego, i poprosił mnie, żebym wyznała swoje grzechy, byłam więc posłuszna, a on mi dał rozgrzeszenie. Tej nocy miałam kolejny dobry sen i zaczęłam myśleć: no cóż, może coś jest w tej spowiedzi? Ona naprawdę oczyszcza duszę! Kolejnego dnia miałam następną wizytę, tym razem był to przepiękny pastor prezbiteriański, i on też wysłuchał moich grzechów, a potem miłosiernie mnie z nich oczyścił. Ale czwartego dnia, kiedy zjawił się zaprzyjaźniony duchowny Kościoła Adwentystów Dnia Siódmego i jemu też wyznałam grzechy, zaczęłam się zastanawiać: czy każdy pacjent w tym szpitalu otrzymuje tyle duchowej opieki? Zapytałam o to wielebnego, który przyszedł następnego dnia. Nie pamiętam, jakiego był wyznania, ale miało w nazwie imię Jezusa. On także zapytał o moją przeszłość, powiedziałam więc: „Wielebny, byli już u mnie z wizytą chyba wszyscy duchowni ze wschodniego Tennessee. O co chodzi?". A on na to: „Pani Makin, żaden pacjent w historii szpitala Holston Valley nie wyznał dotąd litanii tak barwnych grzechów jak pani. Prawdę mówiąc, przy pani Maria Magdalena to niewinna dziewica. Mówię w imieniu wszystkich kapłanów, jesteśmy naprawdę wdzięczni za urozmaicenie naszego dzieła zbawiania dusz".

Śmiech tłumu przechodzi w oklaski, gwizdy i okrzyki. Pearl, Fleeta i ja zakładamy fartuszki i zajmujemy swoje miejsca za bufetem, a tymczasem goście ustawiają się w kolejce. Iva Lou zabawia tłum, wymieniając z przyjaciółmi uściski i całusy. Gdybym kiedykolwiek wątpiła, czy jej decyzja co do operacji była słuszna, teraz pozbyłabym się tych wątpliwości. Iva Lou kocha życie i każdy wybór, który dałby jej spokój ducha, byłby właściwy.

Rozdział szósty

Pada od miesiąca, kiedy więc w końcu wychodzi słońce, od razu w miejskiej gazecie pojawia się nagłówek: KONIEC ZIMY, NADESZŁA WIOSNA. Fleeta jest już tak zmęczona słuchaniem o nadejściu wiosny, że chce postawić puszkę na ladzie w aptece, żądając ćwierćdolarówki od każdego, kto powie „Dzięki Bogu, zima się skończyła". I tak jednak jest powód do świętowania. Pearl właśnie została matką!

India Leah Bakagese urodziła się 3 kwietnia 1993 roku w szpitalu Świętej Agnieszki, po długim porodzie. Nasza Pearl wykonała kawał dobrej roboty, a jej mąż, Taye, był tak z niej dumny, że nalegał, by ich córce dać na imię Pearl. – Jedna Pearl w domu wystarczy – odpowiedziała mu żona i nazwała córeczkę imieniem jego ojczyzny. Dzisiaj Pearl po raz pierwszy przynosi Indię do apteki. Na jej powitanie przyczepiłam balony do drzwi wejściowych.

Wchodzi Fleeta i przedziera się przez balony. – Okropny pomysł. To jest miejsce pracy, a nie centrum opieki dziennej. Domyślam się, że zrobimy w biurze cały żłobek – gdera.

– Na razie wstawimy tylko łóżeczko – oznajmiam.

– Gdzie te czasy, kiedy kobiety zostawały w domu z dziećmi?

– A co za różnica, czy zostają w domu, czy noszą je ze sobą? – pytam.

– Dla mnie to wielka różnica. Ja wróciłam do pracy, kiedy odchowałam dzieci. Ale ja nie mam lokalu, muszę się więc z tym pogodzić.

– Ona jest taka milutka, Fleeta. Pokochasz ją.

– Nie mówię, że dziecko nie jest milutkie, tylko że nie chcę jej tutaj. – Z tonu wypowiedzi Fleety odgaduję, że tak naprawdę myśli zupełnie inaczej. – Czy Etta przychodzi na swój darmowy deser? Dziś nie są jej urodziny?

– W sobotę. Wydaje przyjęcie i w ogóle. Uwierzysz, że ona ma już trzynaście lat?

– Jezu, starzeję się. – Fleeta dłońmi unosi policzki o dobre pół cala.

– Ale twoje włosy wyglądają świetnie.

Fleeta zabija mnie spojrzeniem i obie pękamy ze śmiechu.

– Przedstawiam wam Indię! – obwieszcza Pearl, przenosząc córkę przez balony. Za nimi podąża Taye z ogromną torbą pieluszek. Promienieje jak przystało na człowieka, który ma wszystko na świecie. Wita nas, stawiając torbę na ladzie. – Zadzwoń do mnie, jeśli zrobi coś specjalnego – mówi Taye, mrugając okiem.

– Dobrze, złożę wszystko w depozycie bankowym, doktorze – mówi Fleeta kpiąco.

– To świetnie, o ile nie odparzy się jej pupa. – Taye całuje Pearl, potem Indię i wychodzi.

– No no – mówi Fleeta, wydostając się zza lady. Przygląda się Indii owiniętej delikatnym różowym kocykiem. – O, to brązowe dziecko.

– No cóż, jest pół-Hinduską – przypomina uprzejmie Pearl.

– A ty jesteś Melanżem, nie zapominaj. Ma trochę czarnych włosów. Słuchaj, wiem, że obcokrajowcy mają czarne włosy, ale to tutaj to wyraźnie odmiana Melanża.

– Czyż nie jest piękna? – zachęcam Fleetę w nadziei, że odciągnę ją od tematu dziedzictwa krwi. Ona jednak nie jest w stanie ugryźć się w język.

– Raz na jakiś czas moja córka Janine przyjeżdża i spędza ze mną piątkową noc. Prażymy sobie trochę kukurydzy i wypożyczamy film. Lubimy takie z Ali Babą, których akcja toczy się w pustynnych krajach, wiecie, tam gdzie tańczące węże wychodzą z koszy, a w święta rzuca się w ogień dziewice. W tych filmach zawsze książę i przystojny biedak walczą na miecze o rękę hinduskiej księżniczki. Tak się jakoś dzieje, że ten przystojny biedak zawsze okazuje się prawdziwym księciem w przebraniu, dowiaduje się prawdy o swoim pochodzeniu i żeni się z księżniczką. A więc twoja mała dziewczynka przypomina mi właśnie jedną z tych czarnookich księżniczek z oczyma jak jelonek Bambi. Jest piękna, zgadza się.

– Dzięki, Fleeta. – Pearl patrzy na mnie i zaczynamy się śmiać.

– Cóż, tak właśnie dla mnie wygląda. – Fleeta wzrusza ramionami i wraca do bufetu.

– Czy ona wciąż się złości o to łóżeczko?

– Jest tak wkurzona, że sama je złożyła – odpowiadam.

Ku radości Jacka, a mojemu przerażeniu, w obejściu MacChesneyów odbyło się pierwsze przyjęcie urodzinowe dla gości obojga płci. Urodzinowa tradycja rodziny Jacka była prosta: każda babka i dziadek cioteczni i stryjeczni oraz dalecy kuzyni przychodzili na niedzielną kolację, a na koniec popołudnia pani Mac wnosiła swój popisowy czerwony tort aksamitny ze świeczkami i wszyscy śpiewali. Urodziny były imprezą stricte rodzinną.

Moje przyjęcia urodzinowe w dzieciństwie były przeznaczone tylko dla dziewcząt. Mama mówiła, że mogę zaprosić chłopców, ale ja wolałam towarzystwo dziewczynek. Nie stroiłyśmy się, jadłyśmy dużo ciastek i godzinami grałyśmy w karty. Śmiałyśmy się przy tym wniebogłosy i dla Freda Mulligana to zawsze był pretekst. Hałaśliwe dziewczynki doprowadzały go do szału, pracował więc do późna w aptece, póki przyjęcie nie dobiegło końca.

Przyglądam się liście gości Etty. Jest dwóch Trevorów, dwóch Codych, jeden Jarred, jeden Dakota i jeden Homer; dwie Tiffany, Tara, Crystal, Kristen i Chris. Moja córka zdecydowanie woli przyjęcie koedukacyjne.

Jack wchodzi do kuchni. – Wszystko gotowe. Pizza jest w piekarniku. Fleeta podrzuciła ciasto kokosowe. Mamy dużo popcornu. Pożyczyłem z kościoła sprzęt do softballu. – Patrzy na mnie. – O co chodzi?

– Nasza córka ma trzynaście lat.

– Owszem. Rok temu miała dwanaście.

– To nie jest śmieszne.

– Nie zatrzymasz czasu, Ave.

– Ja po prostu nie chcę, żeby ona już dorastała.

– Nie mamy wyboru, kochanie – mówi Jack praktycznie.

Ustawiam stół piknikowy na werandzie. Nagle papierowe talerzyki z rysunkiem lalki Barbie wydają mi się śmieszne, wrzucam je więc do szuflady i wyciągam prawdziwą porcelanę. Nie chcę wprawiać Etty w zakłopotanie, a lalka Barbie i chłopcy po prostu do siebie nie pasują.

– List z Włoch! – wrzeszczy Etta, wchodząc do domu. Dołącza do nas w kuchni. – To od Stefana Grassi! – oznajmia. – Jest zaadresowany do ciebie.

Etta staje obok mnie, kiedy czytam list od Stefana, w którym przyjmuje on nasze „miłe zaproszenie", żeby przyjechał i popracował latem, i obiecuje, że napisze wkrótce i przedstawi dokładny plan podróży.

Etta splata z tyłu ramiona – nigdy wcześniej nie widziałam u niej tego gestu. Odrzuca włosy i patrzy na nas. – Dziękuję wam obojgu, że będziecie gościć Stefana latem. Jestem pewna, że będzie dla ciebie dobrym pracownikiem, tato – mówi i wychodzi z kuchni.

– Co to było? – Jack wskazuje kierunek, w którym odeszła jego córka.

– Ona jest teraz nastolatką. Wyrabia się – wyjaśniam.

– Nie, ten akcent. Skąd on pochodzi?

– To imitacja Audrey Hepburn ze *Śniadania u Tiffany'ego*. Oglądałyśmy wczoraj wieczorem.

Gdyby pusta blacha na ciasto, misa po ponczu i talerze po pizzy były jakimiś wskaźnikami, to urodziny Etty można uznać za udane. Jack jest na podwórku i pakuje ostatni zestaw do softballu, a Etta pomaga mi przy naczyniach.

– Zdaje się, że wszyscy dobrze się bawili – zauważam.

– Tak. Póki Tara i Trevor się nie spiknęli.

– Co masz na myśli, mówiąc „się nie spiknęli"?

– Po softballu Tara zagoniła Trevora w górę ścieżki, a ja zabrałam wszystkich do lasu. Trevora Gilliama, nie Trevora Baileya.

– Jak ich odróżniasz?

– Trevor Gilliam jest milszy.

– To pewnie system równie dobry jak każdy.

– Tara zabrała go ścieżką, a potem się z nim zadała.

– Zdefiniuj „zadała". – Staram się, żeby mój głos nie zadrżał.

– Mamo. Wiesz przecież.

– Wiem. Chcę, żebyś ty mi powiedziała.

– Całowali się trzy razy.

– Jak znaleźli na to czas? – zastanawiam się na głos. Zabawy i odpoczynek gości rozplanowaliśmy co do minuty. I jak w ogóle udało im się obściskiwać pod stalowym okiem przyzwoitki Jacka MacChesneya? (Później się z nim policzę).

– Tara powiedziała, że wyjdzie za Trevora, kiedy tylko zda maturę.

– Jest strasznie młoda jak na myślenie o małżeństwie. – To doskonały wstęp do naszej matczyno-córczynej rozmowy o seksie, ale kompletnie zbija mnie z tropu to, że któreś z rówieśników Etty może myśleć o małżeństwie (to chyba nawet kwestia ważniejsza niż seks, prawda?).

– Tata powiedział, że babcia wyszła za mąż, kiedy miała siedemnaście lat. To tylko cztery lata więcej niż ja mam.

– No tak, ale to, dzięki Bogu, było w roku 1920. – Jedna babcia Etty była panną z dzieckiem, a druga nastoletnią matką, i chociaż wolałabym, żeby nie poszła w ich ślady, nie chciałabym też, by wzięła przykład ze mnie.

– Tata powiedział, że chociaż byli młodzi, bardzo się kochali.

– Etta, to były inne czasy. Teraz mamy tyle możliwości. Idziesz do college'u. Babcia Mac nie miała takiej szansy.

– Mama Tary też wyszła za mąż, kiedy miała siedemnaście lat. Teraz ma trzydzieści. – Etta wspina się na stołek i odkłada blachę po cieście. – Ty nie byłaś jeszcze mężatką w wieku trzydziestu lat, prawda?

– Nie byłam.

– Mam najstarszych rodziców w klasie. Ale to nic. Nie zachowujecie się staro.

– Dziękuję za uznanie – mówię. – Podobały ci się twoje urodziny?

– Najbardziej ze wszystkich. – Etta zdejmuje gumkę z nadgarstka i związuje włosy w koński ogon.

– A co ci się najbardziej podobało?

– List z Włoch.

– Czy mogę skłamać i powiedzieć cioci Fleecie, że to było jej ciasto kokosowe?

Mam nadzieję, że jeśli nie zrobię problemu ze starego zadurzenia się Etty w Stefanie, samo się ono rozwieje tego lata. Jack wchodzi do kuchni z paczką. – Wszystkiego najlepszego, Etto. To od mamy i ode mnie.

– Ale wy urządziliście mi przyjęcie – woła, rozrywając paczkę. Podnosi wieczko pudełka i jej oczy robią się wielkie z podniecenia. – Mój własny teleskop!

– Tata pomoże ci go poskładać.

– Nie żebyś potrzebowała mojej pomocy. Myślę, że wiesz o tym przyrządzie więcej niż ja.

Etta rzuca się nam w ramiona. – Dziękuję! Jest cudowny! Pójdę i zainstaluję go na górze. – Etta i Jack przeglądają zawartość pudła, wyjmują części i instrukcję. Idą na górę, a ja odkładam ostatnie naczynia.

Jestem wykończona, skoro więc zostałam sama, siadam pod oknami i kołyszę się na ławce, której noga została obcięta – nikt nie pamięta dlaczego. Słyszę, jak Etta i Jack rozprawiają nad instrukcją na górze, i uśmiecham się. Ten dom nie był cichy od dnia narodzin Etty. Jeśli kiedykolwiek tęsknię za swoim dawnym życiem (przyznaję, zdarza mi się to od czasu do czasu), to najbardziej właśnie za cichą i wspaniałą samotnością moich myśli. Słucham postukiwania trzech równych nóg ławki o podłogę i myślę, co to znaczy być matką nastolatki i jak diametralnie zmieniły się moje relacje z Ettą. Czy najlepsze dni, kiedy mogłam ją przytulać i całować, ile chciałam, są już za mną? Tego ranka poszłam ją uściskać, a ona wysunęła się z moich ramion. Nie chciała być niemiła, to tylko jej wyobrażenie dorosłości. Ale skłamałabym, gdybym powiedziała, że nie sprawiło mi to przykrości. Słuchałam rodziców narzekających na swoje nastolatki i myślałam sobie, że moich dzieci to nie będzie dotyczyło, a moja miłość będzie tak silna, że nigdy mnie nie odepchną. No i proszę, Etta się odsunęła, a ja nie byłam na to gotowa (chociaż wątpię, czy jest jakikolwiek sposób, żeby się przygotować).

Firma Budowlana MR.J naprawdę się rozrosła, od kiedy Jack i jego partnerzy, Mousey i Rick, zaczęli swoją przygodę jako główni wykonawcy. Teraz, po kursach uzupełniających w Mountain Empire Community College, poszerzyli zakres swoich usług na prace instalacyjne, dekarskie, a niekiedy zajmują się nawet projektowaniem. Muzeum Południowo-Zachodniej Wirginii wynajęło ich do renowacji wszystkich gzymsów kominkowych (sporo pracy, ponieważ w tym starym budynku kominek jest w każdym pokoju).

Etta pracuje teraz z Jackiem, przeważnie po szkole i czasami w weekendy. Parkuję jeepa w alejce za muzeum i widzę, że przybył ładunek marmuru od Pete'a Rutledge'a. Lśniące płyty w kolorze morskiej zieleni z czarnymi żyłkami leżą na skrzyni ciężarówki Jacka.

Znajduję Ettę i Jacka we frontowym salonie muzeum, ogromnym, skąpanym w słońcu pokoju z wieloma oknami. Teraz jest to plac budowy, brezent pokrywa podłogę z twardego drewna i parapety.

Jack usunął już fasadę kominka i odsłonił drucianą siatkę pod tynk. Etta mierzy na podłodze małe kwadraty lśniącego czarnego marmuru, który stanie się obramowaniem kominka. – No proszę, oto Michał Anioł i jego córka.

– Raczej Michalina Anielica i jej ojciec – mówi Jack, biorąc pędzel i nakładając wilgotną warstwę na tynk. – Twoja córka wymyśliła, jak zrobić bordiurę w bordiurze, tak żeby było wrażenie trójwymiarowości.

– Gdzie się tego nauczyłaś? – pytam Ettę.

– Na matematyce. Wzięłam miarę i zrobiłam siatkę. To nie jest takie trudne. – Etta dalej umieszcza na szarym papierze małe kwadraty w zgrabnych rządkach.

– Pete przysłał ci prezent. – Jack miesza tynk.

– Naprawdę?

– Leży na stole – wskazuje pędzlem.

To mały woreczek z czarnego aksamitu. Rozwiązuję sznurek i wysypuję sobie zawartość na dłoń. To jakieś dziesięć kulek marmurkowych wielkości pereł w kolorze lapis lazuli. Są nanizane na złoty sznurek, który połyskuje w słońcu.

– Cudne – mówi Etta zza moich pleców. – To taki sam marmur jak ten, który dał ci, kiedy byłyśmy we Włoszech. Pamiętasz, dał ci kawałek, jak zwiedzałyśmy kamieniołom?

– Nie pamiętam – kłamię. Nie chcę, żeby Etta myślała, że ten dzień ma dla mnie jakieś szczególne znaczenie, chociaż to wtedy Pete Rutledge zabrał nas do wodospadu w Alpach i wyznał, co do mnie czuje. Pamiętam gorące źródła, dotyk gładkich kamieni pod stopami i to, jak się czułam w jego ramionach, kiedy mnie przenosił przez wodę.

– Mamo, położyłaś ten kamień na grobie Joego, kiedy wróciłyśmy do domu. – Głos Etty przywraca mnie rzeczywistości.

– Ach tak, już sobie przypominam.

– Wciąż tam jest. Boże. Naprawdę nie pamiętasz? – pyta niecierpliwie Etta.

– Chyba nie – kłamię. Prawda jest taka, że pamiętam wszystko w najdrobniejszych szczegółach, ale nie chciałabym, żeby wiedziała o tym Etta albo mój mąż. Jak każda kobieta mam sekrety, króciutkie chwile, które są tylko moje. Dla mnie to jest sposób, żeby pozostać całkowitą i oddzielną osobą, będąc jednocześnie częścią rodziny. Mojej córce wydaję się pewnie kobietą praktyczną, ale ja w każdym calu jestem taką samą marzycielką jak ona. Mam nadzieję, że któregoś dnia podzielę się z nią tą stroną siebie. Ale teraz jestem w jej życiu przewodnikiem i najważniejsze są granice.

Dawno zapowiedziany dzień przyjazdu Stefana Grassiego w końcu nadszedł. Moja córka, która nigdy nie jest gotowa na czas, dzisiaj ponagla nas, żebyśmy wyjechali wcześnie na lotnisko. Etta ma za sobą trzymiesięczne odliczanie do tego wielkiego dnia. Mam nadzieję, że Stefano jest tak miły, jakim go pamiętam. W przeciwnym razie będziemy mieli niewesołe lato w Cracker's Neck Holler.

– Jak go poznamy? – pyta mnie Jack, kiedy stoimy przy bramce na lotnisku Tri-Cities.

– Wygląda na cudzoziemca. I pewnie tak, jak na zdjęciu przysłanym przez papę. – Wachluję się starym programem z Barter Theatre, który znalazłam na dnie wyjściowej torebki. To dopiero czerwiec, a upały przekraczają trzydzieści dwa stopnie.

– Ja go poznam – mówi niecierpliwie Etta, wbijając wzrok w bramkę. Wygląda szykownie w nowych dżinsach, białej bawełnianej koszuli i z bezbarwną szminką na ustach. (Wyznaczyłam granicę: żadnego makijażu, dopóki nie skończy piętnastu lat). – Jest! – pokazuje.

Nikt nie jest tak wstrząśnięty jak ja, kiedy bardzo wysoki i bardzo przystojny Stefano Grassi na nasz widok odłącza się od tłumu pasażerów i zmierza w naszym kierunku.

– Pani MacChesney? – pyta grzecznie.

– Miło cię znowu widzieć. Mów do mnie, proszę, Ave Maria.

– A ja jestem Jack Mac. – Mój mąż wyciąga rękę, a Stefano ściska ją z zapałem.

– Mój Boże. Ależ ty urosłeś! – rzucam. Rzeczywiście, to jest już mężczyzna. Nadal ma te same kręcone blond włosy, figlarne brązowe oczy i wydatny nos, ale mały sierota, którego zapamiętałam, ma też teraz jakieś metr osiemdziesiąt wzrostu i najwyraźniej goli się codziennie. Nie można by go nazwać klasycznie przystojnym, ale jest atrakcyjny na modłę Henry'ego Davida Thoreau. Wygląda, jakby pochodził z innych czasów i zaszywszy się w małej chatce, pisywał poezje o lesie.

– Pamiętasz moją córkę? – zwracam się do niego.

– Jakże mógłbym zapomnieć Ettę?

Etta uśmiecha się promiennie. Gdyby startowała w konkursie piękności, ten uśmiech zapewniłby jej koronę Miss Ameryki. – Cześć, Stefano.

– Włożyłaś dla mnie trochę coca-coli do lodówki?

Kiwa głową. – I mountain dew.

W drodze do Big Stone Gap Stefano zadaje masę pytań i często wygląda przez okno, chłonąc widok gór. Długo rozmawiają z Jackiem na temat miernictwa i budownictwa. Etta i ja siedzimy z tyłu jeepa. Moja córka przechyla się do przodu, słuchając uważnie ich rozmowy.

Akcent Stefana przypomina mi Włochy. Nagle zatęskniłam za Schilpario i Bergamo, i za moją rodziną. Rozumiem, co Etta ma na myśli, narzekając, że nie ma tu żadnych krewnych. Bywają chwile, kiedy nic nie zastąpi dużej rodziny – ciotek, wujków i kuzynów, przewijających się przez całe życie. Dzisiaj musi nam wystarczyć głos Stefana. Etta i ja obiecałyśmy sobie rozmawiać z nim przez całe lato po włosku. Dorastałam, porozumiewając się ze swoją mamą zarówno po włosku, jak po angielsku, i uczyłam Ettę włoskiego, kiedy jeszcze była małą dziewczynką. Czasami go używamy, najczęściej w miejscu publicznym, jako tajemnego języka. Miło będzie słuchać codziennie prawdziwego akcentu. To na pewno znacznie zmniejszy odległość między Blue Ridge Mountain a włoskimi Alpami.

– Nie powiedziałaś nam, że Stefano jest taki seksowny. – Iva Lou zanurza łyżkę w deserze Fleety. – To dopiero przystojny mężczyzna. Podbije serca wszystkich dziewczyn w miasteczku, co do jednej. Kobiety są bardziej poruszone, niż kiedy Tommy Lee Jones przyjechał kręcić *Córkę górnika*. – Iva Lou pozbierała się już pięknie po jesiennej operacji i najwyraźniej jej hormony też odzyskały głos.

– To akcent – mówi Fleeta, myjąc naczynia na zapleczu bufetu. – Kobiety kochają akcenty. Zwłaszcza włoski. On pozwala im wierzyć, że cokolwiek facet mówi, jest prawdą.

– Serena Mumpower oszalała na jego punkcie. Stefano przyszedł do biblioteki poszukać sobie jakichś książek, a ona łaziła za nim między półkami jak głodny kociak, niby to pomagając mu w wyborze. Nie przeszkadzałam jej. Ta dziewczyna po raz pierwszy oderwała się od biurka i wzięła się do roboty.

– Ta to pójdzie za każdymi spodniami. – Pociąga nosem Fleeta.

– Serena ma swój urok, muszę ci powiedzieć – Iva Lou broni swojej asystentki. – Wygląda jak gwiazda filmowa. Przypomina młodą Natalie Wood, gdyby Natalie Wood miała większy nos.

– Przyprowadził już do waszego domu jakieś dziewczyny? – wypytuje mnie Fleeta.

– Nie. Jeśli spotyka się z dziewczynami, robi to gdzie indziej.

– Gdzie go ulokowałaś?

– Na dole w starej sypialni. Jack i ja przeprowadziliśmy się na górę do dawnego pokoju Jacka. Jest miły. – Nie rozwodzę się nad powodem tej zamiany: nie uważam za właściwe, żeby trzynastolatka dzieliła piętro z gościem płci męskiej.

– Nie mogłabym mieć pensjonariusza. Wieczorem lubię rozebrać się do bielizny i tak sobie chodzić. Nie zniosłabym, żeby obcy mieszał w moich zwyczajach. – Fleeta siada obok nas.

– A Otto? – zastanawia się na głos Iva Lou.

– On nie jest obcy. – Fleeta wzrusza ramionami.

– Stefano też nie – mówię. – Jest jak członek rodziny. W ogóle nie sprawia kłopotu. I dużo opowiada o Włoszech, a mnie się to podoba. Jack mówi, że Stefano to świetny i bardzo ambitny pracownik.

– Wy, Włosi, w ogóle jesteście dobrymi pracownikami – komentuje Fleeta. – Nie takimi jak Grecy, ale prawie.

– Dziękuję. – Przez całe lata przyzwyczajałam się do dziwnych komplementów Fleety. (Nie zamierzam tu dowodzić, że prawdopodobnie nigdy nie spotkała żadnego Greka).

– Więc Stefano poniekąd odgrywa rolę starszego brata Etty – zauważa Iva Lou.

– No właśnie – przytakuję. Nie zdradzę sekretu Etty. Poza tym wygląda na to, że każda dziewczyna w Wise County jest zakochana w Stefanie Grassim.

Utknęłam w pracy ze sprzedawcą farmaceutyków z Middlesboro, który mnie zagadał, w końcu więc kupiłam dwa dodatkowe pudła leków przeciwuczuleniowych (i dobrze, będzie straszliwy sezon pyłkowy!). Kiedy ruszyłam do domu, było już ciemno choć oko wykol. Podjeżdżając, widzę z drogi, że Jack zapalił wokół domu lampy przeciw moskitom. Parkuję i słyszę na podwórku głos Etty, zamiast więc wejść do domu, podążam za tym głosem. Ustawiła swój teleskop i pokazuje Stefanowi nocne niebo. Jack robi hamburgery na grillu. Zapach cebuli i papryczek smażących się na małym żelaznym ruszcie sprawia, że ślina napływa mi do ust.

– To *Alpha Tauri* – wyjaśnia Etta naszemu gościowi, a on patrzy przez teleskop. – W tej chwili to najjaśniejsza gwiazda na nieboskłonie.

– Tak, jest, migoce – mówi Stefano Etcie, nie przerywając obserwacji.

– W tym miesiącu najlepsze miejsce do obserwacji to Schilpario, albo właściwie każde miejsce w Dolomitach i Alpach włoskich. Połączenie doskonałej pogody i pozycji to rzadkość.

– Świetnie się na tym znasz! – zauważam z dumą.

– Cześć, mamo – Etta podnosi na mnie wzrok i uśmiecha się. – Chodź i popatrz.

Stefano ustępuje mi miejsca. Patrzę przez teleskop, a to, co widzę, robi oszałamiające wrażenie. Letnie niebo jest gęsto usiane małymi srebrnymi gwiazdami, które tak migocą, że zdają się tworzyć brylantowy chodnik.

– Widzisz *Alpha Tauri*? – pyta Etta.

Jedna z gwiazd świeci jak powierzchnia wody w świetle księżyca. Jest okragła i fasetowana, większa niż inne gwiazdy, i głęboko turkusowa po środku. Może ten turkus jest złudzeniem, ale daje nasycone jądro oślepiającej bieli. – Widzę ją, kochanie.

– Nie da się jej opisać, prawda? – pyta mnie Etta.

– Prawda. Brak słów, żeby opisać coś tak pięknego.

Jack podchodzi i obejmuje mnie. Patrzy w teleskop równie zahipnotyzowany jak ja.

– Tato! Hamburgery! – krzyczy Etta.

Jack rzuca się z powrotem do grilla i odwraca hamburgery, zanim się spalą. Stefano i Etta idą do domu po talerze, sztućce, sałatkę i napoje. Siadam przy naszym starym stole piknikowym i kładę nogi na ławce. Czuję w kościach cały dzień, zbyt długi i gorący.

– Jak praca? – pytam Jacka.

– Stefano bardzo się przydaje. – Jack kiwa głową w stronę domu.

– Cieszę się.

– On się po prostu wpasował. Nie wiem, jak to wyjaśnić. Żeby wszyscy chłopcy byli tacy jak on! Nawet ten tłum u Bessie go kocha. Świetnie dogaduje się z Ettą. Zupełnie jakby był członkiem rodziny.

Etta i Stefano kładą na stół obrus piknikowy w biało-czerwoną kratę, a ja ustawiam nakrycia do kolacji. Jack dołącza do nas z półmiskiem hamburgerów, patelnią i kolbami kukurydzy, upieczonymi w folii na grillu. – Pachnie smakowicie – mówię.

– Pani Mac, czy mogę prosić o przysługę? – pyta Stefano. – Czy pożyczyłaby mi pani w piątek wieczorem jeepa?

– Jasne.

– Idziesz na randkę? – drażni się z nim Etta.

– Dżentelmen nigdy nie rozmawia na ten temat – odpowiada Stefano, co z jego akcentem brzmi jak głos Maria da Schilpario.

– Wychodzisz na randkę – mówi Etta zdecydowanie. – Co innego w Big Stone Gap można robić w sobotnią noc? – Zachowuje się, jakby jej to nie obchodziło. Moja dziewczynka naprawdę staje się kobietą.

– Kim jest ta szczęściara? – Jack dołącza do zabawy.

– Serena Mumpower.

Jack, Etta i ja wybuchamy śmiechem.

Stefano wygląda na zmartwionego. – Czy coś jest z nią nie tak?

– Nie, nic – uspokajam go. – Iva Lou twierdzi, że Serena bardzo cię lubi.

– Wiem, sama mi to powiedziała. Amerykańskie dziewczyny są śmiałe.

– O tak, są – zgadza się Jack. – I z pokolenia na pokolenie stają się coraz śmielsze.

– Skąd wiesz? – pytam mojego męża.

– Obserwuję z oddali, kochanie. – Mruga do mnie okiem.

– A dlaczego dziewczyny nie mają być śmiałe? Ja bym zaprosiła chłopaka na randkę, gdybym w ogóle mogła chodzić na randki. – Etta gryzie swojego hamburgera.

– Naprawdę? Zaprosiłabyś?

– A dlaczego nie? Już nie jest tak, jak w czasach, kiedy ty i tata byliście młodzi i tylko chłopcy mogli wychodzić z inicjatywą. To bez sensu.

Jack i ja patrzymy po sobie. Etta mówi dalej. – Jeśli dziewczyna może zaprosić chłopaka na randkę, to oznacza równość. A z kolei chłopcy mogą robić więcej rzeczy, które zazwyczaj wykonują dziewczyny, na przykład gotować.

– Hej, hej – woła Jack, udając, że się broni.

– Albo mogą opiekować się dziećmi i wykonywać prace domowe, na przykład pranie – ciągnie Etta.

– Etta, jesteś feministką? – żartuję.

– Nie wiedziałam, że jest jakieś słowo na określenie zdrowego rozsądku – odcina się, nalewając sobie mrożonej herbaty.

– Zgadzam się z Ettą. Wszyscy ludzie powinni dbać o siebie nawzajem, bez względu na płeć – oznajmia Stefano. – Ja w sierocińcu pracowałem w pralni. Byłem w tym bardzo dobry. Najwięcej trudności sprawiało mi prasowanie obrusów na ołtarz do kościoła.

– Jak było w sierocińcu? – pytam, odsuwając temat mężczyzn i kobiet.

– Fajnie.

– Fajnie? Zazwyczaj sierocińce są straszne. Jak w *Olivierze Twiście*.

Stefano wybucha śmiechem. – Nie, chociaż pewnie jest mnóstwo złych miejsc. Ja miałem szczęście. Mieszkaliśmy w klasztorze w Bergamo. Było nas niewielu, sami chłopcy, i wychowywały nas zakonnice. Starały się zastąpić nam matki.

– Chyba często wychodziliście na miasto.

– Siostry bardzo to popierały. Chciały, żebyśmy się czuli jak członkowie rodziny. Miałem dużo szczęścia, że trafiłem na rodzinę Vilminore. Oni zajmowali się mną w wakacje. Chodziłem do nich na obiady w niedziele. Raz w roku, na koniec wakacji, wujek zabierał mnie do sklepu obuwniczego. Twoje ciotki kupowały mi podręczniki i fundowały fryzjera.

– Wiesz, co się stało z twoimi rodzicami? – pyta Etta Stefana.

– Wiem tylko, że oboje umarli, kiedy byłem mały.

– To straszne – mówi Etta cichutko.

– Ale nie czułem się samotny – zaprzecza Stefano z uśmiechem. – Wszyscy chłopcy byli dokładnie tacy jak ja.

Przy kolacji Jack sprowadza rozmowę na temat budownictwa. Już po chwili śmieje się cała ich trójka. Patrzę na Stefana nowym spojrzeniem, myśląc o tym, jakie miał życie. Zastanawiam się, czy jest ktokolwiek na świecie, kto nie został w jakiś sposób zraniony, kto nie ma mnóstwa pytań o przeszłość, kto w obliczu utraty nie zadaje sobie pytania: „A gdyby?". Czy ktoś, kto tak wcześnie utracił rodziców, w ogóle kiedykolwiek dochodzi do siebie? Stefano zdaje się ma wszystkie zalety wynikające ze stabilnego dzieciństwa, ale czy pozostał nietknięty? Czy też może jest kompletny w inny sposób, w sposób, który sam osiągnął?

Pożyczenie Stefanowi samochodu w weekend ma tę dobrą stronę, że jeep wraca do mnie lśniąco czysty, a do tego z wyregulowanym silnikiem i zmienionymi oponami. Doskonały gość i czeladnik okazał się również doskonałym mechanikiem. Wszyscy są szczęśliwi.

– Gdzie się podziały moje dziewczyny? – pyta Jack, stojąc u dołu schodów. To najgorętszy wieczór lata, a my z Ettą przestawiamy meble w jej pokoju (dotychczasowy układ już się jej znudził).

– Dlaczego pytasz? – odkrzykuję.

– Idziemy żeglować!

Według Jacka żeglowanie polega na pożyczeniu dwóch starych kajaków od Ottona i Worleya i wypłynięciu na jezioro Big Cherry. Etta i ja wdrapujemy się właśnie na skrzynię ciężarówki Jacka, na której leżą kajaki, kiedy przyjeżdża Stefano w moim jeepie.

– Nie masz randki? – dziwi się Jack.

– Wystawiła mnie – Stefano wzrusza ramionami.

– Jesteś mile widziany w naszym gronie – mówię. Uśmiecha się i wskakuje na tył ciężarówki.

Jezioro Big Cherry jest najpiękniejsze latem, a jego ciemnoniebieska woda otoczona drzewami niczym ciemnozielonymi draperiami wygląda niezwykle szykownie. – O czym myślisz? – pyta Etta Stefana, który przygląda się jezioru.

– Powinno się nazywać Big Blue – odpowiada Stefano.

– Nie, ono nazywa się wiśniowe z powodu drzew wiśniowych. Rosną tam. Widzisz je? – Etta wskazuje gaj po drugiej stronie jeziora otoczony sosnami tak wysokimi, że sięgnęłyby okien apartamentu na najwyższym piętrze budynku Theodore'a.

– To małe jezioro. – Dlaczego usprawiedliwiam nasze jezioro?

– Ave, nie umniejszaj jego zalet – żartuje sobie ze mnie Jack.

– Stefano jest z włoskich Alp. Ma tam Como i Gardę. Zna wielkie jeziora. Historyczne, słynne na całym świecie.

– Ale to jest równie piękne – uśmiecha się Stefano.

– Dziękuję – odpowiadają unisono Jack i Etta, patrząc na mnie.

– Mama myśli, że we Włoszech wszystko jest lepsze niż w Ameryce.

– Oprócz mężów – obejmuję Jacka.

– Za późno na podlizywanie. I tak będziesz wiosłować. – Wręcza mi jedno wiosło.

Stefano z Ettą wypływają na środek jeziora. Jack patrzy, jak Etta zanurza ręce w wodzie. – Myślisz o tym co ja? – pyta Jack, nie odwracając się.

– Że nasza córka to teraz młoda dama?

– Tak. Nie sądzisz, że ona właśnie się w nim zakochuje?

– Zakochuje? Ona już jest w nim zakochana – prostuję.

– Kiedy to się stało?

– To się stało we Włoszech. Ale ona jest dla niego o wiele za młoda, nie sądzę więc, żebyśmy mieli powód do zmartwień.

Etta pokazuje coś w oddali. Wyjaśnia, jak dostarczamy większość wody używanej w Wise County. Jej głos niesie się po wodzie, brzmiąc pewnie i fachowo, nawet dorośle. Stefano płynie z Ettą, a ja mam bardzo dziwne uczucie.

Zamiast Etty i Stefana widzę w kajaku Jacka i siebie, jeszcze młodych, zanim Etta się urodziła. Posiadanie dzieci sprawia, że kobieta inaczej odczuwa upływ czasu. Niekiedy trwa chwilę, zanim przypomnę sobie, ile mam lat, ale potrafię powiedzieć z dokładnością co do jednego dnia, w jakim wieku jest Etta, a w jakim byłby Joe.

Jack odwraca się i patrzy na mnie. – Dlaczego tak ucichłaś?

– Co zrobimy, jak ona odejdzie?

– Myślę, że wciąż będziemy się kochać.

– Tylko tyle?

– Masz lepszy pomysł?

– Niezupełnie – odpowiadam.

– No więc tak wygląda nasz plan.

Jestem szczęśliwa, że pozwalam swojemu mężowi wiosłować i rozwiązywać najistotniejsze kwestie. – Jak sobie życzysz, kochanie.

Będę tęsknić za Stefanem, kiedy wyjedzie, nie tylko dlatego, że dobrze go mieć w domu, ale z powodu jego osobowości. Szczerze interesuje się wszystkim, co go otacza. Powiedziałabym, że jego lato w Gap udało się pięknie. To jego ostatni weekend. Dzisiaj wieczorem jedzie z nami do Zagrody.

– Ju hu, Ave – krzyczy Iva Lou z frontowego ganku.

– Co tu robisz?

– Zabieram was wszystkich do Zagrody. Widziałam Stefana w mieście i powiedział mi, żebym ci przekazała, że zmienił plany i że macie jechać bez niego. Zbierajcie się. Reddy Creek Band gra punktualnie o ósmej, a nie chcę przegapić doktora Smiddy.

– Ojca czy syna? – pytam, chwytając torebkę.

– Obu. Nie lubię się spóźniać. Poza tym kiedy się spóźniasz do Zagrody, parking jest już zajęty i trzeba zostawić samochodów w Gate City i lecieć na piechotę dziesięć mil.

– Chodźmy, Etta! – wołam do góry.

Iva Lou gwiżdże. Odwracam się, żeby zobaczyć, o co chodzi, i muszę powiedzieć: – Etta, wyglądasz przepięknie. – Moja córka ma na sobie dżinsową koszulę, czarną bluzeczkę, sandały, a w uszach wielkie koła, zupełnie jak jej ciocia Iva Lou.

– Ci młodzi górale oszaleją za tobą. Ale nie martw się, będziemy cię chronić – mówi Iva Lou.

– Dzięki. – Etta oblewa się rumieńcem. – Gdzie tata?

– Pojechał z Rickiem Harmonem na pokaz samochodowy do Knoxville – wyjaśniam.

– Och, więc jesteśmy tylko my i Stefano?

– Stefano też nie jedzie. Wysłał Ivę Lou, żeby nas zabrała.

– Ale to jego ostatni sobotni wieczór tutaj – szepcze Etta.

– Zmienił plany, kochanie. Niech ci nie będzie przykro.

– Ale on wyjeżdża w poniedziałek! – Teraz Etta niemal krzyczy.

– I wciska się na ostatnią randkę z Sereną Mumpower. – W głosie Ivy Lou słychać zniecierpliwienie.

– Randkę? – Etta wygląda na zmieszaną. Jej ramiona trochę opadają.

– Wiesz, że się spotyka z Sereną Mumpower. Oczywiście przy jego trybie pracy i wobec faktu, że jej karnet jest zawsze wypełniony, nie widują się regularnie, ale Serena świetnie się nadaje na spotkania z doskoku.

Oczy Etty wypełniają się łzami. – Przepraszam – mówi i wbiega na górę.

– Powiedziałam coś nie tak? – martwi się Iva Lou.

– Chyba nie. Daj mi chwilkę. – Biegnę po schodach za Ettą. Zamknęła drzwi do swojego pokoju. Otwieram je na oścież i wpadam za nią. – Kochanie, nic ci nie jest?

Etta nie odpowiada. Płacze.

– Zaraz wrócę – mówię i zbiegam do Ivy Lou. – Iva, jedź bez nas. Ona jest załamana.

– Och, Boże, porozmawiam z nią.

– Nie, nie, w porządku. To nie chodzi o ciebie. Po prostu raczej dzisiaj nie damy rady pojechać. Przepraszam.

– Nie ma sprawy. Zadzwoń do mnie później, powiesz mi, co się stało.

– Oczywiście.

Lyle wciska klakson i Iva Lou pędzi do wyjścia.

Idę na górę, siadam obok Etty na łóżku i delikatnie kładę rękę na jej plecach.

– Och, mamo – wciąż płacze.

– Co się dzieje, kochanie?

– Tak bardzo go lubię.

– Stefano jest bardzo miły, to prawda. Ale on ma osiemnaście lat, córeczko.

– Wiem.

Wskazuję na kwestie oczywiste. – I mieszka we Włoszech.

– Wiem – szlocha.

– To pierwszy chłopak, który ci się podoba? – pytam ją delikatnie. Kiwa głową. – Jest bystry i nie taki głupi jak ci stąd.

– To dwa dobre powody, żeby lubić chłopca.

– I słucha, co mówię.

– To też jest dobry powód.

– Ale traktuje mnie jak dziecko, prawda? – Uderza pięścią w poduszkę, a potem kładzie się na niej.

Już, już chcę powiedzieć, że mam taką nadzieję, ale to jest pierwsza wielka miłość Etty i muszę zachować się taktownie. – Nie, myślę, że według niego jesteś mądrą dziewczyną.

– Naprawdę?

– Jasne.

– Jak myślisz, czy on uważa, że jestem ładna?

– Musiałby nie mieć oczu, żeby uważać inaczej.

Etta zrzuca sandały, które spadają na podłogę z głuchym odgłosem, i odnoszę wrażenie, że plecione sandały mają magiczną moc – kiedy Etta miała je na sobie, była młodą damą, ale teraz znowu wygląda jak trzynastoletnia dziewczynka, z podpuchniętymi oczyma, chudymi nogami i złamanym sercem.

– Dlaczego on się spotyka z Sereną Mumpower w ostatnią sobotnią noc w Ameryce? – Teraz w głosie Etty słychać złość, i bardzo dobrze. Powinna wylać z siebie te wszystkie uczucia. – Myślałam, że nas lubi.

– Lubi.

– To do czego potrzebna mu Serena?

Myślałam, że mój mąż odbył z Ettą wstępną rozmowę na temat seksu, ale widzę, że najwyraźniej ominął zagadnienie Natury Mężczyzny i przeszedł od razu do reprodukcji. Obiecuję sobie zabić go, kiedy wróci z pokazu. Drapię się po głowie w nadziei, że coś sensownego wymyślę. A do diabła, zaimprowizuję. – Mężczyźni są zabawni – mówię na głos. Etta wygląda na zmieszaną. – Niekoniecznie chodzą z dziewczyną dlatego, że ona jest mądra albo piękna, albo ma podobne do nich zainteresowania. Czasami wolą dziewczyny bezproblemowe.

– Nie rozumiem.

– Też tego nie pojmowałam do swoich czternastych urodzin, traktuj mnie więc wyrozumiale.

– Dobra. – Etta wydmuchuje nos i patrzy na mnie z Wielkimi Nadziejami, jakbym była wyrocznią siedzącą na ołtarzu, z moich uszu wydobywał się dym, a z ust miały popłynąć przepowiednie romantycznych wydarzeń następnego stulecia.

– Czasami, z punktu widzenia mężczyzny, nie wchodzą w grę wielkie uczucia, tylko chęć zabicia czasu. Zdarza się, że facet podrywa kogoś, żeby mieć z kim pogadać przy kolacji, jest to więc lekkie i nieskomplikowane, i uczucia nie są wtedy takie ważne, o ile w ogóle odgrywają jakąś rolę. Niekiedy mężczyzna podrywa dziewczynę dla... bo ja wiem... rozrywki.

– Myślisz, że on się z nią ożeni?

– Och, Etto, jestem wręcz pewna, że się z nią nie ożeni. Czy tym się martwisz?

– Tak.

– Dlaczego?

– Bo Stefano Grassi to moje przeznaczenie. – W głosie Etty nie ma śladu ironii ani dramatyzowania.

– Skąd to wiesz?

– Z gwiazd.

– Masz na myśli horoskop w „Siedemnastolatce" czy gwiazdy na niebie?

– Te, które widzę przez teleskop.

– I co one ci mówią?

– Gwiazdy i planety układają się w pewne wzory. I czasami to wygląda tak, jakby na niebie odbywało się jakieś wielkie przegrupowanie. Wydaje się, że wszystko się rusza, że gwiazdy się gubią i znikają. Ale one nie znikają, one są wieczne. Zawsze wracają do tego punktu, w którym powstały.

– Myślisz więc, że ty i Stefano jesteście jak gwiazdy i że jest wam pisane wspólne życie?

Etta przytakuje i o mało nie rzuca mi się na szyję. W tej chwili jestem zarówno jej przyjaciółką, jak i matką, chociaż to układ nowy i zapewne tymczasowy dla nas obu.

– To pięknie. Ale co z gwiazdami, które się wypalają i spadają?

– To ci, którym nie jest pisane.

No, szczęśliwie pierwsza rozmowa o seksie – za pośrednictwem Kopernika – za nami; poza tym ona wie tyle o sprawach, o których ja nigdy nawet nie pomyślałam – o gwiazdach i konstelacjach, i o wszechświecie, który istnieje albo nie – i wierzy w bezpośrednie oddziaływanie tego wszystkiego na jej życie, na jej wybory i przyszłość. Co trzynastolatka myśli o życiu na kosmiczną skalę? Powinna się zakochać w Miłym Trevorze albo Średnio Miłym Trevorze, a nie w osiemnastoletnim włoskim przystojniaku, który przyjechał tu popracować. Dzisiaj jednak została zraniona, pozbawiona pewności siebie, i nie wolno mi powiedzieć jej, że to minie; że w następnym tygodniu nie będzie już tak bolało, że Stefano odjedzie do domu, zaczną się lekcje i próby orkiestry, i że wszyscy chłopcy w jej wieku, po których najmniej by się tego spodziewała, staną się dla niej zarówno interesujący, jak i nieznośni; że jeszcze wiele razy się zakocha, że czeka ją mnóstwo małych romansów, wiele zawodów, ran i wątpliwości na drodze do Miasta Prawdziwej Miłości. Dzisiaj nawet nie zechce tego słuchać, bo obiekt jej uczuć tańczy z Sereną z Appalachii do melodii Hot Buttered Rum String Band na parkiecie Zagrody Carterów. Dzisiaj wieczorem Etta kocha Stefana Grassiego, a jeśli odziedziczyła cokolwiek po swojej mamie, to kocha go przede wszystkim dlatego, że nie może go mieć.

Rozdział siódmy

– Czy ja nie wyglądam na starszą, niż jestem? – pyta Etta z dumą, patrząc na swoje nowe zdjęcie paszportowe.

– Wyglądasz na piętnaście lat, bo masz piętnaście lat – sprowadzam ją na ziemię.

– To nie jest śmieszne – mówi Etta pogodnie i idzie na górę dokończyć pakowanie.

Czy dla mojej córki czas nie płynie wystarczająco szybko? Jack uczy ją prowadzić samochód, butelkę Mr Bubble – podstawowy artykuł w naszej łazience od czasu, kiedy Etta była małą dziewczynką – zastąpił waniliowy płyn do kąpieli, puszka po babeczkach, w której trzymała kamyki, haczyki na ryby i jakieś śrubki jest wypełniona cieniami do powiek i szminkami w różnych kolorach. Czego jeszcze trzeba, by zrozumiała, że staje się kobietą?

Obiecałam Etcie, że kiedy skończy piętnaście lat, pojedziemy latem do Włoch, i wyegzekwowała to. Oczywiście nie potrzebuję wielkiej zachęty, żeby jechać do Włoch, a Jackowi potrzeba jeszcze mniej. Po raz ostatni był tam w naszej podróży poślubnej, a poza tym postanowił udoskonalić swoje kulinarne umiejętności w zakresie kuchni włoskiej. A to może zrobić tylko u źródła.

Przekonałam Ivę Lou, żeby tym razem pojechała z nami (nareszcie zobaczy Włochy, o czym marzyła od lat, oraz uczci to, że już od dwóch lat nie ma raka). Lyle odrzucił zaproszenie; jedyne miejsce za granicą, które chciałby odwiedzić, to Hawaje, Iva Lou obiecała mu więc, że wybiorą się tam w przyszłym roku. Odbyła już rozmowę z miejscowym organizatorem wycieczek i doradcą kierownictwa gimnazjum, Jackiem „Nikt Nie Wraca do Domu bez Kwiatowej Girlandy na Szyi" Gibbsem.

Zaprosiłam również Theodore'a, by do nas dołączył, ale on i Max wynajmują na letnie weekendy dom na Long Island. Wyślę im mnóstwo pocztówek, niech zazdroszczą.

Etta od roku spotyka się z tym samym chłopcem, miłym dzieciakiem o nazwisku Dakota Clasby. Chodziła z nim do szkoły całe swoje życie, a mnie najbardziej podoba się to, że ich sympatia to w równym stopniu przyjaźń, jak miłość. Jack uważa, że postradałam zmysły i że nie dosrzegam, co naprawdę jest grane. Ale Etta mi o nim opowiada, a ja słucham, i nie widzę żadnego powodu do zmartwienia. Poza tym ona ma doskonałe stopnie i nawet odbywa staż w firmie architektonicznej Thompson & Litton w Norton. Bezgranicznie kocha astronomię, ale jeszcze bardziej pokochała projektowanie i budownictwo (dzięki swemu ojcu!).

Planowanie podróży wydobyło z Ivy Lou prawdziwą bibliotekarkę. Pakuje się od sześciu miesięcy. Przez trzy tygodnie prowadziła dziennik, żeby się dowiedzieć, ile dokładnie zużywa w ciągu dwudziestu jeden dni szamponu, mydła i przedmiotów higieny osobistej, będzie więc miała wszystko, czego jej trzeba. Przeczytała artykuł o tym, jak zwijać ubrania zamiast składać je w kwadrat (potrzebna jest do tego bibuła – nie pytajcie o szczegóły). Ma również transformatorek do suszarki, minizestaw na wypadek awarii i wypełnioną małymi fiolkami i tubkami kosmetyczkę, która wygląda jak torba doktora Daugherty'ego. Rozchodziła trzy pary butów do marszu i jedne szpilki (na wieczór w Wenecji).

Ja podchodzę do tego prościej. Jedna torba na ubrania i plecak na wszystko inne. Jack ma pakowanie się we krwi (ach, te lata biwakowania) i przestrzegł nas, że w całych północnych Włoszech nie znajdziemy wózków do toreb, lepiej więc, jeśli zadbamy, by nasze bagaże były lekkie.

Gala Nuccio, moja przyszywana siostra i agentka podróży naszej rodziny (pomogła mi swego czasu wyśledzić ojca, a potem konspirowała z Jackiem, by sprowadzić go z wizytą do południowo-zachodniej Wirginii), ubawiła się jak nigdy w życiu, planując dla nas ten wyjazd. Obdzwoniła wiele swoich osobistych znajomych we Włoszech, tak że we Florencji będą na nas czekały bilety do Galerii Ufizzi, w Wenecji zakwaterowanie w małym pensjonacie, a w Derucie wycieczka do wytwórni ceramiki. Poprzednio pozostawałam głównie w Schilpario, ale tym razem poszerzymy pole eksploracji i więcej czasu spędzimy w Toskanii (to, że zabieramy Ivę Lou, daje mi dobrą wymówkę, by zachowywać się jak typowa turystka). Schilpario i Bergamo będą deserem po naszej wielkiej podróży.

– Mamo! Speck przyjechał! – wrzeszczy Etta z werandy.

– Ładuj torby, proszę – odkrzykuję z łazienki, gdzie nakładam szminkę. Nasmarowałam się dzisiaj grubo kremem nawilżającym – podróż samolotem bardzo wysusza skórę.

Jack wtyka głowę do łazienki. – Wyglądasz świetnie, chodźmy już.

– Idę. – Szczoteczka od tuszu wpada mi do umywalki.

– Czym się tak denerwujesz?

– Nie wiem.

– Fleeta będzie karmić Sio.

– Wiem.

– Boisz się lotu?

– Nie.

– No to czego?

– Wiesz, że czasami mam takie śmieszne przeczucia. – Sama chciałabym wiedzieć, dlaczego jestem taka roztrzęsiona. Co boję się znaleźć we Włoszech? (Odkąd przed laty poszłam do siostry Claire, trochę za bardzo słucham wewnętrznego głosu – czasami jest bezceremonialnie natrętny!).

Chwytam torebkę i wychodzę za Jackiem. Etta i Jack ładują bagaże do wozu Brygady Ratowniczej; najwyraźniej samochód Specka jest w warsztacie.

– Mam nadzieję, że burmistrz nie zobaczy, do czego wykorzystujemy służbowe auto – mówię do Specka.

Speck się uśmiecha.

– Zadzwoniłem do niego, dał zezwolenie.

– Dzięki Bogu.

– Chodź, Ave. Siądziesz z przodu, jak za dawnych czasów.

Iva Lou siedzi za nami z Jackiem, a Etta z bagażami, ale jest szczęśliwa ponad miarę.

– Kochanie, jeszcze nigdy w życiu nie byłam taka podniecona! – Iva Lou podnosi kołnierz swojej dżinsowej bluzy. Jej włosy to majstersztyk, rozświetlone jasnymi pasemkami i upięte we fryzurę, którą rozsławiła Virna Lisi.

– Wyglądasz jak włoska blond bogini – obdarzam ją komplementem.

– O to właśnie mi chodziło! I trochę o efekt Ivany Trump – mówi z dumą.

– Jedźmy, Speck – woła grzecznie Etta.

– Proszę bardzo, mała! – Speck dodaje gazu, wzbijając kurz na starej kamiennej drodze. Pędzimy przez Wildcat Holler tak szybko, że prawie wznosimy się w powietrze, skręcając na Kingsport Road.

– Patrz, Etta. Twoi przyjaciele są w Quik Stop! – wskazuje Speck.

– To świetnie, Speck. Jedź dalej – szepcze Etta obojętnie. Krępuje ją, że siedzi w tym jasnopomarańczowym wagonie kolejowym z białymi pasami.

– Pożegnajmy ich hucznie! – Speck wybucha śmiechem i włącza syrenę. Etta chowa głowę w torebce, kiedy Iva Lou i Jack też zaczynają się śmiać.

Na lotnisku Kennedy'ego w Nowym Jorku Iva Lou flirtuje z każdym bagażowym. Próbuje dać napiwek facetowi, który dźwiga jej torby do bramki, a on odmawia jego przyjęcia (mnie się to nigdy nie zdarzyło). W samolocie siada na swoim miejscu i wygląda przez okno.

– Jestem taka szczęśliwa. Jak ci się podoba mój kostium? – Iva Lou ma na sobie prosty czarny kombinezon ściśnięty paskiem, kurtkę, teraz zarzuconą na ramiona, i bardzo zgrabne czarne mokasyny.

– Uwielbiam je. Pasują jak rękawiczki. Nie powiedziałabyś, że mam protezy, prawda?

– Ani trochę.

– Chcesz znać mój sekret?

– Jasne.

– Różne rozmiary cycków.

– Co?

– No. Mam małą walizkę z różnymi rozmiarami. Widzisz, różne stroje wymagają różnych cycków. Do golfu muszą być wysokie i nieduże; męska koszula potrzebuje większych i skupionych, a żakiet klasycznych torped Jane Russell i tak dalej. Chyba rozumiesz, że nie pojechałabym do Włoch, kraju Claudii Cardinale i Giny Lollobrigidy, płaska jak tortille Fleety. Nie, chcę w każdym calu wyglądać jak amerykańska ślicznotka.

– No to wyglądasz.

– Czasami nie mogę uwierzyć, że mi się udało. – Iva Lou odchyla się na swoim fotelu.

– Zawsze wiedziałam, że pojedziesz do Włoch.

– Nie to miałam na myśli. Nie mogę uwierzyć, że mi się udało, kropka. Przejść przez raka. Ta wróżka miała rację.

– Zupełnie się myliła! Powiedziała, że będziesz łagodnie żeglować. Bez problemów. Powinnyśmy zażądać, żeby oddała nam pieniądze.

– Nie. Ta siostra Claire wszystko przewidziała.

– Co?

– Skłamałam ci wtedy. Powiedziałam, że wieści są dobre, bo nie chciałam cię martwić. Tak naprawdę siostra Claire przewidziała, że czeka mnie naprawdę trudny czas i że wytrzymam, że to minie.

– Dlaczego mi nie powiedziałaś?!

– Słuchaj, a co by to dało? Niczego by nie zmieniło. I tak bym zachorowała. I tak bym miała podwójną mastektomię. Gdzieś w głębi duszy chciałam udowodnić, że siostra Claire się myli. Ale nie mogłam. Ona wiedziała coś, o czym ja nie miałam pojęcia. Tyle jeśli chodzi o to, czy znam siebie lepiej niż ktokolwiek inny. Wtedy po raz ostatni nie uwierzyłam wróżce.

Po dobrym locie (wszyscy byliśmy zbyt podekscytowani, by spać) wylądowaliśmy w Mediolanie, potem wskoczyliśmy do wynajętego samochodu i pojechaliśmy na południe, do Florencji. Jack zebrał informacje o restauracjach i znalazł prawdziwy skarb w bocznej uliczce w pobliżu Duomo. Wystrój jest prosty: wygodne tapicerowane krzesła i kwadratowe marmurowe stoliki. Złożyliśmy zamówienie, a Jack przeprosił i poszedł do kuchni przyglądać się, jak przygotowują nasz posiłek. Przeczytał artykuł w magazynie „Food & Wine", w którym była mowa, że włoscy kucharze uwielbiają, kiedy się ich obserwuje w kuchni. Napisał listy do kilku restauracji, prosząc o pozwolenie, i oni się zgodzili.

– Czy on zamierza przyglądać się pracy kucharzy nad każdym posiłkiem, który będziemy jeść we Włoszech? – zastanawiam się na głos.

– Mamo, chce otworzyć restaurację. A dlaczego wypróbowuje przepisy tysiące razy? – broni ojca Etta.

– Bo jest perfekcjonistą?

– Nie, on eksperymentuje. Mówi, że sprawdza od podstaw – Etta wzrusza ramionami.

Spoglądam na Ivę Lou. – Lepiej otworzyć restaurację w kryzysie wieku średniego niż kupić harleya i wymienić żonę na nowszy model – dorzuca moja przyjaciółka.

– Kto by utrzymał włoską knajpę w Big Stone Gap? U nas sprawdza się Stringer's, bo jest jak składkowy posiłek baptystów, z tymi stołami grzewczymi i smażonymi krewetkami w piątkowe wieczory, kiedy to możesz się najeść do syta. Nikt w Big Stone nie zapłaci za wymyślny makaron – mówię.

– A kto mówi, że on chce otwierać knajpę w Big Stone Gap? – rzuca Etta, nie patrząc mi w oczy.

– Hmm, no więc słucham, gdzie on chce otworzyć tę knajpę? – Brzmi to żałośnie, ale nic na to nie poradzę.

– Może w Kingsport. Może w Knoxville. Nie wiem. Zapytaj tatę.

– To on ma takie poważne zamiary? Myślałam, że tak sobie żartuje. Wiesz, tak jak wtedy, kiedy ja mówię, że chcę wrócić do college'u i studiować turystykę jaskiniową.

Etta posyła mi jedno z tych spojrzeń, w których kryje się niepewność, czy aby nie jestem niespełna rozumu, przełamuje na pół kromkę chleba i zjada ją w milczeniu. Iva Lou patrzy na mnie i nalewa wina najpierw mnie, a potem sobie.

– Przepraszam – mówię do dziewczyn. Udaję, że idę do toalety, ale skręcam gwałtownie w lewo i wślizguję się za zasłonę w czerwono-złote pasy, z ogromnymi czerwonymi frędzlami na górze, oddzielającą kuchnię od poczekalni. Kelner podnosi na mnie wzrok, uśmiecham się, a on wzrusza ramionami, wchodzę więc do kuchni, stając blisko zasłony, żeby nie przyciągać uwagi. Zastaję sytuację, która stanowi dla mnie absolutną nowość: mój mąż asystuje szefowi kuchni. Niski, łysy mężczyzna około sześćdziesiątki pracuje, a jednocześnie objaśnia, co robi. Pozwala Jackowi wziąć domowe kluski z ociekacza i wrzucić je do gotującej się wody, dodaje szczyptę soli i wręcza Jackowi łyżkę cedzakową, żeby zamieszał. Jack miesza za mocno, kucharz chwyta łyżkę i demonstruje delikatniejszą technikę. Po kolejnych trzech minutach Jack pyta kucharza, czy może odcedzić makaron. Ten patrzy na mojego męża podejrzliwie, a on wskazuje zlewozmywak i wyjaśnia, że w Ameryce odcedzamy makaron na durszlaku i przelewamy go wodą, zanim dodamy sos. Kucharz udaje, że ma atak serca, i prosi Jacka, żeby przyglądał się uważnie, po czym wyjmuje dymiący makaron z wody durszlakiem, potrząsa nim i odstawia na bok. Wyjaśnia Jackowi, że jeśli się zleje makaron, zabija się jego smak, a kluski nie mogą później wchłonąć sosu.

Kucharz bierze patelnię i nalewa na nią oliwy. Błyskawicznie sieka świeży czosnek i wrzuca na patelnię. Kiedy czosnek skwierczy, bierze tak cieniutkie, że aż przezroczyste plasterki pancetty, solonej szynki, i kładzie je na patelni (w tym momencie przypominam sobie kawał boczku wieprzowego, którego używa Fleeta, kiedy robi zieloną kapustę). Potem kucharz dodaje mniej więcej filiżankę świeżej śmietany i trochę makaronu. Szybko wbija na wierzch dwa jaja i miesza je z makaronem i sosem, aż wszystkie kluski równo się pokryją. Pasta jest leciutko złota, jak płatki przejrzałej żółtej róży.

Można by przypuszczać, że znam to wszystko w wykonaniu swojej matki, ale tak naprawdę rzadko jedliśmy pastę. Najczęściej risotto, ryżowe danie w wielu wariacjach. Pasta była raczej pieczona w małych naczyniach albo kładziona warstwami jak lazania na patelni; jedliśmy też *gnocchi* (kopytka), kluski z ziemniaków i mąki (toczone ręką w małe, lekkie jak chmurka wałki i polane delikatnym śmietanowym sosem). Spaghetti z sosem pomidorowym nie jest typowym daniem w rodzinnych stronach mojej mamy, w Bergamo.

Jack wciąż nie wie, że mu się przyglądam (dowód jego pasji kucharskiej), i zadaje pytanie. Kucharz gestem nakazuje mu milczenie i to, co teraz robi, to czysta sztuka. Bierze patelnię i odwraca się. Musi się tylko obrócić jak baletnica; każda łyżka i garnek, cedzak i przykrywka, wisi w zasięgu ręki, a nieskazitelne deski do krojenia i noże są ustawione wzdłuż blatu. Kucharz zdejmuje drewnianą przykrywkę z koła, które ma mniej więcej pół metra szerokości i dwadzieścia pięć centymetrów głębokości. Z początku nie wiem, co to jest, ale potem domyślam się, że to musi być parmezan. Kucharz bierze dymiącą pastę, teraz pokrytą delikatną powłoczką, wrzuca na koło – z wgłębieniem na środku, pewnie od wielu takich dań – i wtedy, odstawiwszy gorącą patelnię na bok, podnosi dwa drewniane przyrządy (które właściwie wyglądają jak ręce) i podrzuca pastę, podczas gdy cieniutka warstwa sera przesypuje się z boków i dna koła na makaron.

– Cześć, kochanie. – Jack podnosi na mnie wzrok. Jestem zaskoczona i uśmiecham się w odpowiedzi. – *Mia sposa* – przedstawia mnie mąż.

– Włoszka? – Kucharz uśmiecha się do mnie z aprobatą.

– Odkąd zobaczyłam, jak pan gotuje, jestem lepszym człowiekiem – mówię do niego po włosku.

– *Andiamo!* – woła on do kelnera, który bierze z blatu roboczego talerze i spieszy z nimi do naszego stołu. – Idźcie, idźcie jeść! – Kucharz poklepuje Jacka po plecach. Niemal biegnę do stołu. Nie mogę się doczekać, żeby spróbować tego majstersztyku.

Iva Lou nawija makaron na widelec i bierze maleńki kęs. – Jezu Chryste. To jest lepsze niż...

– Niż da się powiedzieć. – Etta zanurza widelec w swoim spaghetti putanesca.

– To lepsze niż seks – oznajmia Iva Lou. – A wiecie, że skoro ja tak mówię, to to jest naprawdę coś.

Biorę kęs i przyznaję jej rację. Jack żuje starannie i przymyka oczy, potem sięga po wino i też próbuje.

– Myślę, że to najlepsze jedzenie, jakie w życiu jadłem – stwierdza, otwierając oczy.

– Ja też, kochanie. – Trącam go pod stołem.

– A teraz słuchajcie wszyscy. To zaczarowane jedzenie i dlatego jest niebezpieczne. – Iva Lou delektuje się kolejnym kęsem i szturcha Ettę. – My, samotne dziewczyny, musimy tej nocy bardzo uważać. Ten sos ma magiczną moc. Możemy być zauroczone przez jakiegoś Włocha.

– Ale ty jesteś mężatką – przypomina jej Etta.

– Ty to umiesz popsuć zabawę

– Wujek Lyle też chciałby ci ją popsuć. – Etta śmieje się głośno, a Iva Lou jej wtóruje.

Może wyjąć aparat? Utrwaliłabym ten moment na wieki. Nie, nie zrobię tego. Zachowam ten wieczór w cieple pamięci, ten posiłek spożyty we włoskiej restauracji, gdzie ściany mienią się kolorem dyni, gdzie światło świec sprawia, że wyglądamy jak gwiazdy filmowe, i gdzie za pasiastą zasłoną stoi dumny szef kuchni i z przyjemnością patrzy, jak jemy.

Jedziemy przez wzgórza Umbrii, łagodną zieloną bramę wiodącą do Toskanii. Bardzo się cieszę, że wynajęliśmy samochód, zamiast jechać pociągiem. Nasza czwórka w znajomym pejzażu małych miasteczek połączonych wąskimi drogami czuje się bezpiecznie i u siebie.

Jack trzyma w tajemnicy plany wobec Toskanii. Wie, że chciałam spędzić więcej czasu we Florencji, ponieważ kocham Duomo, galerie sztuki i Ponte Vecchio, kryjące więcej złotych skarbów niż klejnoty Kleopatry. – Szanowne panie, następny przystanek Loro Ciuffenna – oznajmia.

– Nieźle się kobitka nazywa – żartuje sobie Iva Lou.

– To nazwa miejsca, Iva Lou – poprawia ją Jack.

– Po co tam jedziemy? – Etta studiuje mapę.

– Chcę się spotkać z Królem Oliwy z Oliwek – odpowiada Jack.

My, dziewczyny, wybuchamy śmiechem. – Czy to aż taka osobistość? – pytam.

– Zgodnie z tym, co mówi Renzo, to najważniejszy człowiek we Florencji.

– Jak się nazywa ten król?

– Giuseppe Giaquinto.

– Brzmi seksownie – uznaje Iva Lou.

– Na ten temat nie mam zdania. Wiem natomiast, że niektórzy kucharze używają tylko toskańskiej oliwy z oliwek do gotowania i pieczenia, ale Renzo używa jedynie oliwy Giaquinta.

– To nie lada rekomendacja.

– Tak myślę. Renzo dał mi adres i uprzedził o naszej wizycie.

Nie mogę uwierzyć, że mój mąż umawia się z zupełnie obcymi ludźmi w obcym kraju. On jest z Big Stone Gap, miejsca tak małego, że nikt nigdy o nim nie słyszał, a jednak kiedy ośmielił się przekroczyć jego granice, stał się przebojowy, ciekawy i dzielny. To nie jest mężczyzna, którego poślubiłam, ale muszę powiedzieć, że mi się podoba.

Loro Ciuffenna leży na południe od Florencji i na zachód od Sieny u stóp gór. Jedziemy przez przełęcz drogą gorszą niż którakolwiek w Wise County: wąską, nierówną, pełną dziur i bez żadnej balustrady od strony kierowcy. Po drugiej stronie jest przerażająca ściana wyszczerbionych skał, która, jeśli się za bardzo zbliżyć, może zerwać drzwi samochodu jak wieczko z puszki z tuńczykiem.

– Tu jest wąsko. – Iva Lou przymyka oczy. Z tonu jej głosu można wywnioskować, że nie czuje się najlepiej.

– Zaczekaj, aż dojedziemy do Schilpario. Alpy są naprawdę, naprawdę wysokie. A drogi wąskie jak sznurówki – ostrzega ją Etta.

Nie wspomniałam o tym Ivie Lou. Dlaczego miałabym ją straszyć z tak dużym wyprzedzeniem? Na szczęście zaczynamy zjeżdżać do miasta przez malowniczą przełęcz. Drogi robią się szersze, a teren łagodniejszy – bardzo zielona dolina z jednej i zbocze góry upstrzone drzewkami oliwnymi, rosnącymi niemal w dokładnie tej samej odległości od siebie – z drugiej strony.

– Ziemia pod tymi drzewkami wygląda na całkiem suchą – zauważa Iva Lou.

– I pewnie jest. Tak właśnie rosną dobre oliwki – wyjaśnia jej Jack.

Etta prosi Jacka, żeby się zatrzymał, bo chce zrobić zdjęcie białej toskańskiej chaty z dachem z brązowych dachówek, usadowionej za okazałą żelazną bramą przy drodze. We Włoszech nawet najzwyczajniejsze rzeczy są dziełami sztuki.

– To piętrowa tradycyjna chata wiejska. Takiej szukałam. Chcę mieć przykład archiektury z osiemnastego wieku. – Etta wysiada z samochodu. – Widzicie front? Ta otwarta przestrzeń na parterze, tam żyją zwierzęta, a na piętrze mieszka rodzina.

– Nie wiem, czy chciałabym mieć krowę tak blisko siebie – mówi Iva Lou. – Moja mamusia miała kozę, która mieszkała w kuchni. Świeże mleko na skinienie. Domyślam się więc, że nie jest tak źle trzymać w domu zwierzęta.

– W ten sposób zimą wszystkim jest cieplej – tłumaczy Etta.

– Mogłabyś być przewodnikiem wycieczek – chwali ją z dumą Jack.

Etta przewija kliszę i uśmiecha się.

– Bardzo nowocześnie – komentuje Iva Lou, kiedy stajemy pod stalową bramą do plantacji oliwek Giaquinta w Loro Ciuffenna.

– Patrzcie – Jack wskazuje wzgórze nad wytwórnią. – Macie swoje stare włoskie miasto z zamkiem. – Wciska guzik domofonu. Wymienia imię Renza, a brama otwiera się natychmiast, odsłaniając prosty kamienny budynek, długi prostokąt, którego jedynym oznaczeniem jest drzewko oliwne wyrzeźbione na szklanych drzwiach. Iva Lou szybko pudruje nos i z trzaskiem zamyka puderniczkę.

– Ze świecącym nosem nie spotkam się z Królem Oliwy z Oliwek.

Na stopniach wytwórni przyjmuje nas młoda kobieta około trzydziestki. – Witajcie! – mówi z akcentem, który można opisać jedynie jako bardzo południowy. Z amerykańskiego Południa.

– Boże miłosierny, kochana, skąd jesteś? – dopytuje się Iva Lou.

– Z Missisipi.

– Niech Bóg cię błogosławi! – Iva Lou patrzy na nas i kiwa głową z aprobatą.

– Mam na imię Elaine. – Jest wysoka i szczupła, długie, brązowe włosy związała w prosty węzeł. Ma zielone oczy o ciężkich powiekach pociągniętych delikatną brązową kreską, ale to jej jedyny makijaż; jest naturalnie piękna. Idziemy za nią holem; kilkoro drzwi prowadzi do małych gabinetów. Zabiera nas do tyłu, do największego pomieszczenia. Na drzwiach wisi tabliczka G. GIAQUINTO.

Pan Giaquinto gestem zaprasza nas do środka, a tymczasem wykrzykuje przez telefon wszystkie włoskie przekleństwa, jakie znam. Wchodzimy, ale stajemy przy drzwiach, bojąc się przerwać mu rozmowę. Giuseppe wskazuje, byśmy usiedli, a robi to zamaszystym gestem. Mamy zastosować się do zaproszenia niezwłocznie. Nadal rzuca gromy na osobę po drugiej stronie słuchawki. Nos Ivy Lou teraz już się świeci, podobnie jak reszta jej twarzy. Denerwuje się, biedaczka; jeszcze nigdy nie słyszała takiego naprawdę pełnokrwistego Włocha. Nagle, bez ostrzeżenia, Giuseppe rzuca słuchawką. Etta podskakuje na swoim krześle, a potem podrywa się szybko.

– Witam. – Giuseppe kieruje na nas wzrok. Król Oliwy z Oliwek wstaje. Ma jakieś czterdzieści kilka lat, sto osiemdziesiąt centymetrów wzrostu i przystojną twarz, regularną i wytworną, oraz nieco zadarty nos z figlarnym koniuszkiem (Giuseppe to optymista), a także wdowi trójkącik na wysokim czole. Jest szczupły, ubrany prosto, w czarne spodnie i białą koszulę.

– Intensywnie mi się pani przygląda – mówi do mnie z uśmiechem.

– Powiedz mu – rzuca Iva Lou kątem ust.

– Co ma mi pani powiedzieć? – Giuseppe patrzy na mnie.

– Nazywam się Iva Lou Wade Makin. – Iva Lou wyciąga rękę. Giuseppe bierze ją oburącz i potrząsa. – Jestem bibliotekarką, a ta oto moja przyjaciółka studiowała starożytną chińską sztukę czytania z twarzy. I jest w tym całkiem dobra.

– Co mówi moja twarz? – Giuseppe zwraca się do mnie.

– Że jest pan niesamowitym perfekcjonistą – odpowiadam. Elaine śmieje się od drzwi.

– Myślisz, że to zabawne? – pyta ją Giuseppe, mrugając okiem. – Poznali państwo moją dziewczynę?

– Trudno uwierzyć, że taki krzepki Włoch jak pan musiał jechać aż do Missisipi, żeby znaleźć sobie kobietę – mówi na to Iva Lou.

– Ona znalazła mnie. Na targach żywności w San Francisco.

– I moje życie zmieniło się na zawsze – mówi cicho Elaine.

Jack Mac przedstawia się, a potem nas wszystkich, z pięknymi manierami południowca. Giuseppe najwyraźniej jest urzeczony głosem mojego męża i to jego nie odstępuje ani na krok, kiedy zwiedzamy wytwórnię. Nie dbam o to, że jestem wyłączona z ich konwersacji. Patrzę na rzędy ciemnozielonych szklanych butelek. Nalepki są piękne, a niektóre mają złoty listek na krawędzi, taki elegancki akcent. Objaśnienie zawartości to czysta poezja.

– Pan naprawdę wierzy w swój produkt – mówię do Giuseppe.

– Oliwa z oliwek to moja religia. Wielbię jej naturalną doskonałość.

Iva Lou dowiaduje się, że oliwa najlepiej nawilża. Etta robi jej zdjęcie, jak wciera oliwę w dłonie.

– Używacie oliwy do wszystkiego? – zastanawiam się na głos.

– Absolutnie – odpowiada Giuseppe. – Jeśli jest dobra. A dobra oliwa to ta zrobiona z oliwek rosnących tutaj, w Toskanii. Kiedy spożywasz oliwę, karmisz swoje ciało. Jeśli nakładasz ją na wierzch, wygładzasz skórę. Nie musisz już smarować skóry niczym innym, tylko oliwą, i jeśli używasz do gotowania czegokolwiek innego, musisz być szalony.

Wymieniam marki sprzedawane w Stanach. Giuseppe wszystkie dyskwalifikuje jednym ruchem ręki. – Nie nalałbym ich do baku swojego samochodu.

Wymieniam drogą markę.

– Nie umyłbym nią nóg!

– Dlaczego?

– Bo te oliwki pochodzą z dowolnych miejsc i zbierasz je wtedy, kiedy są potrzebne, a nie wtedy, gdy każe natura. Te firmy biorą oliwki na przykład z Tunezji, z Grecji, gdzie normy tłoczenia są niedobre, produkt nie jest więc czysty. Mieszają wszystko razem. Szypułki! Liście! Chłam! Dodają barwników. Albo zielonego, żeby wyglądała na oliwę z pierwszego tłoczenia, albo złotego, żeby przypominała standard. To czarna strona naszego przemysłu, ale tak zawsze bywa.

– Jak można odróżnić dobrą oliwę od złej? – pyta Iva Lou.

– Kiedy spróbuje pani mojej oliwy, nie weźmie już pani do ust żadnej innej. Inne oliwy smakują jak benzyna. Zobaczy pani. Moja rodzina tłoczy oliwę od 1930 roku. Ja prowadzę interes od dwudziestu lat. Żeby się przez ten czas nie nauczyć, musiałbym być przygłupem. Pozwoli pani.

Wsiadamy do ciężarówki Giuseppe, żeby objechać plantację, na której dojrzewają jego oliwki. Jedziemy długą, pylistą drogą, a on pokazuje nam drzewa, małe i rachityczne, z odrobiną zielonych listków. – Zatrudniam najlepszych zbieraczy. Niektórzy robią to od pięćdziesięciu lat. Żeby rozpoznać dobrą oliwkę, trzeba mieć wyszkolone oko. Oni potrafią wyczuć, czy oliwka jest dobra, biorąc ją do ręki. Nigdy nie musiałem kontrolować ich pracy. Są bardziej wybredni niż ja! – Śmieje się.

– Moim zdaniem to niewiarygodne, Wielki Gi – mówi Iva Lou, nadając naszemu gospodarzowi przydomek, bo poczuła się już jak u siebie.

Giuseppe objaśnia drogę oliwki od drzewka do butelki. Jesteśmy oczarowani. To naprawdę prosty proces, składający się z trzech etapów: rośnięcia, żniw i miażdżenia. Etta dziwi się, że pestki są miażdżone razem z miąższem oliwek.

– Prowadzę jedyny w swoim rodzaju interes na świecie. Natura pracuje, ja zbieram złoto. – Giuseppe podnosi dłoń w geście zwycięstwa. – Ale muszę być strażnikiem, muszę bacznie śledzić każdy krok! Jeśli odwrócę oczy, niedoskonała oliwka może dostać do kadzi albo w magazynie zrobi się niewłaściwa temperatura albo zdarzy się Bóg wie co. Muszę obserwować wszystko!

– Teraz posmakuj. – Giuseppe podaje Jackowi trzy małe kawałki niesolonego chleba, potem rozlewa trzy gatunki oliwy do małych filiżanek i wącha pierwszą, zanim wręczy ją Jackowi. Giuseppe stuka się w czubek nosa. – To, to jest moje laboratorium.

Jack wącha oliwę, potem zanurza w niej chleb i próbuje. – Ta jest korzenna.

– Aha! Dobre kubki smakowe. Ta oliwa jest tłoczona z oliwek, które dopiero co zaczęły dojrzewać. Bogaty smak, co?

Jack kiwa głową i smakuje następną próbkę. – Ta jest... kwiatowa.

– Jesteś geniuszem! Tę tłoczymy z oliwek w szczycie. Zrywamy je w ostatniej chwili. – Giuseppe składa ręce. – Chyba będę musiał zatrudnić pani męża.

Jack degustuje trzecią próbkę. – Ta jest bardzo łagodna.

– Ponieważ oliwki, z których pochodzi, są bardzo dojrzałe! A teraz spróbuj tej. – Giuseppe daje Jackowi nieoznakowaną butelkę. Jack smakuje i wykrzywia twarz.

– Coś nie tak? – pyta Giuseppe.

– Przepraszam. Ta jest niedobra.

– Oczywiście! Proszę powiedzieć to swojej żonie! To marka, której ona używa w Stanach! Straszna! Ja bym jej nie użył…

– … do mycia nóg! – mówimy chórem Etta, Iva Lou i ja.

– Różnica jest ogromna. Naprawdę, nie sposób ich porównać – informuje nas Jack.

Wsiadamy do samochodu. Giuseppe i Elaine machają nam ze schodów wytwórni. Iva Lou robi im kilka zdjęć. Elaine obiecuje dostarczyć skrzynkę oliwy do Big Stone Gap. – Mamy szansę dojechać do Bergamo przed zmierzchem – obiecuje Jack.

Etta kładzie mi na ramionach dłonie, a ja sięgam do nich. Jest równie szczęśliwa jak ja, że wraca do Bergamo i Schilpario, w nasze włoskie Alpy. Ściskam delikatnie jej dłoń i odwracam się do tyłu. Etta pierwsza rozluźnia uchwyt, ale ja nadal trzymam jej rekę, przyciągając ją blisko do swojej twarzy. Obie czujemy się trochę zakłopotane. Ta sytuacja przypomina nam czasy, kiedy Etta była mała. Potem – czego nie robiła od lat – przechyla się do przodu i kładzie głowę na oparciu mojego fotelu. Czego nauczyłam się od swojej córki przez lata? Choćby tego, że gwiazdy, nawet kiedy zdaje nam się, że zniknęły, zawsze wracają do miejsca swojego pochodzenia. I oto jesteśmy z powrotem. Stąd pochodzimy, zaledwie jedno pokolenie po mojej matce, która wyruszyła szukać swego przeznaczenia w Ameryce. Kto wiedział, że wrócimy tak szybko?

– Tutaj. Tato, tu skręć. – Etta przechyla się między nami do przodu, wskazując zjazd na Via Davide.

– Wiesz, gdzie to jest? – Jack nie może uwierzyć, że ona pamięta.

– Trzeci dom po lewej – mówi pewnie Etta. – Czarne okiennice. Drzewo cytrynowe. Tam!

– Ależ tu uroczo. – Iva Lou wysiada z samochodu. – Ile czasu minęło od waszej ostatniej wizyty?

– Siedem lat – odpowiadam.

– I nie zmieniło się tu ani trochę! – woła Etta podekscytowana, przebiegając znajomy chodnik z maleńkimi fioletowymi kwiatkami. Moja kuzynka Federica wygląda przez okno (olśniewające rude włosy zdradzają ją nieomylnie) i widząc nas, woła ciotkę Meoli. Federica wita nas w drzwiach. Jest w zaawansowanej ciąży i bije od niej blask. Jej rude loki są ostrzyżone krótko przy skórze, a u nóg plącze się jej trzyletnia dziewczynka. – Witaj w domu! – Federica rzuca mi się w ramiona. Pamięta Jacka, nie może uwierzyć, że Etta tak urosła, i cieszy się bezgranicznie, kiedy Iva Lou daje jej prezent w postaci czapek do baseballa Teatru pod Chmurką z Big Stone Gap.

– To jest Giuliana. – Federica podnosi córkę, żeby przedstawić nas na wysokości jej wzroku.

– Wygląda dokładnie jak ty! – mówię.

– Włosy, prawda? – Federica śmieje się i przeczesuje palcami gęste sploty Giuliany.

– Ave Maria! – *Zia* Meoli stoi w wejściu, z dłońmi wspartymi na biodrach. Postarzała się, jej włosy już prawie posiwiały, ale wciąż ma doskonałą postawę, i jak zawsze niespożytą energię. Ściskam ją długo i mocno.

– Etta! Etta, ty już jesteś całkiem dorosła! Nie mogę w to uwierzyć! *Bellisima!*

Etta jest przejęta, że widzi ciotkę, i taka szczęśliwa, że płacze. Iva Lou sięga do torebki po chusteczkę. – Jezu, doprowadziłyście mnie do łez.

– Jak tam *Zio* Pietro? – dopytuje się Jack.

– Chodź, to zobaczysz.

Zia Meoli prowadzi nas przez dom na słoneczną werandę, mijamy znajomy hol, który pachnie lawendą, stare fotografie w prostych złotych ramkach i lśniącą kuchnię z białymi metalowymi szafkami i podłogą w czarno-białą szachownicę. – Wszystko wygląda piękne, jak zawsze – mówię do swojej ciotki, a potem krzyczę: – *Zio* Pietro!

Wuj siedzi w wiklinowym bujanym fotelu, z dłońmi splecionymi na brzuchu. Kiedy go wołam, otwiera oczy. Z początku jest przytłoczony

liczbą przybyszy, ale kiedy nas rozpoznaje, uśmiecha się szeroko.
– Jak się miewasz? – Klękam i obejmuję go.

Jack przedstawia Ivę Lou, a Etta robi wielkie zamieszanie nad *Zio* Pietro, przypominając mu, jak ją uczył robić pudełka w stolarni.

– Nic nie robiłem od bardzo dawna – wzdycha wuj.

– Mogę ci pomóc – proponuje Etta.

– Dla mnie to już za trudne. Jestem stary – zauważa *Zio* Pietro i uśmiecha się.

– Witajcie wszyscy. – Głos, który słyszę od drzwi, wydaje mi się znajomy.

– Stefano Grassi! – Iva Lou bierze w ramiona naszego starego przyjaciela.

– Jak się pani miewa, panno Ivo Lou?

– A jak wyglądam?

– Wspaniale.

– No to tak się właśnie miewam.

– Miło was wszystkich znowu widzieć – mówi uprzejmie Stefano, kiedy ściska dłoń Jacka i całuje mnie w policzek.

– Pamiętasz Ettę? – Iva Lou popycha moją córkę w stronę Stefana. Etta nie rusza się z miejsca. Jest niemal wytworna w swoich ruchach i wyciąga dłoń na powitanie.

– Etta dorosła! – Oczy Stefana zwężają się, kiedy patrzy na mnie, potem na Jacka i znowu na Ettę.

– Mała Różyczka rozkwitła – mówi zadowolona z siebie Iva Lou.

Wyrażenie „iskry się sypią" nabiera nowego znaczenia. Stefano patrzy na Ettę, jakby ją widział pierwszy raz w życiu.

Etta jest wysoka i szczupła, jej jasnobrązowe włosy spływają falami na ramiona, a łagodne, aksamitne oczy mają kolor nasyconej zieleni. Jedyny włoski rys, który dostrzegam w jej twarzy, to układ ust: są pełne, a zęby mają lekki przodozgryz, co powoduje ujmujące wydęcie wargi. Tutaj we Włoszech jej szkocko-amerykańska karnacja rzuca się w oczy.

– Cóż tam u ciebie, Stefano? – pyta go Etta i brzmi to bardzo dorośle.

– Wszystko świetnie, dziękuję.

Iva Lou szturcha mnie. Etta uśmiecha się do Stefana. Ja patrzę na męża. On też nic nie uronił. Obejmuje Ettę za ramiona.

– Wszyscy jesteśmy tacy szczęśliwi, że znowu was widzimy. Planowaliśmy wspaniałą kolację w Citta Alta – mówi Stefano.

– To cudownie – zabieram głos w imieniu całego amerykańskiego desantu. Federica wymawia się. Zostanie w domu z *Zio* Pietro, który jest zbyt zmęczony, żeby do nas dołączyć. Próbujemy go przekonać, ale to uparciuch, obiecujemy więc przywieźć mu coś z restauracji. Idzie z nami Meoli, co mnie bardzo cieszy – mamy tyle do omówienia.

Stefano zabiera naszą grupę do Bergamo Alta (znanego też jako Citta Alta), starożytnego miasta nad miastem nowoczesnym (znanym jako Bergamo Bassa), do znajdującej się na zboczu góry restauracji z widokiem na dolinę. Stefano jest uroczym gospodarzem, zamawia takie miejscowe specjały jak risotto ze świeżymi truflami (teraz jest sezon truflowy) i costolette, panierowane kotlety cielęce smażone na maśle. Etta zarzuca Stefana wszystkimi wieściami z Big Stone Gap, Iva Lou, jej lojalny sojusznik, dodaje pikantne szczegóły, a Jack się śmieje.

– *Zia*, jak się miewasz? – pytam ciotkę.

– Trudno się starzeć.

– Ty nie jesteś stara!

– Mam osiemdziesiąt trzy lata! A *Zio* Pietro osiemdziesiąt osiem. Jesteśmy starzy.

– Wyglądacie świetnie.

– Zdrowo żyję. Trochę się skurczyłam, ale to się zdarza starym kościom. Ale *Zio* ma problemy z sercem i pamięć już nie tak dobrą jak kiedyś.

– Pracuje jeszcze w stolarni?

– W ostatnich latach nie. Lubi, jak przychodzi Stefano i rozmawia z nim o architekturze i budownictwie. To była zawsze jego pasja. – Potem ciotka mówi z uwielbieniem: – Etta jest już kobietą, prawda?

– Prawie. Wygląda na starszą, niż jest.

– Czym się interesuje?

– *Zia*, to skomplikowana dziewczyna. Jest wrażliwa, ale ma głowę na karku. Czasami to jej służy, a czasami powoduje problemy.

– Jest zupełnie inna niż ty, prawda?

– Zupełnie.

– Trudno zgadnąć, jak postępować z dziećmi. Myślimy, że nasze córki będą takie jak my albo przynajmniej będą nas doceniać. Federica dopiero jak urodziła córkę, zrozumiała, że nie byłam staroświecką dziwaczką. To trwało bardzo długo. – Opieram się i oddycham głęboko. *Zia* bierze moją rękę. – Teraz jest trudno, ale w końcu będziesz szczęśliwa, że masz córkę.

– Och, ja już jestem szczęśliwa, że ją mam.

– Nie. Ja mówię o tym, że córka zostaje z matką na całe swoje życie. Z synem jest inaczej. Syn cię opuści. Z chłopcami idzie łatwiej, dopóki nie dorosną. Ale później znikają. – Wzdycha.

– W Ameryce mówi się, że syn jest synem, póki się nie ożeni, a córka jest córką na całe życie.

– Otóż to. – Ciotka kiwa głową.

Zostajemy na noc na Via Davide. Papa ma po nas przyjechać rano. Federica przepięknie przygotowała nasze pokoje, ze wszystkimi drobiazgami, które zapamiętaliśmy – z haftowaną pościelą, kołdrami, srebrnymi kubkami na toaletce pełnymi dzikich różyczek. Iva Lou układa włosy w łazience na końcu korytarza, stąd wiem, że Etta jest sama, i idę do ich wspólnego pokoju. Pisze w dzienniczku, który przyciska do siebie, kiedy wchodzę.

– Nie przeszkadzam?

– Nie, wchodź.

– Fajnie dzisiaj było, prawda?

– O tak.

– Co myślisz?

– O czym?

– O Stefanie Grassim.

– Nic się nie zmienił, mamo.

– To znaczy jaki jest?

– No, pochłonięty sobą.

– Naprawdę? – Cofam się w czasie. Gdzie jest moja córka, tak szaleńczo zakochana w starszym od niej włoskim chłopcu?

– No tak, mówił dużo o swojej pracy i o tym, gdzie był. Dużo czasu spędza w Rimini, na wybrzeżu. W kółko mówi o Adriatyku. Iva Lou zapytała go, czy ma dziewczynę, na co on powiedział „kilka", co moim zdaniem było w złym guście.

– To jest w złym guście.

– On ma wielkie ego.

– Jest młody. Jest Włochem. Cóż się dziwić... – mówię.

Etta opiera się na poduszkach. – Za dużo o wszystkim rozmyślam. Wszystko analizuję do upadłego. Jestem zbyt krytyczna.

– Skąd ja to znam... – mówię.

Etta uśmiecha się porozumiewawczo. Im dokładniej ją obserwuję przez te piętnaście lat, tym bardziej wydaje mi się podobna do mnie.

– Zawsze taka byłam. To jedyna rzecz, którą chętnie bym w sobie zmieniła. Uwielbiam ludzi, którzy potrafią być lekkomyślni i iść przez życie jak małe ptaszki, wiesz, siadają na ziemi, podziobią coś i odlatują. Nic im się nie wydaje zbyt skomplikowane. Niczym się za bardzo nie przejmują.

Etta patrzy na mnie, jakby doskonale rozumiała, o czym mówię. – Pamiętasz, jak Stefano wyjeżdżał z Big Stone Gap, a ja byłam taka smutna?

– Pamiętam.

– Obiecałam sobie, że już nigdy nie pozwolę, żeby jakikolwiek chłopak tak mnie zasmucił.

– I jak to działa?

– Całkiem nieźle. Nie pozwalam sobie za bardzo się angażować, mamo. Zachowuję dystans. Chłopcy są zbyt zmienni, i Amerykanie, i Włosi.

Trochę mnie przeraża, że moja córka jest tak opanowana i pewna, że ma plan, jeśli chodzi o chłopców. Ale też martwi mnie, że izoluje się od świata, tak jak ja przez długi czas. Nie chcę, by Etta miała zahamowania podobne do moich. To część mojego osobistego dziedzictwa, które ona – mam nadzieję – odrzuci. Jest jednak coś w kobietach mojego rodu, że zbyt często zastanawiają się, czy zasłużyły na szczęście. Są silne w obliczu miłości i odrzucają ją, by uniknąć ewentualnego bólu. Etta ma dopiero piętnaście lat, jest za młoda na takie pomysły. A skoro teraz się przede mną otwiera, muszę ją ośmielić. Nie powiem nic niewłaściwego.

Siadam w nogach łóżka. – Wiesz, co moja mama zawsze mi mówiła? Że wszystkie odpowiedzi na wszystkie pytania są już w tobie. Musisz tylko słuchać.

– A to prawda? – Etta odkłada brulion.

– Tak myślę.

– Jak się tego nauczyć?

– Cóż, to przychodzi z doświadczeniem. Podobnie jak zaufanie do samej siebie. W nocy, zanim pójdę spać, myślę o tym, co mnie martwi. A potem mówię sobie, że problem rozwiąże się, kiedy będę spać.

– I budząc się, znasz odpowiedź?

– Czasami. Ale zawsze, czuję, że jestem na właściwej drodze.

– To interesujące. – Etta bawi się pasmem włosów.

– Jak ty widzisz swoją przyszłość, kochanie? Kiedy już opuścisz tatę i mnie i pójdziesz w świat? Jak siebie widzisz?

– Cóż, pracuję. Lubię miasta, ale wolałabym mieszkać w jakimś niezbyt dużym.

– Nie w Cracker's Neck Holler?

– Może kiedy będę starsza.

– A co z rolą żony?

– Mamo! – Z tonu Etty zgaduję, że mam nie drążyć tego tematu.

– Tak się tylko zastanawiałam.

– A ty siebie widziałaś? – Odbija pytanie i z pewnością czeka na szczerą odpowiedź.

– Nie.

– Ale wyszłaś za tatę.

– I nikt nie zdumiał się tym bardziej ode mnie. To właśnie próbuję ci wytłumaczyć, Etto. Bądź otwarta na wielkie niespodzianki, bo na pewno takie cię czekają, przysięgam.

– O czym tu tak gadacie? – Iva Lou wchodzi do pokoju. Włosy ma nawinięte na wałki wielkości puszki z sokiem pomarańczowym. – Och, to coś poważnego. – Odwraca się i wychodzi.

– Nie, nie, już skończyłyśmy. – Wstając, pytam Ivę Lou: – Dobrze się bawisz?

– No wiesz? Spójrz na mnie. Rozlewam się od radości nieporzuconej. Mój tata tak mawiał. Nie mam pojęcia, co to znaczy, ale pasuje mi do tego, co czuję do Włoch.

– Bardzo się cieszymy, że tu przyjechałaś.

– A ja czuję się jak w rodzinie. Nie wiem, jak wam wszystkim dziękować.

Idąc do swojego pokoju, słyszę, jak Iva Lou piszczy z uciechy, zupełnie jak ja, kiedy się po raz pierwszy położyłam na puszystym, mięciutkim łóżku i zanurzyłam się co najmniej na pół metra w gęsim puchu. Stoję na korytarzu. Ona i Etta się śmieją. Moją córkę-jedynaczkę ominęło życie w wielkiej rodzinie, ale to, co dostała w zamian, jest równie cenne. Ile dziewcząt ma przyszywaną ciotkę taką jak Iva Lou? Czasami przez to, że czegoś w życiu nie mamy, robi się w nim miejsce na coś jeszcze lepszego.

Rozdział ósmy

– Gdzie są moje dziewczynki? – krzyczy ojciec głębokim barytonem u dołu schodów na Via Davide. Etta i ja zbiegamy prosto w jego ramiona.

– Czy to dotyczy również mnie, Mario da Schilpario? – pyta Iva Lou ze szczytu schodów.

– Oczywiście.

Papa cieszy się dobrym zdrowiem, krzepkością i młodością. Ma na sobie sprane dżinsy (z zaprasowanymi kantami, oczywiście), podwinięte mniej więcej centymetr od brzegu, i beżowy kaszmirowy sweter z dekoltem w serek. Od czasu ostatniej wizyty w Big Stone Gap nie postarzał się zbytnio, przynajmniej na twarzy. Ostre kąty szczęki i kości policzkowych oraz silne, wygięte w łuk brwi są równie wyraziste jak zawsze. Dobrze, że się urodziłam, kiedy był taki młody, bo teraz jako dojrzała osoba mam ojca. Na tę myśl przenika mnie dreszcz. Mam nadzieję, że gdydy Etta mnie potrzebowała w późniejszym życiu, będę pod ręką. – Gdzie Gacomina?

– W Schilpario, przygotowuje się na wasz przyjazd.

– Nie mogłaby wyszykować tej górskiej drogi, o której tyle słyszałam, hę? – żartuje Iva Lou.

– Nie, nie, za drogę się nie zabiera.

– Mario da Schilpario, czy ona jest taka straszna, jak mówią? Czy mam się denerwować?

– Nie, skoro ja jestem twoim kierowcą.

Iva Lou, Etta i ja jedziemy z tatą, który ma tysiące pytań do Etty o szkołę, jej staż i nawet o Sio. (Sadzamy Ivę Lou na przednim siedzeniu, na wypadek gdyby kręta droga ją przerosła). Jack Mac podąża za nami w furgonetce z bagażem. Chciałam z nim jechać, ale on chyba czasami lubi być sam; od początku podróży otoczają go kobiety. W takich chwilach jak ta myślę o synu – powinien żyć dla swojego ojca, który był taki z niego dumny. Bez względu na to, dokąd jedziemy i co robimy, Joego zawsze brakuje. Oglądam się do tyłu i widzę, jak blisko nas trzyma się Jack. Ogarnia mnie smutek.

– Może powinnam jechać z tatą? – pyta Etta. Chyba czyta w moich myślach.

– Wygląda na zadowolonego.

– Wspominasz Joego?

– Zawsze.

– Ja też.

Zastanawiam się, jak toczyłoby się życie, gdyby nasz syn był tutaj. Albo jakie byłoby, gdybyśmy mieli więcej dzieci. Próbowaliśmy, ale nie wyszło. Odebrałam to jako znak, żeby nie kusić losu, żeby cieszyć się Ettą, skupić na niej. A czego ona by chciała? Na pewno miała nadzieję doczekać się sióstr albo braci. Byłam jedynaczką i często wyobrażałam sobie dom pełen rodzeństwa i czułam, jaka to musi być radość. Jack też był jedynakiem, ale on patrzył na to inaczej. Lubił być sam i uwielbiał to, że skupia na sobie uwagę obojga rodziców. Jack nadal nie potrafi mówić o swoim ojcu bez emocji. Byli sobie bardzo bliscy i Jack powiedział mi, że nie zamieniłby tego na nic.

– Kiedy tylko poczuję się naprawdę szczęśliwa, myślę o Joem i robi mi się bardzo smutno, że go nie ma – mówi cicho Etta.

– Mnie też. – Nie powinnam w niej podsycać poczucia winy. – On chciałby, żebyś była szczęśliwa, Etto.

– Wiem.

– Pamiętasz ten dzień, kiedy była wielka śnieżyca?

– Ten, kiedy robiliśmy lody?

– Właśnie.

– Było tak zimno. Ty, Joe i ja opatuliliśmy się, poszliśmy do lasu z wiadrem i zrzucaliśmy z gałęzi czysty śnieg. Joe i ja byliśmy tacy mali, że ty musiałaś to wszystko robić. A potem wróciliśmy do domu i wzięłaś cukier i śmietanę i wymieszałaś to z czystym śniegiem. Smakowało doskonale.

– To był fajny dzień, prawda?

Etta nie odpowiada. Wygląda przez okno. Czasami zapominam, że też przeszła całą tę gehennę, i myślę, że tylko ja straciłam Joego. Może to dlatego, że jestem matką i że to ja go urodziłam. Ale przecież Etta straciła brata, a Jack syna i wszyscy zmieniliśmy się na zawsze. Bez względu na to, dokąd pójdziemy, zawsze będziemy go szukać, czy to na krętej alpejskiej drodze, czy na polu za domem w Cracker's Neck Holler.

Iva Lou wydaje dźwięk, jakiego nigdy wcześniej nie słyszałam, kiedy tata bierze ostry zakręt, potem przyspiesza na prostej, zwalnia na ciemnym zakręcie, a tuż za nim przyspiesza jeszcze bardziej.

– Czy ktoś tu już spadł? – pyta tatę Iva Lou, chwytając się deski rozdzielczej jak ręki Boga.

– Niezbyt często.

– Jak często jest to niezbyt często?

– Co kilka lat czy jakoś tak. – Papa się uśmiecha, nie odrywając wzroku od drogi. – Spędziłaś życie za kierownicą w bibliobusie, tak?

– Ehe – piszczy Iva Lou.

– To wiesz, że nic nie może się zdarzyć, kiedy znasz drogę.

– Skoro tak mówisz, Mario – odpowiada słabo.

– Tato, zatrzymaj się, żeby Iva Lou mogła popatrzeć w dół – mówię.

– Nie chcę patrzeć w dół – upiera się Iva Lou z zamkniętymi oczyma.

– Tu jest naprawdę ślicznie, ciociu – zapewnia Etta.

Papa zatrzymuje się na poboczu, za nim staje Jack. Iva Lou oddycha głęboko. Etta nakłania ją, by wysiadła z auta.

– Chodź. Tutaj – komenderuje Papa. – Czyż to nie jest zachwycający widok? Jezioro Iseo!

– Boże święty! To dopiero przepaść. – Iva Lou zerka i natychmiast robi odwrót do samochodu.

– Iva Lou, nie może cię to ominąć. Patrz. – Zatrzymuję ją delikatnie. Jezioro Iseo to widok jak z bajki: leciutka, mleczna mgiełka, różowe poranne światło i ruch wiatru, który muska nas niemal melodyjnie. Powietrze przesiąknięte jest zapachem słodkich winogron, rosnących nad prostymi łukami z drewna wzdłuż niekończącej się ścieżki pospinanej małymi mostkami. Mostek kołysze się nad potężnym wodospadem, którego woda huczy tak głośno, że musimy do siebie krzyczeć. Wodospad zaczyna się gdzieś na zboczu góry, a srebrne wstęgi wody spadają w nieskazitelnie szafirowe jezioro poniżej. Odległe zbocze góry ma stromą grań, z której sterczą w niebo skałki niczym drżące kamienne palce.

– Co to jest, papo? – pytam, wskazując na formacje skalne.

– Nazywamy je Lasem Wróżek. Są tajemnicze. Cud natury. Nikt nie wie, jak powstały.

– To musiała być magia. Skąd by się wzięły? Ta wysoka. Albo ta niska – zastanawia się na głos Iva Lou.

– Warto było wysiąść? – pyta ją tata.

– Zdecydowanie.

Bierzemy zakręt i wjeżdżamy na stare miasto krętą główną ulicą Schilpario, między rzędami przylegających do siebie białych domów zdobionych sztukaterią, z ciemnymi belkami i okiennicami. Papa jedzie powoli, delikatnie przyciskając klakson, a piesi przesuwają się na jedną stronę wąskiej brukowanej ulicy. Nagle oblewa nas słońce, a przed oczami tętni życiem znajomy plac, koło młyńskie obraca się dostojnie, kobieta podlewa maleńki ogródek śnieżnobiałych szarotek, a kilka dziewcząt mniej więcej w wieku Etty wychodzi z piekarni z długimi bochnami chleba i kieruje się w górę ulicy.

Przy Via Scalina numer 5 Giacomina wypatruje nas na ganku. – Witajcie! – mówi, rozkładając szeroko ramiona. Ubrana jest w prostą granatową spódnicę i bladoniebieski sweterek, okulary do czytania kołyszą się na perłowym sznurku zawieszonym na szyi. Ma piękne klasyczne rysy.

Zza pleców Giacominy wyłania się *nonna* i odsuwa ją trochę. – Ave Maria! – woła moja babcia głosem na co dzień zarezerwowanym na mecze piłkarskie. *Nonna* się nie starzeje. Może ożenek papy z Giacominą postawił przed nią nowe wyzwanie i to daje jej nowe życie.

– Etta!

Któż to może krzyczeć tak entuzjastycznie do naszej córki? To jej kuzynka Chiara, która podskakuje na widok swojej korespondencyjnej przyjaciółki.

– Chiara! – piszczy Etta.

Dziewczynki biegną do siebie i rzucają się sobie w ramiona. Właściwie słowo „dziewczynki" już do nich nie pasuje. Chiara to osiemnastoletnia kobieta. Jej czarne włosy są gęste i ciężkie, a niegdyś patykowate nogi – teraz smukłe i kobiece. Doskonale wygląda w długiej lnianej spódnicy do kostek i haftowanej białej chłopskiej koszuli wpuszczonej do środka i podkreślonej szerokim paskiem. Espadryle ma zawiązane w pęcinach jak Rzymianka, a złote kolczyki w kształcie kół nadają jej wygląd nieco hiszpański. Powiedzieć, że Chiara wyrosła na piękność, to zdecydowanie za mało – ona jest jak marzenie. Chiara wita Jacka i mnie, a Etta przedstawia jej Ivę Lou, która czuje instynktowną sympatię do tej seksbomby, być może rozpoznając w niej swoje przyszłe alpejskie drugie ja. Angielski Chiary jest doskonały. Studiuje dziennikarstwo na uniwersytecie w Bergamo, żeby zostać zagraniczną korespondentką.

Jack i ja zajmujemy pokój, który kiedyś dzieliłam z Ettą. Już samo przebywanie w nim napełnia mnie poczuciem przynależności i bezpieczeństwa. Czuję, że to jest mój pokój w domu mojego ojca, a Giacomina chyba rozumie, jakie to dla mnie ważne. Umieściła

Ettę obok, w pięknym jednoosobowym pokoju z leżanką i małym biurkiem. Giacomina okleiła ściany tapetą w małe stokrotki; czuję się, jakbym siedziała w bombonierce.

Iva Lou dostaje apartament, w którym jest kominek i miejsce przy oknie z widokiem na drogę prowadzącą z Via Scalina w Alpy. Giacomina zostawiła nawet lornetkę na komodzie, żeby Iva Lou mogła patrzeć w gwiazdy albo na szczyty gór.

Po sutym lunchu złożonym z pansoti – delikatnych zwojów makaronu wypełnionych serem ricotta w sosie z oliwy i orzeszków piniowych – chrupiącego chleba i śliwkowego, mocnego wina dolcetto wszyscy wychodzimy.

Przekonuję Jacka i Ivę Lou, żeby poszli ze mną na spacer. Iva Lou pokonuje górskie ścieżki jak kozica; w końcu wychowała się w Blue Ridge Mountains. Przystaje od czasu do czasu, by zachłysnąć się pięknem widoków. – Albumy tego nie oddają. – Siada pod skałą i pije wodę z manierki (dopasowanej do kombinezonu i bladoniebieskiej apaszki).

– Czy to nie zdumiewające, że we Włoszech wszystko jest tak blisko siebie? – zastanawiam się na głos.

– Doskonały kraj na wakacje, bo można szybko trafić w zupełnie różne miejsca – dodaje Jack. – Ja idę dalej, a wy, dziewczęta, sobie odpocznijcie.

– Nie zgub się! – wołam za nim.

– Będę podążał za szumem wody, kochanie – odkrzykuje i znika w górze ścieżki.

– Mówiłaś o tym miejscu i pokazywałaś zdjęcia, ale to naprawdę niewiarygodne. – Iva Lou podkasuje spodnie, by wystawić nogi do słońca. – Jak w jednym miejscu może być jednocześnie spiekota i zimny wiatr?

– Nie wiem.

– A gdzie łąka dzwonków? – szeptem pyta Iva Lou.

Słynna łąka dzwonków, na którą zabrałam Pete'a Rutledge'a i o mało nie złamałam przysięgi małżeńskiej. Ów dzień mógł zmienić moje życie, gdybym na to pozwoliła. Tamta łąka jest moim miejscem tajemnym i niespieszno mi dzielić się nim z kimkolwiek, nawet z Ivą Lou.

– Trzeba pójść w inną stronę – mówię. Myślę, że Iva Lou rozumie, o co chodzi, i nie naciska.

– Jak się czujesz w tym całym włoskim otoczeniu?

– Kiedy tu przyjeżdżam, nie chce mi się wracać do Stanów.

– To akurat rozumiem. A jak to jest, kiedy czekają na każde twoje skinienie? To zupełnie jak być księżniczką. Ta włoska gościnność to nie żart. Południowcy są niezrównani.

– Dbają o szczegóły, zauważyłaś?

– Nic nie mów. Giacomina zostawiła mi nawet w komodzie świeżą koszulę nocną. Wiesz, o co mi chodzi. Oni myślą z wyprzedzeniem! Twoja *nonna* to petarda, co nie?

– Biedna Giacomina. Nie wiem, jak ona sobie z tym radzi.

– No wiesz, babcia była w zestawie.

– Ja bym tego nie wytrzymała.

– Ja też nie. Jak myślisz, dlaczego wyszłam za mężczyznę dziesięć lat starszego ode mnie? Szukałam sieroty. Nie chciałam być laską po czterdziestce, użerającą się z teściową.

– Jestem pewna, że Lyle czuje to samo.

– O nie, on kochałby moją mamę. Ale tata, o, to już inna historia. Lyle nie cierpi ludzi, którzy uchylają się od odpowiedzialności. A mój tata był takim wiecznym miglancem. Ostatnio dużo o nim myślałam. O tym, jak nas zostawił. Dlaczego to zrobił. Jak to na mnie wpłynęło. Może nakłoniło mnie do tego przebywanie z twoim tatą. Nie wiem.

– Jak się nazywał?

– Jessie Creed Wade. Gdybym kiedykolwiek miała syna, nazwałabym go Jessie. Chyba przez całe życie chciałam zastąpić tatę.

– Lubię to imię. Jest silne.

– Był pochodzenia szkocko-irlandzkiego i francusko-indiańskiego.

– To stąd masz takie kości policzkowe.

– Tak mawiała mama. To i temperament.

– Jaki on był?

– Pamiętam, że nerwowy. Niemal płochliwy w kontaktach z nami, życie rodzinne to było dla niego za dużo. Wiesz, wielu ludzi nie ma nerwów do wychowywania dzieci, a on na pewno do takich ludzi należał. I robił się smutny, wyjeżdżając z domu. Kiedy nie było pracy, wyruszał na północ, do Michigan, pracować w fabrykach. Pewnego dnia wyjechał i minęło dobre osiem lat, zanim znowu go zobaczyliśmy. Mama była wykończona, wciąż próbowała go odnaleźć, i w końcu, wiesz, w końcu go wyśledziła. On zawsze kierował się na północ. Mama narzekała, że on nas nie kochał. Ale ja patrzyłam na to inaczej. Myślę, że on kochał nas tak bardzo, że to go bolało. Nie pochodził ze szczęśliwej rodziny i nie wiedział, jak taki dom stworzyć. I to go przerażało śmiertelnie.

– Nie masz do niego żalu?

– Nigdy nie miałam. Mamie się to nie podobało. Uważała pewnie, że powinnam obarczać go odpowiedzialnością. Ale ja rozumiałam tego faceta, nawet jako dzieciak go rozumiałam. Wiedziałam, z jakiej gliny jest ulepiony, i nie oczekiwałam od niego niczego więcej. A potem oczywiście, wiesz, poznawałam jakichś mężczyzn i zawsze pamiętałam, żeby nie oczekiwać zbyt wiele.

– Skoro więc Lyle wciąż ...

– Jestem zaskoczona. I szczęśliwa, że tak mnie zaskakuje, swoją drogą. Nie, Lyle Makin szokuje. Nie mogę wyjść ze zdumienia, jak dobrze zniósł mojego raka albo że wytrwał, kiedy mnie nosiło, bo szukałam dreszczyku emocji, że wytrzymał moją potrzebę samotności. Myślę, że jestem jak mój tata. Chcę być w ruchu, chcę, żeby coś się działo.

– Jesteś dziewczyną z gór, która tęskni za oceanem.

– Pewnie tak. Nie mogę uwierzyć, że jestem tutaj. Wade'ówna z Appalachii we włoskich Alpach. I jak się tu znalazłam? Jak to się stało? Prymuska w klasie stenografii, przewodnicząca Klubu Bibliotecznego Szczęśliwa Karta. A teraz jakaś cholerna podróżniczka. Co za życie.

Podążamy tropem Jacka, mówiąc niewiele. Myślę o swoim ojcu, Mariu, i o człowieku, który mnie wychował, Fredzie Mulliganie, i o matce, która kochała Maria aż do śmierci, ale służyła Fredowi aż do dnia jego śmierci. Kiedy dorastałam, myślałam, że rodzice zejdą na dalszy plan, że pierwszeństwo zdobędą moje dzieci. I stawiam oczywiście Ettę na pierwszym miejscu, ale prawdą jest też, że nigdy nie przestało dręczyć mnie to, jakich miałam rodziców, ani nie wyzbyłam się smutku, że moja mama dopiero po śmierci ujawniła tajemnicę, kto jest moim prawdziwym ojcem. Często zastanawiam się, czy moje życie byłoby inne bez wstydu tej tajemnicy. Czy byłabym śmielsza? Czy zostałabym w Big Stone Gap? Punkt widzenia kobiety zakochanej zmienia się. Staje się partnerem, organizatorem i zostawia za sobą samotne życie. Mężczyźni zdają się kontrolować swoje przeznaczenie. Czyż ojciec Ivy Lou nie odszedł, kiedy – nieważne, z jakiego powodu – życie rodzinne go przerosło? Fred Mulligan, który mnie wychował, ale nigdy nie przytulił – czyż nie znalazł sposobu zachowania swojej samotności, mimo że miał rodzinę? A Mario da Schilpario? Całe jego życie jest świadectwem wyborów, a nie powinności. Nigdy nie mówiłam, że nasz świat to świat mężczyzn, ale często tak mi się wydaje, i tak będzie się wydawało mojej córce. I wiem – to pewne tak bardzo jak to, że podnoszę ten kamień ze ścieżki i rzucam go do lasu – że moja córka zadba o mnie na starość. Czy mój syn, gdyby żył, czułby to samo? Nie, on gdzieś tam realizowałby własne życiowe cele. Codzienna opieka nad starymi rodzicami to zadanie kobiet. Nawet gdybym go wychowała na mężczyznę bardzo wrażliwego, jego indywidualne potrzeby zwyciężyłyby poczucie odpowiedzialności za matkę.

– Dziewczęta, tędy! – krzyczy z daleka Jack Mac. Iva Lou idzie za jego głosem, a ja za nią.

– O co ten hałas? – pytam, kiedy stajemy u boku mojego męża.

– Niech mnie diabli. Pawie. Cała masa – mówi cichutko Iva Lou.

– Patrzcie. – Jack gwiżdże, a pawie na ten dźwięk się rozbiegają, porzucając bezpieczene zgromadzenie. Stają w pojedynkę, każdy na własnej przestrzeni, i przybierają dumną postawę. Nagle widzimy, jak z głośnym łopotem, rozwija się pierwszy pawi ogon. Ptak staje, wyciąga szyję i rozpościera imponujące pióra. Jasny turkus i czysta biel pysznią się w całej okazałości, odsłaniając koniuszki o barwie lśniącej pomarańczy i poprzeczne paski błyszczącej czerni. Każde pióro ma w środku kółko, które mieni się jak macica perłowa.

– Wiesz, że paw jest symbolem życia wiecznego? – szepczę do Ivy Lou.

Ona milczy, tylko patrzy przez lornetkę jak mała dziewczynka, z nabożną czcią dla każdego ruchu ptaków, nie pomijając żadnego szczegółu przedstawienia, jakby przygotowano je specjalnie dla niej.

– To są Włochy – wzdycham. – Tu za każdym rogiem może wydarzyć się coś, czego zupełnie się nie spodziewasz.

Etta i Chiara idą na stare miasto na *la passeggiatta*, tradycyjny poobiedni spacer, a Jack, Iva Lou, Giacomina, Papa i ja siadamy przed domem i jemy świeże jagody z krzaczków za domem.

– Pokażę ci zdjęcia Pete'a i Giny z ich wizyty w zeszłym roku. – Giacomina wstaje i wchodzi do domu.

– Poznaliście żonę Pete'a? – pyta Papa.

– Nie. Mają podobno zawędrować do Big Stone Gap, ale wciąż to odkładają – mówi Jack.

– Spędziliśmy z nimi miłe chwile.

Giacomina wraca z plikiem zdjęć.

– To Gina. – Mario wskazuje drobną kobietę z elegancko ostrzyżonymi blond włosami. Ma okulary przeciwsłoneczne i uśmiecha się do zdjęcia. Ma zdrowe zęby. Dużo zębów. Długich. Wąskich. Białych. Pete wygląda... hmmm... Pete wygląda olśniewająco.

– Ach, to dopiero przystojny mężczyzna. – Iva Lou, przygląda się zdjęciu. – Kobieta też – dodaje szybko, zerkając na mnie.

Chciałabym wstać i powiedzieć: „To wszystko jest za bardzo pokręcone", ale biorę na wstrzymanie. Uśmiecham się tylko i patrzę na zdjęcia razem z innymi. Szaleję na punkcie swojego męża, ale prawdę mówiąc, kiedy patrzę na zdjęcie Giny, trochę jej zazdroszczę. Ma faceta, który recytuje wiersze i jest równie wrażliwy, jak inteligentny.

– Mamy dla was prezent – mówi ojciec do Jacka i do mnie.

– Papo, i tak już wystarczająco dużo zrobiłeś – zapewniam.

– Nie, ten jest tylko dla was dwojga. – Papa wręcza mi kopertę. – Pomógł w tym mój kuzyn Battista.

Otwieram kopertę. W środku jest pojedyncza kartka ze złotym obramowaniem, wypisana po włosku: zaproszenie dla mnie i Jacka na dwie noce w Villa d'Este nad jeziorem Como.

– Battista Barbari jest jednym z kierowników hotelu. To twój kuzyn w drugiej linii. Odwiedził nas przed miesiącem i chciał cię poznać. No i to przyszło pocztą. Naprawdę nie możecie tego przegapić. – Mój ojciec rzadko popiera coś tak usilnie.

– Kiedy mamy jechać?

– Jutro. Weźcie samochód. Droga zabierze wam godzinę, półtorej. Musicie zjechać na dół i potem skręcić trochę na północ, aż dotrzecie do Cernobbio.

– A co z Ivą Lou i Ettą? – pytam Ivę.

– Kochanie, lista rzeczy, które chciałabym tu zrobić, jest długa jako moje ramię. Ty i Jack Mac możecie spokojnie udać się na spotkanie w romantycznej scenerii.

Giacomina klepie Ivę Lou po ramieniu i spogląda na mnie. – Nie martw się. Zadbam o Ivę Lou. Zabierzemy ją do Bormio do spa i na kąpiel parową, a potem zatrzymamy się w Clusone. Nie będzie za tobą tęsknić! I nie martw się o Ettę. Chiara znajdzie jej zajęcie na całą wizytę.

Śmiech dobiegający z kuchni budzi mnie w moim królewskim łożu na drugim piętrze przy Via Scalina. Budzę się szczęśliwa, jako że dzisiaj Jack i ja jedziemy do Villa d'Este.

Aromat świeżo parzonej kawy i słodkiego gorącego mleka wita mnie w drzwiach jadalni. Wszyscy siedzą przy stole, rozmawiając, zajadając się chrupiącym chlebem z puszystym masłem i dżemem malinowym.

– Stefano! – jestem zdumiona jego widokiem.

– Tęsknił za nami, mamo – śmieje się Etta.

– Myślałem, że może zechcecie skorzystać z przewodnika – uśmiecha się do mnie Stefano.

– Jack i ja jedziemy dzisiaj do Villa d'Este.

– On już wie, mamo. Tata mu powiedział.

– My robimy wielkie plany, a wy wyjeżdżacie. Stefano zamierza nas przepędzić przez te góry – mówi Iva Lou.

Jack pogania mnie. Mam spakować małą torbę na naszą podróż. Iva Lou idzie ze mną na górę, żeby mi pomóc.

– Iva Lou...

– Kochanie, nawet nie musisz mi tego mówić. Będę pilnować Etty jak jastrząb świeżo mielonej wołowiny. Nie martw się.

– Dziękuję. Naprawdę będę ci wdzięczna.

– Ten cały Stefano ma taki błysk w oku. To znaczy błysk jest w oku, ale jego całe ciało iskrzy się od możliwości, jeśli wiesz, co mam na myśli. – Iva Lou rzuca na mnie jedno spojrzenie i wie, że jestem zakłopotana. – Słuchaj, o nic się nie martw. Jeśli istnieje na świecie przyzwoitka, która zna na wylot chytre i tajemne męskie sztuczki, to ja nią jestem. Będę trzymać ich z dala od siebie, nic tylko przyjaźń, obiecuję!

Nastawienie Ivy Lou jest doskonałe, ale ja wolę się podwójnie zabezpieczyć. Odciągam na bok Papę i Giacominę i proszę ich, żeby pod moją nieobecność uważali na Ettę. Etta ma głowę na karku, ale nawet mnie skusił romans w tych Alpach. To miejsce stworzone do kochania, a moja córka jest młodziutka. Niby mówi, że nie interesuje się Stefanem, ale w sprzyjających okolicznościach może dać się zauroczyć. Giacomina pojmuje więcej niż Papa, po którym co prawda można by się spodziewać natychmiastowego zrozumienia sprawy, ale jest inaczej. Stefano to według niego dobry chłopak i nie mógłby czegokolwiek próbować. – To nie o Stefana się martwię – mówię Papie. Teraz w końcu rozumie.

Brama do Villa d'Este jest tak imponująca, że aby ją przekroczyć, powinnam chyba siedzieć w kryształowym powozie i mieć diadem na głowie. Strażnik o długiej, poważnej twarzy sprawdza na liście gości nasze nazwiska. Znalazłszy je, uśmiecha się szeroko i gestem zaprasza nas do środka. Jack rusza powoli, żeby nie przeoczyć żadnego szczegółu tego wjazdu, który wygląda jak początek krętej drogi w bajce, z doskonale wymodelowanymi krzewami, klombami czerwonych aksamitnych begonii, drzewami obsypanymi otwartymi kielichami białych magnolii i herbem wkomponowanym w obsadzone kwiatami zbocze. Ogrody to jednak nie największy skarb tego miejsca. Nad brzegiem Como jest niska kładka z poręczą w stylu rokoko, a samo jezioro sprawia wrażenie wypełnionego ciemnogranatowym lapisem, a nie wodą, tak cudownie mieni się w słońcu.

Jak we wszystkich bajkach droga prowadzi do zamku zwanego tu Pałacem Kardynalskim. Wznoszący się nad przystanią Pawilon Królowej, willa o fasadzie w kolorze umbry, stoi zwrócony przodem do głównego budynku, gdzie umieścił nas Battista. Jack nic nie mówi, jako że nigdy w życiu niczego podobnego nie widział. To jest miejsce dla wielkich tego świata, elegancko ubranych, uczesanych i wyperfumowanych. Nic dziwnego, że Ava Gardner i Frank Sinatra spędzili tu miesiąc miodowy; Karolina Brunszwicka, księżna Walii, tutaj przebywała na wygnaniu; Clark Gable wędrował po okolicy, a Ginger Rogers pływała w basenie unoszącym się na jeziorze. To miejsce jest niebiańskie i należą do niego gwiazdy. Ale Jack i ja? Zrobimy, co w naszej mocy, żeby się nie wgapiać przez te dwa dni we wszystko, co widzimy.

– Jestem taki szczęśliwy, że zdecydowaliście się przyjechać – mówi Battista, mój kuzyn, wytworny jak książę, prowadząc nas do pokoju.

Przekomarzamy się po włosku, a Jack rozgląda się i podziwia architekturę. Wysokie sufity są w odcieniach żółci, a marmurowe schody z drobinkami srebra odbijają światło w każdym kierunku. Battista bierze wielki klucz z koperty (nawet klucz ma frędzel) i otwiera pokój 218, apartament z widokiem na jezioro. Uchyla okno i wpuszcza lekki powiew, który igra w zasłonach w wyraziste, bladoniebieskie pasy. W salonie stoi aksamitna kanapa i krzesła w niebiesko-szare prążki, wazon świeżych żółtych róż na szklanym stoliku. W sypialni jest mnóstwo draperii i szafa w ścianie, a także francuskie drzwi na balkon wychodzący na jezioro. Battista widzi, że jestem oszołomiona. – Nic jeszcze nie jedliście. A przecież z kuchni przede wszystkim słyniemy!

Zostawia nas, żebyśmy się rozpakowali. Jack i ja patrzymy na siebie, jakbyśmy wylądowali na obcej planecie.

– Mamy tylko dwa dni! – lamentuję. – Zostańmy tu, nad jeziorem, i zobaczmy wszystko, co możliwe.

Rozpakowaliśmy się i uzgodniliśmy plany – obejrzymy posągi, pójdziemy na pływający basen. Ale zanim dotrzemy do drzwi, Jack odwraca się do mnie, bierze mnie w ramiona i całuje tak jak za pierwszym razem, obok przyczepy Ivy Lou przed wielu laty. Wyjmuje mi z dłoni aparat, zdejmuje z nosa okulary przeciwsłoneczne i padamy na łóżko. Słyszę delikatne fale jeziora i czuję zapach jaśminu, który pnie się wokół balkonu. Znowu czuję się młoda, całkowicie złączona z Jackiem, nie tylko przez śluby, ale przez każdy moment naszego życia. Mój mąż patrzy na mnie i rozumie, co myślę (to jeden z plusów, albo minusów, długiegu stażu małżeńskiego). Śmiejemy się ze swojego pośpiechu i namiętności – skąd się TO bierze? Dzisiaj dowiaduję się czegoś bardzo ważnego: entourage ma niebagatelne znaczenie! Wiejska dziewczyna na zamku zachowuje się jak księżniczka i oczekuje od mężczyzny, że przemieni się w księcia.

Każego wieczoru na werandzie odbywa się dancing. Dzięki Bogu, wzięłam wyjściową suknię swojej mamy, prostą, bladoniebieską, jedwabną, obcisłą, z odkrytymi ramionami, przed kolana. Jack wygląda przystojnie w granatowym garniturze i czerwonym krawacie. Battista obiecuje dziś wieczór coś specjalnego i nie możemy się tej niespodzianki doczekać. (Świetne jedzenie i kuchnia stało się motywem przewodnim w naszej rodzinie; w Nowym Jorku był to Max, we Florencji Renzo, a teraz Villa d'Este!).

Kelner sadza nas nad wodą i mówi, że Battista już złożył zamówienie. W chwili gdy pojawiają się nasze napoje, Jack pokazuje coś na jeziorze. – Patrz, Ave! – Obok Pawilonu Królowej unoszą się dwa balony na gorące powietrze, jeden z obliczem księżyca, drugi słońca. Lecą nad nami, a z ich koszy zwisają trapezy z artystami cyrkowymi. W jadalni wybucha burza oklasków. Kobieta przy stoliku obok mówi do męża, że ta noc nazywa się „Przyjęcie wieczorne w środku lata". Nic dziwnego, że Papa wysłał nas właśnie tutaj. Nie musimy dzisiaj marzyć – cóż może być bardziej fantastyczne niż to?

Później, kiedy Jack i ja układamy się do snu, spoglądamy wciąż na siebie i wybuchamy śmiechem. To przebija nasz miesiąc domowy, a może dojrzeliśmy już, by doceniać takie noce jak ta, delektować się nimi.

– Wiesz, co w tobie kocham? – Jack otacza mnie ramionami. Przyglądam się *trompe l'oeil* na drzwiach szafy, wyobrażającemu scenę pikniku na jeziorze Como.

– Co?

– Umiesz się dziwić.

– Kto by nie umiał w takim miejscu jak to?

– Znam mnóstwo ludzi, których nic nie jest w stanie zdziwić. – Przyciąga mnie jeszcze bliżej. – Wiesz, że nikogo nigdy nie kochałem tak jak ciebie.

Nie wiem, co powiedzieć. Nigdy tak do mnie nie mówił. W każdym razie nie ostatnio; może to kwestia szampana. A może courvoisiera po kolacji. Nieważne. Podoba mi się. I szczerze mówiąc, zamierzam wyciągnąć z niego więcej. – A dlaczegóż to? – pytam skromnie.

– Po prostu nigdy nie kochałem i nie sądzę, żebym jeszcze kiedyś pokochał. – Jack całuje mnie na dobranoc i odwraca się. Ciepły, delikatny powiew znad jeziora i zapach gardenii przynosi mnie do lata w Schilpario siedem lat temu, kiedy zostawiłam Jacka i tylko z Ettą przyjechałam do Włoch. Myślę o nim, samotnym, daleko w domu, i o jego przyjaźni z Karen Bell. To wydaje się tak odległe, niemal jakby się wydarzyło komuś innemu. Zamiast wyszarpywać nitki z tkaniny naszej przeszłości, odkładam ją na bok. Przetrwaliśmy trudne chwile. Ocaliła nas miłość albo coś jeszcze. Poradziliśmy sobie. Dbam o swojego męża, a on jest coraz bardziej zadowolony z naszego wspólnego życia. Muszę pamiętać, żeby zawsze być dla niego czuła, bo on niezmiennie jest czuły dla mnie. Przykrywam Jacka kołdrą, umieszczając haftowaną koronę na jego pupie jak naszywkę. Zaczynam chichotać.

– Co cię tak śmieszy?

– Kochanie, masz królewski tyłek. Teraz jesteś ofrankowany i atestowany.

Wcale nie mamy ochoty wyjeżdżać z Villa d'Este, ale też nie możemy się doczekać, kiedy wrócimy do Schilpario i opowiemy wszystkim, co przeżyliśmy. W drodze powrotnej zamierzamy zwiedzić urokliwą willę w Cernobbio i zjeść coś w Bellagio, które widzieliśmy z łódki w trakcie przejażdżki po jeziorze Como. Nasz kapitan, Sergio, pędził środkiem jeziora, póki nie zobaczył domu jakiejś gwiazdy, a wtedy wyłączał silnik i opowiadał nam o właścicielu, a my podskakiwaliśmy na falach. Domy często pasowały do lokatorów. Należący do Fiorucciego (postrzelonego projektanta butów) był cytrynowozielony z okiennicami w kolorze zieleni leśnej; dwupiętrowa, elegancka beżowa willa Catherine Deneuve (największej francuskiej gwiazdy filmowej) miała okiennice brązowe; dom rodziny Versace (projektantów mody) to biały zamek w stylu starego Hollywood, obramowany złotem i czernią. W sklepie jedwabnym Rattiego kupiłam pięć i pół metra wielobarwnego bouclé na płaszcz dla Etty. Mam nadzieję, że się jej spodoba. Moja mama zemdlałaby na widok jakości tych tkanin. W drodze powrotnej Jack kupuje trochę wina i sera w Saronno. Dzwonię do Papy i uprzedzam, że nie zdążymy na obiad i prawdopodobnie dotrzemy w środku nocy.

Zajeżdżamy pod dom taty, w oknie od frontu świeci się jedna lampa. Obładowujemy się paczkami, tak żeby zabrać się za jednym razem i wejść do domu przez garaż. Łatwo psujące się artykuły zanoszę do kuchni.

– Co to za raban? – pyta Jack, rzucając torbę na stół.

– Jaki raban?

– Ten. – Jack wskazuje na ulicę. Idziemy do okna. Zza rogu ulicy wyłaniają się śpiewające cztery postacie. I my znamy tę melodię. To piosenka z przedstawienia Teatru pod Chmurką, *Szlak samotnej sosny.*

– Jezu, to Iva Lou. Jest pijana – mówię do Jacka i pędzimy do drzwi. Śpiew przybiera na sile. – Etta? – Jack wyraźnie ma nadzieję, że to nie ona.

– Taaaaaaa-tuś. – Jedną rękę zarzuciła na szyję Ivy Lou o mętnym spojrzeniu, a drugą Chiary, której tusz do rzęs rozmazał się w dwa czarne trójkąty pod oczyma. Z cienia wyłania się mężczyzna podtrzymujący Ivę Lou.

– Stefano? To ty?

– Tak, proszę pani.

– Co tu się dzieje? – Mówię, jakbym była matką ich wszystkich, w tym także Ivy Lou.

– Poszliśmy do dyskoteki tam! – Iva Lou wskazuje na wzgórze nad nami i próbuje zrobić kilka chwiejnych tanecznych kroków. Jack podtrzymuje ją, zanim się wywróci.

– I piliśmy bell-iiiiii-niiii. – Etta odrzuca głowę do tyłu i śmieje się głośno. Jest pijana w sztok.

– Wchodźcie do domu – nakazuję surowo. Nawet w stanie nietrzeźwym Etta potrafi się zorientować, że nie żartuję. – Natychmiast.

Jack pomaga Etcie i Ivie Lou wejść do domu. Chiara, też podchmielona, idzie za nimi. – Zostajesz tu na noc, Chiaro – mówię.

– *Va bene* – odpowiada. Najwyraźniej alkohol odebrał jej zdolność posługiwania się angielskim.

– Baj, baj, Stefano – Tercet pijaczek macha mu na dobranoc, a Jack przepycha je przez drzwi.

– Ty też jesteś pijany? – Odwracam się do Stefana.

– Nie.

– Jak mogłeś na to pozwolić?

– Nie myślałem...

– Nie, nie myślałeś. Etta ma dopiero piętnaście lat.

– Wiem, ile ma lat, pani Mac – mówi spokojnie.

– Jest więc za młoda, żeby pić w klubie.

– Rozumiem. – Odwraca się i wsiada do samochodu. – Przepraszam.

Zanim docieram do Ivy Lou, ta już chrapie. Chiara leży twarzą w dół na łóżku polowym w pokoju Etty i wygląda, jakby spała. Etta wymiotuje w łazience, a ja decyduję, że na dłuższą metę lepiej będzie dla niej, jeśli pozwolę Jackowi podtrzymać jej głowę nad sedesem, bo ja mogłabym ją zabić.

– Umyła twarz i poszła do łóżka – melduje Jack, wchodząc do naszego pokoju.

– Czy tobie się to mieści w głowie?

– Jest nastolatką.

– Jack, ona była pijana!

– Pozwoliliśmy jej pić wino w tej podróży.

– To co innego. Piła na imprezie poza domem!

– Mamy wakacje.
– To nie jest wymówka.
– Iva Lou też była napruta.
– Ivie Lou wolno się upijać. Ona ma ponad dwadzieścia… ma pięćdziesiąt jeden lat! – wrzeszczę.
– Co ze Stefanem?
– Poszedł do domu. Nakrzyczałam na niego.
– Iva Lou opowiedziała mi wszystko, zanim padła.
– Nie widziałeś, jak on patrzył na Ettę tam w Bergamo? Ona jest śliczną dziewczyną, a on Włochem, i patrzył na nią w Ten Sposób. Nie podoba mi się to.
– Kochanie, nie róbmy z tego wielkiej sprawy, okej?
– Powinniśmy ją ukarać!
– I zepsuć jej wakacje?
– No i znowu to samo. Pan Luz, Pan Pozwólmy Jej Robić, Co Chce, myśli, że wszystko jest świetne, że to naturalna część dorastania. Spokojnie, napij się trochę! No więc ja się nie zgadzam. Nigdy nie przyszłam do domu pijana i nie chcę, żeby moja niepełnoletnia córka piła. Nazwij mnie fanatyczką, powiedz, że jestem za ostra, nie podoba mi się to!
– Ave, nic się nie zrobi dzisiaj w nocy. Jestem skonany. Nie możemy tego odłożyć do rana? – W głosie Jacka słychać autentyczne zmęczenie. Poza tym lepiej, żeby moje wrzaski nie obudziły *nonny*, Papy i Giacominy, na razie więc daję spokój.

Zawsze jest to samo, myślę, leżąc w łóżku: on zasypia, a ja się gryzę. Tak też dzieje się z Ettą. Mamy okres spokojny, wiedzie nam się świetnie, a ona stosuje się do zasad, a potem nagle robi coś całkowicie wbrew regułom i kasuje wszystkie uzbierane punkty. Mówię o niej jak o więźniu, zdaję sobie z tego sprawę. Nie jestem z tego dumna. Ale co mam robić? Kiedy jestem pobłażliwa, ona to wykorzystuje, a kiedy przykręcam śrubę, ona się dąsa. Wie, że nie wolno jej pić, i wie, że wino do obiadu to nie to samo, co koktajle z szampanem na imprezie. Nie, ona sobie pomyślała, że nie wrócimy tej nocy, i sądziła, że jej się uda. A co się stało z naszą przyzwoitką Ivą Lou? Co ona sobie myślała?

Na śniadanie stawiamy się tylko my z Jackiem, Giacomina i Papa. Niewiele mówimy, tata czyta gazetę, a zegar z kukułką tyka głośno. Jack i ja pijemy kawę na mleku, Giacomina dosypuje cukru do cukierniczki. Patrzymy po sobie, słysząc, że Co Najmniej Nieświęte Trio schodzi po schodach.

– Zachowaj spokój – szepcze do mnie Jack.

Iva Lou w okularach przeciwsłonecznych, Chiara, niewyglądająca na swoje osiemnaście lat, jako że zmyła dyskotekowe barwy wojenne, i Etta, wciąż trochę zielonkawa, siadają cicho przy stole.

– Hmmm. Przypominacie stado rzecznych szczurów – zauważa Jack, oszacowawszy zniszczenia ostatniej nocy.

– Nic nie mów – odpowiada Iva Lou.

Nie dam rady już się dłużej hamować. – Co się stało w nocy?

Giacomina podaje dziewczynom chleb, a one wszystkie jednocześnie kręcą głowami. Zamiast codziennych wielkich kubków gorącego mleka Giacomina robi im espresso, czarne, w maleńkich filiżankach (dobre lekarstwo na kaca).

– Tańczyłyśmy w klubie. I piłyśmy sok pomarańczowy z lodem. Prawda, dziewczęta? – Pozostałe kiwają głowami. – A potem stwierdziłyśmy, że musimy spróbować gorzkiego piwa, bo ja go nigdy nie piłam. Więc zamówiłyśmy kolejkę. A potem to przy sąsiednim stoliku były takie alpejskie przystojniaki o szerokich ramionach i oni zamówili dla nas kolejkę. Stefano ostrzegał, że może nie powinnyśmy przyjmować ich propozycji, ale ja pomyślałam sobie, że czemu nie. Widzicie więc, że to wszystko moja wina. – Iva Lou poprawia okulary i ciągnie dalej. – No więc najpierw spróbowałam bellini i było przepyszne. Powiedziałam Etcie, żeby wzięła łyka. A reszta... no cóż, reszta to kac.

– Etta? – patrzę na córkę, która wydaje się pełna skruchy, ale może to z racji tego, że zbiera się jej na wymioty.

– Przepraszam – mówi cicho.
Jack szturcha mnie pod stołem.
– Przeprosiny przyjęte. – Mój ton sugeruje coś wręcz przeciwnego.
– Nie będziemy psuć sobie podróży.

Reszta wakacji mija bez zakłóceń (Iva Lou po Nocy Bellini stała się abstynentką). Przemieszczamy się przez lotnisko w Mediolanie, dźwigając więcej bagaży, niż przywieźliśmy (czyżbyśmy robili zakupy?). Kiedy docieramy do bramki, Etta pyta, czy może iść po gazety. Do kontroli jest kolejka, więc jej pozwalam.

– Pani Mac? – słyszę za sobą.

– Stefano! Co ty tu robisz? – Jack i Iva Lou witają się z nim serdecznie.

– Jeszcze raz przepraszam za tę dyskotekę – zaczyna.

– Wszystko już uregulowane – mówi grzecznie Jack.

Stefano się rozgląda, pewnie się zastanawia, gdzie jest moja córka.
– Etta poszła po gazety – wyjaśniam.

– Może jej pani przekazać to ode mnie? – Podaje mi małą paczuszkę.

– Co to jest?

– Soczewki do teleskopu. O dużej rozdzielczości.

– Na pewno będzie zachwycona. Dziękuję.

Etta wraca z czasopismami i rozpromienia się na widok Stefana.

– Stefano przyniósł ci prezent – oznajmia Iva Lou.

Etta rozrywa paczuszkę i wyciąga małe soczewki. – Dziękuję. – Patrzy na Stefana i znowu pojawia się ta gorączka. – Nie mogę się doczekać, żeby je wypróbować.

Dzięki Bogu, ogłaszają, że czas iść na pokład. Jack też chyba odczuje ulgę. Może teraz już dostrzega to, co widzę ja.

– Do widzenia, Stefano. – Ściskam go mocno, a Iva Lou i Jack Mac mówią mu do widzenia. Odwracamy się do wyjścia, ale szturcham Ivę Lou, żeby podglądała młodych. Schyla się po swój podręczny bagaż i szepcze: – Całus w policzek, nic więcej.

W drodze do domu Iva Lou zjada wszystko, co proponuje obsługa, w tym nawet mieszankę orzechów (swoją i moją). – W tamtą stronę byłam zbyt podniecona – mówi przepraszająco.

– Jedz na zdrowie.

– Makaroniarze wyzwolili mój apetyt. Na jedzenie. Na buty. Na biżuterię. I Lyle Makin lepiej niech się strzeże. Mój popęd płciowy znacznie wzrósł w krainie miłości.

– Nie wątpię, że się ucieszy. I oczywiście z mokasynów z krokodyla, które mu kupiłaś.

Jack Mac stoi w przejściu i przeciąga się. Siedzi z Ettą, która czyta powieść po włosku. Jack pokazuje mi na migi, że mam się z nim spotkać w tyle samolotu. Mówi: – Już dobrze, już dość się nacierpiała.

– Jack, ja się nad nią nie znęcam.

– Ledwie się do niej odzywasz od czasu tego zdarzenia.

– Picie nastolatków stanowi dla mnie problem, jasne?

– Ave, to nie była typowa sytuacja. Ona jest na wakacjach w obcym kraju, z TWOJĄ przyjaciółką, swoją kuzynką i młodym mężczyzną, którego szanuję. To się wymknęło spod kontroli, ona ci powie, jak. Piła bellini i...

– Nie interesuje mnie, j a k to się wszystko stało. Wiem tylko, że się upiła. Jeśli będziemy się zachowywać, jakby nic nie zaszło, niedługo znajdziesz ją na High Knob, jak pije jabola z braćmi Alsup.

Jack wybucha śmiechem.

– Nie uważam, żeby to było śmieszne.

– Wiesz co? Mam dość roli mediatora w swojej własnej rodzinie. Postawiłaś mnie na środku, a ja nie chcę tam stać. Radź sobie ze swoją córką, jak chcesz. Ja się wyłączam. – Jack odwraca się i odchodzi.

– Porozmawiam z nią – mówię.

– Dobrze. Powiem Ivie Lou, że pomogę jej wypełnić formularze.

Wracamy do przodu i Jack siada z Ivą Lou, a ja zajmuję miejsce obok Etty.

– Etta?

– Tak? – Nie odrywa wzroku od książki.

– Chciałabym z tobą porozmawiać.

– Nie mam ci nic do powiedzenia.

Oglądam się na Jacka, który gawędzi z Ivą Lou. Ależ mnie wrobił. Etta jest na mnie wściekła, prawdopodobnie bardziej niż ja na nią.

– Nie chcę, żebyśmy kończyły wakacje, nie rozmawiając ze sobą.

– Za późno.

– Zaczekaj chwilę. Masz piętnaście lat i przyszłaś do domu pijana.

– Ile razy dziennie będziesz mi przypominać, ile mam lat albo że za dużo wypiłam na tej głupiej dyskotece?

– Dopóki nie dotrze do ciebie, że nie jesteś pełnoletnia.

– Doskonale wiem, że jestem twoim więźniem, dopóki nie pójdę do college'u.

– Mam do ciebie o to żal.

– To ja mam żal, że traktujesz mnie jak dziecko.

– Jesteś dzieckiem. Jesteś moim dzieckiem. A ja nie chcę, żeby moja córka piła, zanim osiągnie pełnoletniość.

– Ty zawsze osądzasz ludzi. – Etta odwraca się i wygląda przez okno.

– Jeśli masz na myśli siebie, to tak, osądzam cię. Taka moja rola. Nie chciałabym być nadzorcą. Ale ty mnie przerażasz. To, co zrobiłaś, dowodzi, że nie rozumiesz skutków swoich zachowań.

– Jesteś staromodna. Ja tego nie kupuję.

Tu mnie dopadła. Jestem staromodna (z naciskiem na „staro"). Większość dzieci w jej wieku ma matki niewiele po trzydziestce. Ja mam dwadzieścia lat więcej, podchodzę więc do wszystkiego z innej perspektywy. I wiem, że czasami krzywdzę swoją córkę. Ona nie jest zła. To nie Pavis Mullins, który więcej czasu spędził w więzieniu niż w domu swojej matki. Dlaczego tak ją traktuję? Dlaczego traktuję ją tak, jak Fred Mulligan traktował mnie? Ta myśl doprowadza mnie do płaczu.

– Mamo, proszę.

– Och, Etto.

– Co?

– Spróbuj zrozumieć: w mojej naturze leży to, że za mocno się staram. Boję się o ciebie. I wyrażam to w sposób, który cię rani, choć wcale tego nie chcę. Zazwyczaj wszystko jest w porządku, zachowujesz się jak osoba całkiem dorosła. Ale wtedy zdarza się coś takiego, że znowu patrzymy na siebie wilkiem.

– Twoja mama taka była?

– Mój ojciec.

– Dziadek?

– Fred.

Nie mówiłam jej zbyt dużo o Fredzie Mulliganie. Wydawało mi się, że sobie z tym poradziłam, ale po swoim zachowaniu widzę, że tak naprawdę wcale mi się to nie udało. Człowiek, którego z początku znałam jako swego ojca, był konsekwentny. Kontrolował mnie, a ja dobrze się zachowywałam. Nie zdawałam sobie sprawy, że podświadomie obrałam tę samą drogę, wychowując własną córkę.

– Masz przed sobą wielką przyszłość. Nie chcę, żebyś to zaprzepaściła przez jakieś durne wyskoki, takie jak picie, nie chcę, żebyś kiedyś miała czego żałować. To wszystko.

– Powiedziałam, że mi przykro, mamo. Naprawdę mi przykro.

– Wierzę ci.

– Ty jesteś na mnie nadal wściekła.

– Nie lubię być na ciebie wściekła.

Etta wraca do swojej książki. Wydawałoby się, że już wszystko w porządku. Ona obiecała, że nie będzie już pić alkoholu. Ja jednak nie mogę przyrzec, że zawsze będę taką matką, jaką chciałabym być. Jack wychyla się ku mnie. Iva Lou miała mnóstwo do oclenia, ale poradzili sobie. Macham mu, że może wracać na swoje miejsce. Patrzy na mnie, jakby pytał: „I jak poszło?". Unoszę kciuk do góry. Ale wcale nie czuję się dobrze. Zastanawiam się, jak przetrwam nadchodzące trzy lata, a potem cztery lata college'u, zamartwiając się o Ettę, która będzie daleko od domu. To całe macierzyństwo z upływem czasu nie robi się ani trochę łatwiejsze.

Rozdział dziewiąty

Składkowa Kolacja Pod Dachem Zjednoczonego Kościoła Metodystów „Pierwszy powiew jesieni" wypada w ładny wieczór. Nasze wakacyjne zdjęcia dotarły z Kingsport i znajomi w miasteczku chcą je zobaczyć, wymyśliłam więc, że wezmę całą ich torbę do kościelnej piwnicy i pokażę wszystkim naraz.

Fleeta zrobiła dwa i pół kilo szwedzkich klopsików w ogromnej patelni, co będzie stanowić nasz wkład w kolację (to i skrzynka coli, którą wedle zwyczaju należy przynieść, jeśli przychodzi się na przyjęcie we trójkę albo w jeszcze więcej osób).

– Cześć, mamo – do apteki wchodzą Etta i Tara. Moja córka macha mi paczką gum do żucia z wystawy, rozdziera ją i wręcza listek koleżance. – Witam, pani MacChesney.

– Wyglądacie świetnie, co tam słychać?

– Ja mam trwałą. – Tara obraca się, żeby mi pokazać swoje kręcone włosy. – Ethel Bartee powiedziała, że można robić trwałą co sześć, osiem miesięcy, ale moja opadła, odstąpiła więc od swoich zasad i zrobiła mi następną.

– Dzięki Bogu. Nie możemy pozwolić, żeby nasza flagowa dziewczyna miała oklapnięte włosy.

– Tak jej właśnie powiedziałam – mówi trzeźwo Tara.

– Tata idzie na kolację do kościoła? – chce wiedzieć Etta.

– Spotka się z nami na miejscu.

– Trevor może iść z nami? – pyta cicho Tara.

– Miły Trevor czy Średnio Miły Trevor?

– Mamo... – mówi Etta tonem, który oznacza, że powiedziałam coś niewłaściwego. Jako matka z zasady zapamiętuję jedynie te rzeczy, które wprawiają w zakłopotanie moją córkę, i potem, oczywiście, wyskakuję z nimi w obecności jej przyjaciółek.

– Miły Trevor – informuje mnie Tara.

– No to może iść. Ciocia Fleeta zrobiła takie mnóstwo jedzenia, że mamy jeszcze wolne miejsca.

Kółko Krawieckie Metodystów udekorowało kościelną piwnicę jesiennymi liśćmi zrobionymi z brystolu i brokatu. Główny stół jest nakryty białym obrusem i ozdobiony pomarańczową bibułą.

– Od Fleety – mówię do Betty Cline, wręczając jej gigantyczną tacę.

– To dobrze. Mamy mało jedzenia – zauważa Betty, odbierając ładunek. Potem ścisza głos. – Jeśli lubisz diabelskie jajka, lepiej się pospiesz do stolika z aperitifem. Przyłapałam już Lottie Witt, jak upychała kilka w torebce. Już ich prawie nie ma.

– No to ruszam do boju.

To taka wielka radość zobaczyć wszystkich po długim lecie. Nellie Goodloe jest świeżo opalona, chwali sobie podróż z wnukami do Myrtle Beach. Kate Benton, szefowa orkiestry, ma osobę towarzyszącą, przesiedleńca z Norton o imieniu Glenn. Glenn handluje sprzętem dla kopalń. Iva Lou zabawia Klub Ogrodniczy Dogwood historyjkami o cudach natury, które oglądała we Włoszech (niewiele opowiada o roślinach, raczej o mężczyznach).

– Ojcze Rodriguez! Metodyści ojca zaprosili? – pytam.

– Katolicy też muszą jeść. Jak wasza podróż?

– Świetnie. Przyniosę ojcu mnóstwo różańców do poświęcenia, jeśli nie ma ksiądz nic przeciwko temu.

– Uczynię to z radością – odpowiada ojciec Rodriguez.

Czuję zapach papierosa, więc się odwracam. W rogu sali Speck pali przy jednym z okien, strzepując popiół do kratki odpływowej.

– Speck!

– Zastanawiałem się, ile czasu upłynie, zanim się ze mną przywitasz.

– Tu jest straszny tłok.

– Wiem. – Speck się uśmiecha. – Przepraszam, musiałem wysłać Ottona i Worleya, żeby odebrali was z lotniska, ale mieliśmy piknik Brygad Ratowniczych z całego hrabstwa i nie mogłem się z tego wykręcić.

– Nic się nie stało.

– Co mi przywiozłaś z Włoch?

– Gina Lollobrigida nie zmieściłaby się do walizki.

– Do diabła. – Speck śmieje się tak serdecznie, że zaczyna kaszleć. Klepię go po plecach.

– Przywiozłam ci więc krawat i chusteczkę do kompletu. Jedwabne.

Speck gwiżdże długo i cicho. – Nie musiałaś tego robić.

Ktoś mnie ciągnie za nogawkę. To mała India Bakagese. Spogląda na mnie z ogromnymi brązowymi oczyma. Pochylam się i podnoszę ją szybko.

– Boże, ona jest prześliczna i tak już urosła – mówię do Pearl.

– Ma już dwa i pół roku. Witaj w domu.

Przerywa nam Fleeta, wciąż w kitlu z apteki. – Pojechałyście bez sztućców – mówi, machając trzema wielkimi łyżkami.

– Przepraszam.

– Myślcie, ludzie. Wakacje już się skończyły. Wszyscy musimy wrócić do codzienności. Patrzcie no. Wypuścili na wieczór siostry Tuckett z domu opieki. Niech mnie diabli.

Siostry Tuckett, w identycznych sukienkach w wielkie irysy, siedzą obok siebie w fotelach na kółkach u szczytu jednego ze stołów. Nellie Goodloe usadowiła się na ławce i rozmawia z nimi.

– Wiecie, jak je odróżniają? Po kapciach. Edna ma białe, a Ledna niebieskie. – Fleeta macha nam łyżkami i idzie do stołu.

– Ave, mogę zajść do ciebie później? – pyta Pearl.

– Jasne. Świetnie się spisaliście, kiedy mnie nie było. Naprawdę utrzymałaś porządek w receptach.

– Nie miałam wyjścia. Musimy konkurować z siecią całodobową. Nie można pozwolić, żeby cokolwiek zarosło mchem. – Pearl patrzy gdzieś w bok.

– Nic ci nie jest? – pytam.

– Dlaczego?

– Wydajesz się czymś zdenerwowana. Co się dzieje?

– No cóż, mam wieści.

– Mam nadzieję, że dobre.

– Owszem. Ale również bardzo ważne. Oznaczają wielkie zmiany.

– Jak wielkie?

– Zamierzałam porozmawiać z tobą później. Ale znasz mnie, nie umiem nic przed tobą ukryć.

Uśmiecham się. To prawda, Pearl zwierza mi się, odkąd była dziewczynką. Pod wieloma względami nasze stosunki przypominają mi te, które miałam ze swoją mamą.

– Taye'owi zaproponowano pracę w Boston Medical Center.

– Boston? W Massachusetts?

Kiwa głową. – Chce przyjąć tę propozycję. Ale to oznacza, że przeprowadzimy się razem z nim. India i ja.

– Oczywiście. Musisz być z mężem. – Moje myśli pędzą jak szalone. To miasto bez Pearl? Ta apteka? Jak my to zrobimy? To ona ma pęd do rozwoju, ona ma wizje. Jak ja sobie bez niej poradzę?

– Martwię się o interesy – mówi szczerze Pearl. – Wspominałam ci o sprzedaży filii w Lee County, ale widzisz, to trudniejsze, niż myślałam. Na taki interes jak nasz nie ma wielu kupców, a skoro muszę się szybko przeprowadzić, nie mogę szukać wspólników w całym stanie.

– Chcesz sprzedać firmę? Wszystkie trzy apteki?

– Problem w tym, że nie mogę ich sprzedać, nawet gdybym chciała. Chodziłam po bankach i we wszystkich mi mówią, że w tej chwili Big Stone Gap to sypialnia. Większość młodych ludzi dojeżdża do pracy do Kingsport. Nie rozwinął się tu żaden przemysł, oprócz ryzykownych przedsięwzięć węglowych, a wiesz, co ludzie o tym myślą.

– Wiem.
– Nie zrobię nic, nie zapytawszy cię o zdanie.
– Pearl, to ty jesteś prezesem. Ty rządzisz. Ja jestem tylko twoim wspólnikiem w aptece w Big Stone.
– Tak. Ale nie znam nikogo, komu powierzyłabym nadzorowanie trzech sklepów. Mogę przepisać aptekę na ciebie, ale to jest ból głowy na cały etat. Te filie są naprawdę od siebie zależne. Urządziłam je tak, żeby koszty się rozkładały na wszystkie trzy. One w pewien sposób pracują razem.
– Jak mogę ci pomóc?
– Lew Eisenberg myśli chyba, że powinnam oddać firmę w zarząd powierniczy, a ciebie uczynić powiernikiem. W ten sposób apteki będą funkcjonowały, dopóki nie znajdziemy kupca. Ja nie mogę być w dwóch miejscach naraz. Kiedy się przeprowadzimy, będę musiała znaleźć sobie nową pracę w Bostonie.
– Rozumiem.
– To dla mnie bardzo bolesne. – Oczy Pearl są pełne łez. – Strasznie się męczyłam, żeby wymyślić jakieś wyjście.
– Kochanie, oddawałam ci ten interes szesnaście lat temu bez żadnych zobowiązań. Nadal nie masz żadnych zobowiązań. Znajdziemy sposób, żeby te apteki przetrwały, dopóki nie znajdziemy kupca, a jeśli nie uda nam się żadnego znaleźć, wymyślimy, co robić dalej.
– Witaj, przepiękna – przerywa nam mój mąż, cmokając mnie w policzek. – Wyglądacie bardzo poważnie. Co się stało?
– Nic – mówimy jednocześnie.
Posyłam Jackowi spojrzenie, które ma mu powiedzieć, że wszystko wyjaśnię później. Wielebny Manning wzywa nas, byśmy wstali, i błogosławi pokarmy. Biorę Pearl za rękę i trzymam ją mocno. Nie chcę jej martwić. Byłyśmy już kiedyś w podobnej sytuacji i poradziłyśmy sobie, poradzimy sobie też tym razem.

Jack pomaga mi zwinąć narzutę z kanapy. Otwieram okna i wpuszczam trochę świeżego powietrza, przez cały czas przekazując Jackowi plany Pearl.

– Pearl w Bostonie? – zastanawia się na głos.

– To dla niej wielka szansa.

– Ogromna.

– Na pewno ją wykorzysta.

– Myślałaś kiedyś o przeprowadzce? – Jack wygląda przez okno.

– Mówisz poważnie? – Podchodzę i obejmuję go.

– Nie chciałaś nigdy spróbować swoich sił gdzie indziej?

– I co robić? Otworzyć restaurację? – Dlaczego zawsze mówię pierwszą rzecz, która mi przyjdzie do głowy? Jack krzywi się i siada na fotelu.

– Przepraszam – kajam się całkiem szczerze.

– Jestem już trochę znużony budowaniem.

– Wiem. – Przed wakacjami zauważyłam, że Jacka coraz bardziej męczą telefony późną nocą, walka o zlecenia i długie godziny pracy. Rick, Mousey i Jack nie rozbudowali interesu (jedyny sposób, by zarobić pieniądze), ale wkładali w niego wszystkie siły, ponieważ sami wykonywali największą robotę. – Kochanie, chcę, żebyś był szczęśliwy – mówię do niego łagodnie. – Ale skoro Etta wybiera się do college'u, a losy apteki są niepewne, myślę, że powinniśmy utrzymać ten kurs przez jakiś czas, jeśli dasz radę. Potrzebujemy twoich dochodów.

Kiwa głową, bo wie, że to prawda. – Ale nie chciałaś nigdy tak po prostu wszystkiego zmienić?

Patrzę na Jacka już mam powiedzieć, że pewnie, uwielbiam wszystko zmieniać. Ale prawdę mówiąc, wcale tak nie jest. Lubię mieć plan i realizować go bezproblemowo. Lubię wiedzieć, że rozkład zajęć Etty jest stały, że robimy takie małe rzeczy, które oznaczają stabilne życie rodzinne, jak wspólne jedzenie obiadu każdego dnia. Mam swoje nawyki, ale nie umiem sobie wyobrazić, jak można się bez nich obejść. – A ty chciałbyś wszystko zmienić?

– Tak.

– A w jaki sposób?

– Przeprowadzić się.

– Dokąd? – Dlaczego pytam? Przecież to nieistotne. Marzyłam kiedyś, żeby się spakować i wyjechać. Dlaczego teraz ten pomysł mnie przeraża?

– Nie wiem. Do Charlottesville. Do Kingsport.

Krzywię się.

– Do Toskanii – uśmiecha się Jack.

– Toskania!

– Giuseppe mówił, że przyjąłby do interesu kogoś takiego jak ja.

– Giuseppe? Król Oliwy? Naprawdę?

– Tak.

– Co odpowiedziałeś?

– Że to przemyślę. – Jack patrzy na mnie. – Życie tak szybko mija. Chcę wykorzystać swoje szanse. Mam nadzieję, że ty też.

Kładziemy się do łóżka. Jestem tak zaskoczona, że nie mam pojęcia, co powiedzieć. Może zniechęcam Jacka do marzeń o wielkich sprawach, bo zawsze martwię się o rzeczy praktyczne, ale nigdy bym nie przypuszczała, że jest poszukiwaczem przygód. Wydawał się szczęśliwy, mieszkając w domu, w którym się urodził, w górach, w których dorastał, ze mną, dziewczyną, którą kochał całe swoje życie i z którą się w końcu ożenił. Co jeszcze mógłby mieć? Najwyraźniej dużo.

Dzwoni telefon.

– To pewnie do Etty. – Sięgam po słuchawkę.

– Telefon zwykle jest do Etty – zauważa Jack.

– Halo?

Dzwoniący mówi tak cicho, że ledwie go słyszę. Prosi mnie.

– Ave Maria przy telefonie.

– Tu Leola Broadwater. – Leola to żona Specka. Zastanawiałam się, dlaczego nie przyszła na kolację.

– Leola, nic ci nie jest?

– Mnie nic. Chodzi o Specka. Miał kolejny atak serca. Gorszy niż ten na Florydzie.

– Na Florydzie? – Nie mogę uwierzyć, że Speck mnie okłamał. Siadam, a moje serce zaczyna walić jak oszalałe. – Gdzie on jest?

– Na intensywnej terapii w szpitalu Świętej Agnieszki. Prosił, żeby po ciebie zadzwonić. Chyba powinnaś się pospieszyć. – Leola zaczyna szlochać.

– Był zdrowy dzisiaj na kolacji! – Staram się zachować optymizm. – Świetnie wyglądał.

– Och, Ave. – Leola płacze.

– Już jadę.

Jack chce mnie zawieźć, ale wolę, żeby nie budził Etty ani nie zostawiał jej samej. Prawdę mówiąc,muszę być sama. To dziwne, ale takie rzeczy jak ta muszę porządkować sama. Jack rozumie to i nie spiera się ze mną. Obiecuję, ze zadzwonię do niego, gdy tylko dotrę do szpitala.

Idę do jeepa, patrzę w dół i stwierdzam, że mam dwa różne mokasyny. Rękawem ścieram rosę z owiewki i mam wrażenie, że ta sytuacja nie jest mi obca. Nie płaczę. Ta noc przypomina mi czasy, kiedy dołączałam do Specka na nagłe wezwania Brygady Ratowniczej o wszelkich porach dnia i nocy. Nigdy nie przyszło mi do głowy, że odbiorę wezwanie do niego.

Nocna recepcjonistka w szpitalu mnie zna. Za dnia pracuje jako sprzedawczyni w aptece w Norton. Daje mi znak, żebym weszła, pędzę więc krótkim korytarzem na OIOM. Leola stoi przy łóżku Specka w otoczeniu piątki ich dzieci. Syn Clay zanosi się od płaczu. Chwytam wychodzącą z OIOM-u doktor Stemple i przedstawiam się.

– Prosił, żeby panią wezwać. – Zerka na Specka przez małe okienko.

– W jakim jest stanie?

– Przeszedł poważny zawał. Kilka lat temu miał założony bypass, ale tym razem to nie arterie zawiodły, to mięsień serca.

– Wyjdzie z tego? – Nic nie mówi, a ja już znam odpowiedź. – Był w domu?

– Nie, w pracy. Naprawiali mu wóz strażacki czy coś takiego, doglądał roboty i wtedy zemdlał. Mechanik przywiózł go tutaj.

– Jest przytomny?

– Tak, proszę pani.

Pielęgniarka wzywa doktor Stemple, a ona szybko się oddala. Przez chwilę stoję i patrzę na Specka i jego rodzinę. Nie zgadzam się, nie pozwolę odejść temu facetowi. To za wcześnie.

Otwieram drzwi i podchodzę do Leoli. Kładę delikatnie rękę na jej ramieniu. Nie odwraca się. Kładzie tylko dłoń na mojej i dalej patrzy na Specka, który ma na twarzy maskę tlenową i – jak powiedziała doktor – jest przytomny.

– Czy to były szwedzkie klopsiki, Speck?

Uśmiecha się, kiedy biorę go za rękę.

– Doktor powiedziała, że wyjdziesz z tego.

Speck wywraca oczyma. Powinnam wiedzieć, że nie ma sensu blefować w rozmowie z doświadczonym ratownikiem.

– Zostawmy tatę na trochę – mówi Clay do reszty rodziny.

Speck zdejmuje z twarzy maskę tlenową. – Dajcie mamie trochę kawy – zwraca się do dzieciaków. Leola całuje go w policzek, potem w otoczeniu potomstwa rusza do drzwi.

– Zaraz wrócę, stary żółwiu błotny – obiecuje, wychodząc.

– Żółwiu błotny. To całkiem seksowny obraz twojej osoby – mówię.

Speck stara się nie roześmiać. Potem odsuwa maskę tlenową na czoło. – To tylko na pokaz. Chcą, żeby wyglądało na to, że potrafią mnie uratować.

– Potrafią.

– Nie, to koniec mojej drogi.

– Nie możesz odejść. To rozkaz. – Nie za bardzo brzmi to jak rozkaz, skoro moje oczy wypełniają się łzami.

– Nie płacz nade mną.

– Przepraszam. – Ocieram łzy rękawem.

– Mieliśmy razem trochę zabawy, co nie? – Speck kładzie głowę na poduszce i uśmiecha się.

– Boże, tak. Liz Taylor krztusząca się kością kurczaka. Naomi i jej jeleń. Chłopak Sturgillów, kiedy wepchnął sobie do nosa dziesięciocentówkę i trzy pięciocentówki.

– Rozmienił ćwierćdolarówkę – wzdycha Speck.

Sięgam po wodę na nocnym stoliku i chcę podać Speckowi słomkę, ale on zabiera mi ją i sam bierze łyk.

– To zabawne. Leżę tutaj w drodze Bóg wie dokąd i jedyne, co mam w głowie, to John Wayne. Całe swoje życie go naśladowałem.

Speck zawsze cytował kwestie Johna Wayne'a z filmów i zachęcał Jima Roya Honeycutta, właściciela kina Na Szlaku, żeby puszczał co najmniej jeden film z nim rocznie.

– Tak – mówi dalej – kiedy byłem młody, był to *Dyliżans*. A kiedy już stałem się mężczyzną – *Poszukiwacze*.

– A teraz?

– Chyba *Prawdziwe męstwo*.

– Wiesz, że cię kocham, Speck.

– Wiem. – Wzdycha powoli. – Myślałem o twoim Joem i o tym, że byłem jego ojcem chrzestnym.

Pamiętam dzień, w którym ochrzciliśmy Joego. Wyglądał jak mała laleczka w wielkich ramionach Specka. Speck trzymał go tak delikatnie, że Joe nawet się nie obudził, kiedy ksiądz pokropił go wodą.

– Moja mama by mnie zastrzeliła, gdyby wiedziała, że byłem w katolickim kościele.

– Zrobiłeś to dla mnie.

Speck kiwa głową. – Prawie pękło mi serce, kiedy ten chłopiec umarł.

– Wiem.

– To nie było w porządku, sama wiesz. Jestem stary. Dużo widziałem. Żyłem. Ale nigdy nie zrozumiałem, dlaczego Bóg go zabrał.

– Ja też nie. Wciąż szukam odpowiedzi.

– Powinnaś przestać – mówi Speck prosto z mostu.

– Wiem.

– Zrób coś dla mnie.

– Jasne.

– Nie bądź taka surowa dla Etty. To dziewczyna stąd. No wiesz taka jak my. Ma swój własny rozum. Docenisz to kiedyś. Widzisz, moje dzieciaki nie radzą sobie za dobrze z moim odejściem. To moja wina.

– Jak to twoja?

– Nie dawałem im wolności. Trzymałem ich przy sobie. Teraz potrzebują wzoru, wszyscy oprócz Claya, to leży w ich naturze. Ale głównie wynika z mojego wychowania.

– Byłeś wspaniałym ojcem. – Powinnam powiedzieć więcej mojemu przyjacielowi, powiedzieć mu, kim był dla mnie, ale nie chcę płakać (on nienawidzi płakania i szlochania).

Speck patrzy gdzieś w dal i podnosi brew. – Starałem się, jak mogłem. Bóg wie, że nie jestem doskonały. – Zapewne ma na myśli swoją długą przyjaźń z Twylą Johnson. Czekam, aż coś o niej powie, ale na próżno. Sięga natomiast do tyłu i próbuje poprawić poduszkę. Pomagam mu. – Teraz zasnę. – Speck przymyka oczy. Nasuwam mu z powrotem na twarz maskę tlenową i sprawdzam wskaźniki. Jego potężna klatka piersiowa unosi się w głębokim oddechu. Podchodzi pielęgniarka.

– Niech pani sprowadzi rodzinę – mówi do mnie cicho.

Idę do poczekalni, gdzie dzieci Specka stoją skupione wokół matki. Podnoszą na mnie wzrok. Nie mogę mówić, ale widzą, dlaczego po nich przyszłam, i spieszą na OIOM stanąć przy ojcu. Chłopcy pomagają matce wejść na łóżko i Leola kładzie się obok męża, obejmując go ramionami. Po kilku minutach Speck wydaje ostatnie tchnienie. Monitor serca buczy nisko, co oznacza, że pacjent umarł. Speck Broadwater, Wielki Dąb, odszedł.

Pogrzeb Specka nie będzie prostą baptystyczną ceremonią z posługą i pochówkiem na cmentarzu Glencoe. Ma to być totalny, obejmujący całe hrabstwo festiwal ku jego pamięci. Brygady Ratownicze z Wise, Lee, Dickenson i Scott zebrały się w pełnym umundurowaniu na paradzie do kościoła Wood Avenue. Na ich czele jedzie miejski wóz strażacki, a pochód zamyka Gwardia Narodowa. Iva Lou nalegała, żeby bibliobus też jechał w paradzie, chociaż Speck mówił, że nigdy w życiu nie przeczytał książki w twardej oprawie. Według niektórych to pogrzeb godny żołnierza-ochotnika, ale dla mnie to stosowne pożegnanie człowieka, który poświęcił większość życia, w tym swój czas wolny, służeniu innym. Leola powiedziała mi, że Speck będzie pochowany w wiatrówce Brygady Ratunkowej, koszuli frakowej i spodniach, i w krawacie, który przywieźliśmy mu z Włoch. To sprawia, że czuję się bardzo szczęśliwa.

Nellie Goodloe zorganizowała lunch po pogrzebie. Fleeta nie spała dwie noce, piekąc trzy ciasta kokosowe, trzy czekoladowe i placki od pekanowego po ten z syropem karmelowym (ulubiony placek Specka). Pearl udostępniła kuchnię w bufecie. Jack przygotował pięć blach lazanii, ja wykupiłam wszystkie główki sałaty od Piggly Wiggly, a Hope Meade zrobiła tyle bułeczek, że musiała pożyczyć naszego pick-upa, żeby je przewieźć.

– Myślisz, że wystarczy jedzenia, Nellie?

– Mam nadzieję. Ten Speck ma większą publikę niż Eisenhower.

Etta składa serwetki na bufecie i nagle krzyczy, żebym wyjrzała przez okno.

– Co się dzieje? – pytam.

– Poczciwe babki – mówi na głos Nellie.

Z samochodów (jest ich chyba z tuzin) wysiadają kobiety, otwierają bagażniki i wyciągają pieczone szynki w brytfannach, pieczone indyki, wielkie naczynia zapiekanek, nawet skrzynkę szampana (muszą to być członkinie Kościoła Episkopalnego, a nie baptystki).

– Rejestracje z Tennessee – zauważa Etta.

Otwieramy drzwi i wpuszczamy panie. Grupę prowadzi wysoka chuda kobieta około sześćdziesiątki.

– Jesteśmy z Johnson City. Usłyszałyśmy o panu Broadwaterze i chciałyśmy coś zrobić, więc mamy nadzieję, że przyda wam się to jedzenie.

– Uprzejmie dziękujemy. – Nellie przyjmuje wielki półmisek.

– Lepiej pójdę załatwić jeszcze kilka składanych stolików. – Jack macha na Ottona i Worleya, którzy ustawiają miejsca siedzące.

– Jesteście z Tennessee? – pytam wysoką kobietę.

– Tak, proszę pani.

– Skąd znałyście Specka?

– Osiem lat temu mieliśmy pożar w centrum rozrywki. A on przyjechał i pomógł go gasić. Potem, kiedy się już budowaliśmy, pojawił się, żeby pomóc przy pracy. Nie znamy lepszego człowieka, a kiedy usłyszałyśmy, że umarł, po prostu musiałyśmy coś zrobić. Pozostałe kobiety kiwają głowami na potwierdzenie jej słów.

– Byłby wam bardzo wdzięczny.

– To my jesteśmy wdzięczne jemu.

Nie słyszałam za dużo z tego, co mówiono na pogrzebie Specka. Moje myśli odpłynęły w przeszłość, kiedy byłam samotna i młoda i jeździłam ze Speckiem po całym Wise County, pracując z nim w Brygadzie Ratowniczej. Tyle się od niego nauczyłam. Nie panikować, kontrolować swoje emocje, w momentach krytycznych nie zakładać najgorszego z możliwych scenariuszy. On w obliczu tragedii był zawsze spokojny i trzeźwy. I nigdy nie poszedł na żaden pogrzeb, nawet na pogrzeb mojego syna, nie wierzył w pogrzeby. Któryś z jego przodków był Czirokezem, a Czirokezi mieli swoją filozofię śmierci. Nie rozpamiętuj jej, pochowaj zmarłego, odejdź od grobu i nigdy do niego nie wracaj. Cóż, to trudne do przyjęcia dla kogoś wychowanego w katolicyzmie jak ja, kto co niedziela zanosi na grób matki świeże kwiaty. I trudne dla protestantów, którzy robią posępne pikniki w Dzień Pamięci. Ale dla Specka indiańska filozofia miała sens. – Życie jest dla żyjących – mawiał.

Jack, Etta i ja jesteśmy wyczerpani. Zanim wyszedł ostatni członek Brygady Ratowniczej i przywróciliśmy kościół baptystów do pierwotnego stanu, zrobiło się późne popołudnie.

Jestem dumna ze swojej córki. Pomagała tacie wszystko ustawiać, podawała do stołu, a potem sprzątała. Przyłączyła się też jej koleżanka Tara, która serwowała poncz. Etta kochała Specka; był jedną z pierwszych osób, które zapamiętała z dzieciństwa. Spędził u nas wiele wczesnych poranków przy kawie, opowiadając nam miejscowe plotki, kiedy ona w piżamie jadła płatki.

– Mamo, czyj to wóz? – Etta wskazuje zaparkowany przed naszym domem żółtawozielony czterodrzwiowy samochód z czarnym płóciennym dachem.

– Nie mam pojęcia.

Wysiadam z furgonetki i podchodzę do tajemniczego auta.

– W czym mogę pomóc? – Zaglądam do środka. Siedzi tam kobieta, mniej więcej sześćdziesięcioletnia, na co wskazują delikatne zmarszczki na jej czole. Samochód pachnie polerowaną skórą i perfumami Youth Dew. Kobieta ma usta pomalowane bladą, lśniącą szminką, ale się nie uśmiecha.

– Nie zna mnie pani.

– No, nie mogę zaprzeczyć.

– Jestem Twyla Johnson.

Mam nadzieję, że nie opadła mi szczęka, kiedy usłyszałam to nazwisko, ale prawdę mówiąc, zawsze chciałam ją poznać. W gruncie rzeczy niewiele wiem o Twyli Johnson. Pracuje w Banku Rolniczo-Górniczym w Pennington Gap i Speck miał z nią romans. Po bypassie Specka myślałam, że zostawi żonę, żeby być z nią, ale nigdy tego nie zrobił. A od tego czasu jedyne wzmianki o niej pojawiały się w docinkach Fleety.

– Proszę wejść – mówię.

Przedstawiam ją Jackowi i Etcie. Jack słyszał o niej, ale nie daje nic po sobie poznać, kiedy powtarza głośno jej nazwisko i ściska jej dłoń. Etta natomiast nie ma pojęcia, kim jest nasz gość.

– Napije się pani kawy? – pytam Twylę, włączając światło.

– Chętnie – odpowiada uprzejmie. Sio krąży wokół gościa i wącha jej wysokie szpilki. Twyla Johnson ma dopasowany granatowy kostium i szeleszczącą białą bluzkę. Wokół szyi zawiązała kwiecistą apaszkę, którą spięła złotą broszką w kształcie ptaka. Nosi pasującą do butów torebkę, na której lśniącej powierzchni nie ma ani jednej smugi.

– Mamo, ja idę do łóżka, jestem skonana – oznajmia Etta.

– Idź, kochanie. Bardzo dzisiaj pomogłaś.

Prowadzę Twylę do kuchni, a Jack wychodzi na zewnątrz rozładować furgonetkę.

– Jaki piękny stary dom – zachwyca się nasz gość.

– To dom rodzinny mojego męża.

– Same ręcznie ciosane kamienie i stolarka.

– Dzisiaj już nie ma takich rzemieślników. – Czy mnie się zdaje, że Twyla Johnson przyjechała tu porozmawiać o budownictwie?

Robię kawę. Twyla usadawia się przy naszym kuchennym stole, zgrabnie umieszczając torebkę na krześle i odwiązując apaszkę z szyi.

– Wie pani o mnie, prawda?

– Tak, proszę pani, wiem.

– Speck często o pani mówił. To musi wydawać się dziwne, że słyszałam dużo o pani, a nigdy mnie pani nie poznała.

– Trochę to dziwne – przyznaję, stawiając przed nią talerz ciasteczek.

– Bardzo kochałam Specka.

– Musi być pani ogromnie smutno.

– Jest. – Jej oczy wypełniają się łzami. Podaję jej pudełko chusteczek ze stolika na telefon. – Dzisiaj nie było dla mnie miejsca. Chciałam tam być. Przyjechałam nawet wcześniej i poszłam do kościoła, ale kiedy zobaczyłam, jak zjeżdżają się ludzie i wysiadają z samochodów, jak wchodzą do środka, wróciłam do auta. Nie chciałam sprawiać żadnych problemów.

– Widziała pani paradę?

– Widziałam. Nie miałam pojęcia, że on był taki znany.

– Wszyscy znali Specka Broadwatera. Czy mogę panią o coś zapytać?

Wyciąga chusteczkę i wyciera oczy. – Proszę, śmiało.

– Dlaczego była pani tyle lat ze Speckiem, skoro nie mogła pani za niego wyjść? Nie sprawia pani wrażenia przeciwniczki związków małżeńskich.

– Cóż, dla mnie liczył się tylko Speck. A on był już zajęty.

W normalnych okolicznościach nie zadałabym osobistego pytania komuś, kogo dopiero poznałam. Ale Twyla potrzebuje rozmowy o Specku, to widać. Ona też go kochała i nie ma nikogo, do kogo mogłaby się zwrócić w swojej żałobie. – Jak go pani poznała? Czy w banku wybuchł pożar?

Twyla się śmieje. – Nie, nic z tych rzeczy. Speck miał konto w naszym banku, stare konto, które zostawili mu rodzice. I co jakiś czas robił depozyt i gawędziliśmy trochę. Mówił coś o moich włosach albo o ubraniu, ale wszystko to zdawało się mieć podwójne znaczenie.

– Speck był flirciarzem.

– Ale on flirtował na poważnie, to nie wydawało się głupie. Był prawdziwym mężczyzną. Takim rasowym. Dawał mi poczucie bezpieczeństwa, może dlatego, że był taki wysoki i krzepki. Pamiętam, jak spotkałam go po raz drugi, to było dwadzieścia trzy lata temu. Pracowałam w okienku dla zmotoryzowanych i byłam bardzo zajęta. Powiedziałam „dzień dobry" do mikrofonu, nie podniosłam wzroku i przycisnęłam guzik automatycznej szuflady. I osłupiałam, kiedy szuflada się otworzyła, a w środku zamiast depozytu było pełno stokrotek. Naprawdę po brzegi! – Śmieje się. – Podniosłam wzrok, a tam w samochodzie był Speck. Zapytałam go, co mam zrobić z tymi kwiatkami, a on powiedział: „Włożyć je do wody". Tego dnia poszłam z nim na lunch i to był początek naszej przyjaźni.

– Była pani mężatką?

– Nigdy nie wyszłam z mąż.

– Musiało być pani ciężko w święta? – Czy można powiedzieć coś bardziej niezręcznego?

– Było. I naprawdę poza naszymi lunchami nie widywaliśmy się za często, ze względu na jego pracę. Ale dużo do mnie dzwonił.

Przypomina mi się Iva Lou. Według niej jedną z pewnych oznak, że żonaty mężczyzna ma romans, jest to, że często zachodzi do budki telefonicznej.

– Poszła pani do szpitala, żeby się z nim zobaczyć?

Ze smutkiem kręci głową. – Nie dojechałam tam. Miałam telefon, że z nim źle.

– Kto do pani dzwonił?

– Fleeta Mullins.

– Fleeta? Pani ją zna?

– Nigdy jej nie spotkałam. A pani ją zna?

– Pracuje ze mną. Od lat.

– Była bardzo oschła. Ale stwierdziła, że Speck chciałby, żebym wiedziała.

Nie wiem, co powiedzieć. Fleeta dzwoniła do Twyli? Jak to możliwe? Fleeta jest taka zasadnicza w kwestii romansów.

– Nie przynosi mi zaszczytu, że byłam tą drugą.

– Jest pani bardzo dobrym człowiekiem. Speck myślał o pani poważnie, mimo że nigdy za dużo nie mówił. Założę się, że też nie był szczęśliwy z powodu tej sytuacji.

– Miał rodzinę. Wiedziałam, że ona jest najważniejsza.

Chciałabym zapytać Twylę, dlaczego usadowiła się na trzecim miejscu, po rodzinie Specka i jego pracy. Jakim cudem lunch raz w tygodniu z ukochanym człowiekiem może wystarczyć? Ale ta kobieta cierpi, odkładam więc na bok swoje osądy (i, na miłość boską, swoje własne doświadczenie w tej materii) i zamiast tego zadaję jej proste pytanie. – Zrobiłaby pani to wszystko jeszcze raz?

Twyla zastanawia się chwilę, popijając kawę. – Nie, nie sądzę.

– Naprawdę?

– Jeśli nie można pożegnać ukochanej osoby, to tak jakby zrezygnowało się ze wszystkiego.

Przepraszam. Udaję, że podgrzewam sobie kawę, ale moje oczy są pełne łez. – Kiedy Speck przeżył bypass, przyjechał do mnie – ciągnie Twyla. – Czuliśmy się tacy szczęśliwi, że wymknął się śmierci. Postanowiłam sobie, że zerwę z nim tego dnia, ale gdy go zobaczyłam, nie mogłam się na to zdobyć. Po powrocie z Florydy poszedł do lekarza, który powiedział mu, że jego serce ma więcej blizn niż mięśnia. Speck zrozumiał, że nie zostało mu dużo czasu, zaczął więc porządkować sprawy.

– Nigdy nic mi nie powiedział.

– Był zbyt dumny, by przyznać się do jakiejkolwiek słabości. To jedno zachował dla mnie. Rozmawiał ze mną, kiedy się bał. – Daje mi małą paczuszkę, a ja trzymam ją przez kilka chwil. Nie chcę jej otwierać. Wiem, że kiedy to zrobię, Speck naprawdę odejdzie.

– To należało do jego matki – mówi Twyla.

Ostrożnie odwijam papier i wyjmuję piękny złoty łańcuszek z bajkowym kamieniem. Na kamieniu jest mały brązowy krzyżyk. Każda dziewczyna w naszych górach w którymś momencie swojego życia dostaje taki kamień w podarku, albo od rodziców, albo od przyjaciela, albo od wielbiciela. Istnieje legenda o tym, skąd się biorą te kamienie. Podobno w pobliżu Cumberland Gap jest dolina, gdzie rośnie zagajnik dereni. W Wielki Piątek setki lat temu ptaki na drzewach płakały, a ich łzy, spadając na ziemię, zamieniały się w bajkowe kamienie. I po kres czasu ptaki będą płakać w każdy Wielki Piątek, póki ich smutku nie ukoi dzień Sądu Ostatecznego. To szkocki mit przywieziony tu przez emigrantów. Jest bardzo stary, ale ciągle żywy.

– Nigdy nie miałam bajkowego kamienia.

– Teraz pani ma – mówi Twyla cicho i uśmiecha się.

Żegnamy się uściskiem ręki. Twyla obiecuje, że będzie ostrożnie jechać do domu, i mgliście umawiamy się na lunch któregoś dnia.

Patrzę na tył odjeżdżającego samochodu i wiem, że już nigdy nie zobaczę tej kobiety. Spotkałyśmy się w stosownej chwili i załatwiłyśmy swoje sprawy. Speck na pewno opowiadał jej o moich kłopotach i ona wie, co myślę o romansach. Ale teraz, kiedy ją poznałam, chyba rozumiem, jak to się dzieje, zwłaszcza jak to było z nią. Ona tego nie planowała. Skąd mogła wiedzieć, że spotka ją taki los?

Gaszę światło, zamykam drzwi i czuję, że mam mnóstwo pytań. I tylko jeden człowiek może mi udzielić odpowiedzi.

Jack leży na łóżku, oglądając telewizję. Szybko się odwraca. – Kto to był?

– To była słynna Twyla Johnson.

– Tak też zrozumiałem, kiedy się przedstawiła.

– Dała mi ten bajkowy kamień, który należał do matki Specka. – Nachylam się i pokazuję Jackowi naszyjnik.

– Jest atrakcyjną kobietą.

– Speck lubił piękne kobiety. To takie smutne. Teraz nie ma dla niej miejsca. – Rozbieram się, myśląc o jej doskonałym ubraniu, butach i torbie, o tych czasach, kiedy kobieta nie wyszła z domu w butach niedopasowanych do torebki, bez stosownego kapelusza i oczywiście rękawiczek. Twyla Johnson jest jedną z tych kobiet, które żyją jak w minionej epoce i nie rezygnują z tych sztuczek. Może ten upór trzymał ją też w związku ze Speckiem. – Powiedziała, że bardzo go kochała.

– To skomplikowane, prawda? – mówi Jack.

– Cóż, przechodziliśmy przez to. – Siadam na łóżku i patrzę na Jacka, który robi się czerwony jak poduszka pod jego głową.

– To prawda – przyznaje.

– No właśnie.

– Ekhm – chrząka niemrawo. Wybucham śmiechem.

– Zawsze ci powtarzałam, że nie chcę wiedzieć, co cię łączyło z Karen Bell.

– To było tak dawno.

– Wydaje się, że całe wieki temu.

– Całe wieki. Teraz jesteśmy szczęśliwi i tylko to się liczy.

– Dzisiaj dowiedziałam się czegoś, co sprawiło, że zaczęłam spokojnie o tym myśleć.

– Co to takiego?

– Speck i Twyla byli przyjaciółmi. Poza tym że mieli romans, łączyła ich przyjaźń, więź dusz. Speck nie był wielkim krasomówcą, i cieszę się, że istniał ktoś, przy kim mógł się wygadać, ktoś, kto go słuchał. Ona była jego doradcą, powiernicą. Czy to nie najważniejsze?

Jack nie odpowiada. – Chodźmy do łóżka, kochanie – mówi w końcu cicho.

– Jack.

– Tak?

– Jest coś, o czym ci nie powiedziałam. Widziałam Karen Bell w Holston Valley, kiedy Iva Lou miała operację.

– Ona nie była dla mnie ważna, Ave – szepcze Jack.

– Tak, ale ona cię słuchała, kiedy tego potrzebowałeś. Mnie wtedy nie miałeś. Ją tak. Taka jest prawda.

Jack rozważa przez chwilę moje słowa, a potem kiwa głową, przyznając mi słuszność.

– To tak właśnie staliście się przyjaciółmi, prawda? – pytam.

– Nawet nie pamiętam.

– Kochałeś się z nią?

Oczekuję, że Jack odgryzie mi głowę albo się wywinie i zlekceważy moje pytanie, ale nic z tych rzeczy. Przez chwilę patrzy w bok, a potem spogląda mi prosto w oczy. – Nigdy cię nie okłamałem, Ave Maria.

– Ale zdarzało nam się omijanie prawdy. Teraz muszę wiedzieć, skarbie.

Nie czuję zdenerwowania, może dlatego, że teraz jestem pewna miłości swojego męża. Może próbuję zamknąć tamtą sprawę. A może chcę zrozumieć Specka. Nie spocznę, póki Jack nie powie mi, co się naprawdę stało.

– Nie kochałem się z nią – oświadcza Jack po prostu.

Wierzę mu. Zresztą to nie ma już znaczenia, bo nie to liczy się w małżeństwie. Seks swoją drogą, ale prawdziwą więź dusz stwarza głębokie emocjonalne zaangażowanie.

Jack mówi dalej: – Pomogła mi przetrwać trudny okres. O to chodziło. Nie będę cię teraz okłamywał. Zakochała się we mnie, a mnie bardzo kusiło, no i nie byłem pewien, czy ty chcesz ze mną być. Zastanawiałem się nad tym i doszedłem do wniosku, że jeśli mnie opuścisz, będę musiał żyć dalej. Próbowałem wyobrazić sobie co by było, gdyby... To była taka czysta teoria. Ale wróciłaś do domu, kiedy ona zaczęła naprawdę naciskać, żebym od ciebie odszedł.

– O mój Boże. – Co za bezczelna baba. Powinnam była dać jej po pysku w tym szpitalu, zamiast się z nią witać jak stara kumpela.

– Tego lata, kiedy wyjechałyście, wpadł do mnie Speck.

– Po co?

– Żeby mnie przestraszyć jak diabli. Pewnego wieczoru wróciłem do domu, a on siedział na schodkach werandy. Czekał na mnie od kilku godzin. Wstał, wyrzucił papierosa i kiwnął, żebym do niego podszedł. Gdy znalazłem się jakieś pół metra od niego, sięgnął po mnie tą swoją wielką łapą, chwycił mnie za kołnierz, przyciągnął niemal pod nos i powiedział: „Jeśli skrzywdzisz Ave Marię, zabiję cię".

– Nie!

– Mówił poważnie. Powiedział, że nie pozwoli, żebym ci zmarnował życie.

Opieram się na poduszkach i myślę o tym przez chwilę. Speck Broadwater był kimś więcej niż moim przyjacielem. Dbał o mnie jak dobry ojciec, ofiarowując opiekę i nie prosząc o nic w zamian.

Wstaję z łóżka i idę do łazienki.

– Zaczekaj chwilę.

– Tak? – odwracam się.

– A co z tobą i Pete'em Rutledge'em?

– Dlaczego pytasz?

– Coś między wami było, prawda?

– Co masz na myśli?

– Etta mi powiedziała, że bardzo się zaprzyjaźniliście tamtego lata.

– Etta tak powiedziała?

Jack przytakuje. – To prawda?

Nie wiem, co gorsze – czy to, że mój mąż zadaje to pytanie, czy że moja córka coś zauważyła i uznała to za tak ważne, że musiała donieść o tym ojcu.

– On jest przyjacielem. – Staram się, żeby to zabrzmiało niedbale.

– Teraz nim jest.

– I wtedy też był.

– Etta by tego nie wymyśliła. Co się wydarzyło między wami?

– Widzisz, tak naprawdę to nie wiem.

– I kto teraz omija fakty?

– Nie kochałam się z nim, jeśli o to pytasz.

– Do tego sam doszedłem.

– Jak?

– Jestem twoim mężem. – Jack uśmiecha się, a w jego uśmiechu widzę ulgę.

– Jakie to ma znaczenie?

– Nie zrobiłabyś nowego bałaganu, nie posprzątawszy poprzedniego.

– Och. – Idę do łazienki i szoruję zęby.

Jack staje w drzwiach. – Kiedy byliśmy młodzi, najbardziej chciałem dotrzeć tutaj.

– Tutaj, do Cracker's Neck?

– Nie. Tutaj. Do tego etapu naszego życia. – Mówi dalej. – Chcę się z tobą zestarzeć. Naprawdę zestarzeć. A potem, gdy już nadejdzie ten czas, umrzeć w twoich ramionach.

Odkładam szczoteczkę i przytulam męża. Ja również tego właśnie pragnęłam przez całe życie. Kiedy się komuś oddajesz bez reszty, on należy do ciebie. Jack MacChesney należy do mnie i może to jest najważniejsze w miłości.

Tłum na lunchu w bufecie to zawsze dowód, że życie wróciło do normy po czyjejś śmierci. Miejsce Specka przy barze pozostaje puste (przynajmniej w tej chwili). Otto siedzi na stołku obok. Fleeta poklepuje go po dłoni, dolewając mu kawy. Po raz pierwszy widzę, żeby publicznie okazywała Ottonowi uczucie; to prawda, że żałoba zbliża ludzi. Fleeta przerywa, żeby z Ivą Lou i ze mną napić się kawy w boksie.

– Słyszałam, że miałaś gościa. – Fleeta macha głową w moją stronę.

– Kogo? – dopytuje się Iva Lou.

– Twylę Johnson. – Fleeta przeciąga „Johnson", jakby śpiewała.

– Żartujesz. – Iva Lou otwiera szeroko oczy.

– Gdzie o tym słyszałaś? – pytam.

– Nie powiem. – Fleeta żuje słomkę. – Można się chyba po niej spodziewać, że zacznie się przemykać nocą na cmentarz i kłaść na jego grobie samotną różę. One tak robią, wiesz. Te drugie. Żeby żona wiedziała, że nie była jedyna.

– To strasznie dużo zachodu. – Iva Lou odcina widelcem kawałek swojego czekoladowego ciastka z orzechami.

– A nie sądzisz, że związki pozamałżeńskie też wymagają strasznie dużo zachodu? – krzywi się Fleeta.

– Jak dla mnie za dużo. Jak sądzisz, dlaczego z nich zrezygnowałam i wyszłam za mąż?

Fleeta odwraca się do mnie. – No i? Co powiedziała?

– Że byli tylko przyjaciółmi.

– Och, daj spokój – śmieje się Fleeta. Potem przygląda mi się przez chwilę i pyta: – Poważnie?

– Przysięgam. Powiedziała, że nie mogłaby zranić innej kobiety ani pozbawić dzieci ojca i że Leola była miłością życia Specka.

Fleeta rozważa moje słowa i po raz pierwszy od lat zmarszczki na jej czole wygładzają się jak polerowany marmur. – Twyla Johnson to święta, słowo honoru – mówi z nabożną czcią.

– Tak sądzę.

– Wiesz, Speck wkurzał mnie bardziej niż jakikolwiek krewny. Ale lubiłam tego faceta. Wiedziałam, że ma jaja. Nie chciałabym myśleć, że jest jak inni mężczyźni, wiecie, że kończy pięćdziesiątkę i lata po hrabstwie z wywieszonym jęzorem, szukając czegoś do poderwania. – Fleeta wstaje i wraca za kontuar.

Iva Lou patrzy na mnie. – To jest stek bzdur i dobrze o tym wiesz – szepcze.

– I tę historię opowiesz za każdym razem, kiedy będziesz stemplować książkę, a ktoś zapyta cię o charakter związku Specka i Twyli. Dobra?

– Nie ma sprawy.

Kwiecień to w domu MacChesneyów miesiąc wielkich uroczystości. Jack w kuchni przyrządza domowe spaghetti. Przygotowuje uroczystą kolację z okazji siedemnastej rocznicy naszego ślubu.

– Wszystkiego najlepszego z okazji rocznicy ślubu! – śpiewa Theodore.

– Dziękuję bardzo. Gdzie jesteś?

– W biurze. Dostałem twoją wiadomość o Specku. Jezu, szybko to poszło.

– Wiem. Jak Max?

– Nadal gotuje.

– Kiedy znowu cię zobaczę? – pytam smutnym głosem.

– W każdej chwili. Co ci jest?

– Wszystko dookoła jest takie przygnębiające. Etta właśnie dostała prawo jazdy. Pearl przeprowadza się do Bostonu z mężem. I naprawdę brak mi Specka. – Mogłabym mówić dalej, ale na tym poprzestaję.

– Dużo zmian w Craker's Neck Holler.

– Za dużo.

– Pomyśl o tym, co masz, a nie o tym, za czym tęsknisz. Masz dobrego męża, który cię kocha, a jeśli to wszystko, co w życiu dostałaś, to i tak wygrałaś na loterii – zapewnia mnie Theodore. Napełnia mnie swoją energią i już czuję się lepiej. Kiedy Theodore mówi o Maksie, słyszę w jego głosie szczęście. Max wyciąga z Theodore'a to, czego nigdy wcześniej nie dostrzegałam. Miłość nie zmieniła mojego przyjaciela, tylko uczyniła go bardziej otwartym i chętnym do podejmowania wyzwań.

Jack wpisał się już do naszego dziennika rocznic. Ja jeszcze nie miałam okazji. Zazwyczaj to ja go popędzam. Ta tradycja pisania do siebie co roku dobrze nam służy; zaglądamy do brulionu i widzimy, co każde z nas myślało, kiedy nasze małżeństwo dojrzewało. I zawsze coś z tego, co napisaliśmy w przeszłości, pomaga nam tu i teraz. Tego roku wpis Jacka jest prosty, ale nieco artystyczny. Na górze strony wkleił zdjęcie, które Sergio zrobił nam, kiedy się całowaliśmy nad brzegiem jeziora Como. Obok przykleił małą dziką różę zerwaną z krzaka przy Villa d'Este. Potem napisał:

Kochana Żono.

Kiedy byłem młody, myślałem, że siedemnaście lat to szmat czasu. A teraz wiem, że to dopiero początek.

Z wyrazami miłości, J.

Położył brulion obok mojego miejsca przy stole, żeby przypomnieć mi o mojej dedykacji.

Dzisiaj wieczorem wyjęłam najlepszą porcelanę i mam wielkoduszny nastrój. Pozwoliłam Etcie zaprosić na kolację swojego nowego chłopaka. Jest uczniem ostatniej klasy szkoły średniej w Appalachii, gra w koszykówkę. Nazywa się staromodnie: Robbie Ramsey (jego rodziców nie zainspirował Dziki Zachód, tak jak wielu rodziców tego pokolenia, sądząc po wszystkich Austinach, Dakotach i Cassidych w klasie Etty).

Słyszę silnik rozklekotanego dodge'a darta Tary, rocznik 1988, wspinającego się po drodze. Etta wyskakuje, a Tara trąbi delikatnie, zjeżdżając z góry.

– Wróciłam! – woła Etta.

– To chodź szybko – krzyczę. – Gdzie Robbie? – pytam, widząc, że Etta jest sama.

– Zdecydowałam, że go nie zaproszę.

– Dlaczego?

– Po prostu czasami lubię, jak jesteśmy tylko w trójkę. – Etta wzrusza ramionami i idzie się umyć. Wraca do stołu i Jack podaje swój wspaniały posiłek. Po kolacji córka wręcza nam prezent, pierwsze wydanie *Szlaku Samotnej Sosny*, powieści Johna Foksa juniora, na której jest oparte przedstawienie naszego Teatru pod Chmurką. – Uznałam, że to się wam spodoba. Skoro ty reżyserowałaś przedstawienie, a tata grał w zespole.

– Bardzo nam się podoba. – Patrzę na Jacka, a on kiwa głową.

– Idę posprzątać. A wy sobie odpocznijcie. – Etta wstaje i zbiera naczynia ze stołu.

Jack patrzy na mnie, unosi obie brwi i nic nie mówi. Dziękuję Etcie i w ślad za mężem opuszczam kuchnię. Chwytamy kurtki i wychodzimy na spacer po lesie. Zawsze sobie obiecujemy, że pójdziemy na długi spacer, ale zazwyczaj po posiłku jesteśmy zbyt zmęczeni i zmieniamy plan. We Włoszech często odbywaliśmy *la passeggiattę* po kolacji i zdumiewało nas, jak to odpręża przed nocnym spoczynkiem.

– Dobre to nasze dziecko – mówi Jack po chwili.

– No pewnie.

– Wie, że miałaś ciężką zimę po śmierci Specka.

– Ona też za nim tęskni.

– Tak. Ale rozumie, co ty czujesz.

– Czy to jest to samo dziecko, które upiło się bellini ostatniego lata?

– Dokładnie to samo.

Jack bierze mnie za rękę i prowadzi ścieżką za domem. Latem płynie nią potok, a zimą staje się wyschniętym parowem. Stare drzewa zasadzone przed wielu laty przez moją teściową otaczają posiadłość, ich pozbawione liści górne gałęzie wyciągają się w niebo jak stare, poskręcane palce.

Kiedy się mieszka w górach, codziennie widać, że życie się zmienia. Teren podnosi się, kiedy wypiętrza się góra, i czasami znika jakiś strumień, by nigdy nie powrócić. Jednego roku znajdujesz rosnące przy polu słodkie maliny, a następnego lata już ich nie ma. Nie bierz niczego za pewnik, bo jeśli to zrobisz, to coś na pewno zniknie. Stare drzewa padają od uderzenia pioruna, a to przypomina ci, że też jesteś podatny na zranienia. I chociaż każde powalone drzewo daje pożywienie następnym, tęsknisz za nim.

– W przyszłym roku zabiorę Ettę do Saint Mary's, żeby sobie obejrzała college. Co ty na to? – pytam.

– Ona wciąż mówi o Uniwersytecie Wirginii.

– Chcę tylko, żeby zobaczyła mój college. Nie musi tam iść, tylko wziąć to pod uwagę.

– Nie będziesz się wkurzać, jeśli nie zdecyduje się studiować tam gdzie ty?

– Nie.

Jack przyciąga mnie do siebie i całuje. To jeden z tych dobrych, długich, rocznicowych pocałunków (trwa pełne czterdzieści sekund, chociaż oczywiście nie liczę). Wcale nie czuję, iż mamy za sobą siedemnaście lat, raczej siedemnaście dni. Jack sięga do kieszeni i daje mi małą paczuszkę.

– Co to jest?

– Prezent, głuptasku.

Rozrywam różowy papier i wstążkę (to od jubilera Gilleya, zgaduję po złotym monogramie) i znajduję małe czarne, aksamitne pudełeczko. Jest ciemno, Jack wyciąga więc latarkę i włącza ją, żebym mogła zobaczyć zawartość pudełeczka.

– Są przepiękne! – Rzeczywiście. To złote koła z diamentowymi wisiorkami. – I takie włoskie! – Rzucam się mężowi na szyję i jeszcze raz go całuję. – Dziękuję.

– Wracamy? – pyta, obejmując mnie w pasie ramieniem.

– Twój prezent jest w furgonetce.

– A co to jest?

– Krajzega. Przepraszam. Prosiłeś o nią. – I to prawda. Pytałam go, co chce, i to był jego wybór.

– Zawsze mi dajesz to, co chcę, kochanie.

Jakby wokół mnie było za mało zmian, teraz nadchodzi najpotężniejsza. Pearl musi zdecydować o przyszłości apteki. Lew Eisenberg spotyka się z nami w bufecie. Pearl i Taye przeprowadzają się do Bostonu i powinnniśmy ustalić, co dalej z firmą. Pearl nie mówi zbyt wiele i bierze do ust ostatni kęs ciasta. Fleeta chce być na spotkaniu, jako że ma najdłuższy staż (i to prawda; spędziła w aptece więcej lat niż ja).

– Cześć, dziewczyny. – Lew wchodzi powoli i wciska się do boksu, biorąc jednego z papierosów Fleety. Fleeta w tej chwili już właściwie nie pali. Jej technika rzucania jest całkiem oryginalna i zadziałała, podczas gdy plastry, hipnoza i klasyczne poważne rozmowy zawiodły. Po prostu trzyma niezapalonego papierosa w ustach.

Lew zaczyna. – No więc sprawa wygląda tak. Tworzymy zarząd powierniczy, w którym Ave Maria jest powiernikiem. I to stanowi zabezpieczenie, że wszystkie trzy apteki będą funkcjonować, dopóki odpowiedni kupiec nie złoży oferty albo dopóki wy nie zdecydujecie o ich zamknięciu. Teraz dochodowe są apteki w Big Stone Gap i w Norton. Filia w Pennington Gap ledwie wychodzi na zero. Macie tam sześciu pracowników, a kierownik zaleca, żeby punkt był otwarty dwadzieścia cztery godziny, żeby konkurować z siecią. To powinnyście rozważyć.

– Ave Maria, wiem, że to oznacza więcej pracy dla ciebie. Ale kierownicy pozostałych filii zgodzili się przyjeżdżać tu co piątek z raportami tygodniowymi. To nie powinna być za duża męka – obiecuje Pearl.

– Hej, nikt nie chce wiedzieć, co ja myślę? – Fleeta bierze niezapalonego papierosa, teraz obwiedzionego pomarańczową szminką „Szalony Melon", i stuka nim w stół.

– Jasne. – Lew patrzy na Pearl, a w jego wzroku widać, że nie cieszy się z uczestnictwa Fleety w spotkaniu.

– Moja Janine właśnie skończyła zarządzanie w Mountain Empire. Nie jest dzieckiem, ma trzydzieści sześć lat i jest w tym świetna. I szuka pracy. Szuka czegoś z zarządzania. Przecież mogłaby być nadzorcą wszystkich trzech sklepów i meldować tobie – Fleeta wskazuje Lewisa – i tobie – wskazuje mnie – i co chwila wrzucać jakieś cholerne informacje do komputera, żebyś ty – wskazuje Pearl – orientowała się, co się w tym wszystkim dzieje.

Pearl patrzy na mnie, ja na Lewisa.

– Podoba mi się ten pomysł – mówię głośno. – Janine to wspaniała dziewczyna.

– Myślę, że to się może udać – dodaje Pearl.

– Wszyscy zawsze macie gęby pełne zapewnień, że dajecie pracę tutejszym ludziom. No to właśnie otwiera się przed wami taka możliwość. – Fleeta rozpiera się na siedzeniu.

– Kiedy mogę się z nią spotkać? – pyta Lew.

– Teraz pojechała gdzieś samochodem. Złapię ją. – Fleeta ponownie wsadza niezapalonego papierosa w usta i gramoli się z boksu, ale nagle się zatrzymuje. – Jeszcze jedno.

– Co takiego? – dziwi się Lew.

– Włożyłam swój pot i krew w ten bufet. Ja wszystko gotuję i wszystko piekę. Myślę, że powinien się nazywać „U Fleety".

Wszyscy troje patrzymy po sobie.

– To chyba dobry pomysł – zastanawia się Pearl.

– No, to już najwyższy czas, do diabła. – Fleeta idzie złapać Janine.

Pearl się śmieje, a po chwili wtórujemy jej Lew i ja. Kto by pomyślał, że to Fleeta będzie miała sensowny biznesplan i duszę potentata.

Pearl mieszka z mężem i córką przy Poplar Hill, w starym domu, który sobie wyremontowali. Przy tej samej ulicy, w budynku, który podarowałam Pearl, kiedy poślubiłam Jacka, mieszkają jej matka,

Leah, i ojczym, Worley Olinger, a także Otto, a Pearl jest zadowolona, że India ma pod jednym dachem babcię, dziadka i przyszywanego pradziadka. Teraz wszystko się zmieni i to jest dla niej bardzo trudne. Pearl raczej nigdy nie wyobrażała sobie, że wyjedzie z Big Stone Gap. Dokonała wielkiej zmiany w swoim życiu, kiedy wyprowadziła się z baraków w Insko do mojego starego domu w mieście. Dojeżdżała do college'u na Uniwersytecie Wirginii w Wise, a potem prowadziła aptekę i zakładała jej filie w innych miastach.

– Wiem, że to najlepsze dla mojej rodziny – mówi Pearl, pakując talerze obiadowe w folię bąbelkową.

– Najtrudniejszy jest początek. Ale ile czeka cię przyjemności w Bostonie! Tam jest tyle historii! Możesz zabrać Indię do Concord, żeby zobaczyła Walden Pond i dom, w którym mieszkał Ralph Waldo Emerson, i dom Alcottów. Będzie świetnie.

– Nie myślę o wycieczkach krajoznawczych.

– A o czym?

– O tym, że nie będę już z tobą rozmawiać.

– Możesz do mnie zadzwonić.

– Wiem. Ale to nie to samo.

– Kochanie, ty lubisz dążyć do celu, robić plany i je realizować. Pomyśl, jak będzie wspaniale, kiedy znajdziesz nowe wyzwania. Dawno temu poszłam do wróżki i powiedziała mi, że gdy spełnia się jakieś twoje marzenie, to musisz wymyślić nowe. Nie możesz zostawać w przeszłości. Całe życie i tak się zmienia i jeśli spróbujesz poprzestać na swoim szczęściu albo na jednym sukcesie, albo nawet uczepić się jakichś ludzi, będziesz nieszczęśliwa. Musisz ustalić nowe cele. Zobacz, skąd zaczęłaś. I zobacz, gdzie jesteś. Czy cię to nie oszałamia?

Pearl zastanawia się przez chwilę. – Niezupełnie. Kiedy zaczynasz od niczego, wszystko, co osiągasz, jest niespodzianką.

– Popatrz w taki sam sposób na przeprowadzkę do Bostonu. Znowu zaczynasz, tylko że tym razem nie musisz nic udowadniać, już odniosłaś sukces.

Pearl uśmiecha się z wdzięcznością. Dając jej rady, nigdy nie jestem nietaktowna ani nie prawię kazań. Mówię od serca, a ona rozumie. Łatwiej jest chyba matkować obcej dziewczynie, nie czując osobistej odpowiedzialności za każdy jej wybór. Gdybym tylko umiała tak postępować z Ettą...

Pearl mówi, że ona i India polecą do Bostonu rano i dołączą do Taye'a, który już zaczął pracę w szpitalu. Ich meble i reszta dobytku dowiezie w weekend firma przewozowa. Pearl wylicza, co jeszcze zostało jej do zrobienia. Rozlega się pukanie do drzwi. – Są wcześnie. – Pearl idzie otworzyć. Ustawiam ostatni talerz, a kiedy podnoszę wzrok i widzę, kto składa wizytę, bardzo się cieszę, że nie trzymam w ręku nic tłukącego.

– Tata? – mówi Pearl szeptem.

– Tak, to ja.

Nie widziałam Alberta Grimesa od czasu, kiedy spaliło się kino Na Szlaku. Zabrano go wtedy do szpitala i uwolniono z zarzutów. Wydawało się, że chce nawiązać z Pearl kontakt, więc zaprosiła go na ślub. Miałam nadzieję, że zaczną od nowa, ale najwyraźniej tak się nie stało. Pearl nie mówiła o nim przez lata, a ja wyczułam, że to dla niej bolesny temat, i nigdy o nic nie pytałam. Albert wygląda o wiele lepiej niż kiedyś (myślę, że to nowe zęby). Ma włosy ostrzyżone tuż przy skórze i nosi starannie odprasowany mundur khaki. Na koszuli widnieje naszywka STRAŻ.

– Co u ciebie, Pearl? – pyta.

– Przeprowadzamy się.

– Słyszałem.

– Pracujesz?

– Tak. W więzieniu Wise County. I ożeniłem się z miłą dziewczyną z Pound. Ona jest Izowerką. Nie wiem, czy znasz jakichś Izowerów, ale to dobrzy ludzie.

– Chyba słyszałam tę nazwę. Gratuluję. – Pearl patrzy w bok i mówi spokojnie: – Masz wnuczkę. Na imię jej India. Gdybyś chciał ją zobaczyć, jest u mamy.

– Zaraz pójdę.
– Wyjeżdżamy rano.
– Wszystko wiem.
– A skąd?
– Zabawne. Jeden ze strażników się przeprowadza, a wy macie z nim ciężarówkę na spółkę. Zapytałem go, kiedy samochód stąd wyjeżdża, i pomyślałem, że cię złapię.
– Cieszę się, że przyszedłeś.
Dociera do mnie, że Pearl i Albert przez cały czas stoją w drzwiach, i proponuję: – Może przyniosę wam jakąś herbatę albo kawę? – Patrzą na mnie. – Albercie, jestem Ave Maria.
– Pamiętam cię – mówi grzecznie.
– Świetnie wyglądasz – stwierdzam szczerze.
– Cóż, tyle potrafi zdziałać dobra kobieta. – Albert i Pearl stoją w milczeniu przez następną chwilę, aż w końcu on zaczyna gmerać w kieszeni. – Pearl, dziękuję ci, że o mnie dbałaś tak długo, kiedy miałem ciężki okres. To jest czek. Wyliczyłem, co mi dałaś, i chcę ci to zwrócić.
– Nie ma takiej potrzeby, tato. – Pearl zawodzi głos.
– Nie, nie, weź to. Moja żona i ja ugadaliśmy się, że powinnaś to mieć. To twoje. Masz dziewczynkę do wychowania i możesz tego potrzebować. Proszę. – Podaje Pearl kopertę, a ona ją bierze. – Wiem, że było ci ciężko. Wiem, że jako ojciec rozczarowałem cię, ale teraz będziesz wiedziała, że ja też spłacam długi. Jestem bardzo szczęśliwy, że dostałem pracę i mogę spłacić ci dług.
Pearl ociera oczy ściereczką do naczyń, którą trzyma, potem wyciąga ręce do ojca i bardzo długo go przytula.
– Zawsze wiedziałam, że jesteś dobrym człowiekiem, tato.
– Miałem nadzieję, że tak myślisz.
Siedzę w kuchni, ale jestem pewna, że Albert Grimes też ma łzy w oczach. Słyszę w duszy głos Specka: „Ludzie naprawdę się starają, jak mogą”. I oto dowód, że naprawdę tak się dzieje.

Rozdział dziesiąty

– Mamo, wiesz, że chcę iść na Uniwersytet Wirginii. Tam właśnie chcę iść. – To początek ostatniej klasy Etty, a ona już ma wszystko zaplanowane. Miniony rok spędziliśmy, odwiedzając każdy college w Wirginii, od William & Mary po Hollins, zbierając formularze zgłoszeniowe, druki reklamowe i bluzy, tak żeby Etta zachowała otwarty umysł. Ona jednak trwa przy UW, odkąd skończyła staż w Thompson & Litton. Jestem pewna, że wybrała już nawet akademik.

Kiedy Etta się urodziła, jak każda matka porobiłam mnóstwo planów z nią związanych. Przygotwałam listę ulubionych książek, żeby się nimi z nią podzielić. Większość z nich przeczytała (jest w połowie *Dumy i uprzedzenia*, następny będzie *The House of Mirth* Edith Wharton). Chciałam, żeby zobaczyła świat i zdobyła dobre wykształcenie. Nadal mam nadzieję, że weźmie pod uwagę moją Alma Mater, Saint Mary's College w South Bend w Indianie.

– Wiem, że się uparłaś przy Charlottesville. Ale czy nie możemy pojechać do South Bend? Zobaczyłabyś tylko, jak tam wygląda.

– Dobrze. Ale nie rób sobie nadziei – mówi.

Jack wykręcił się od podróży, którą zaplanowałam na jesienną przerwę Etty (sprytny facet). Płaskie pola i niekończące się wiejskie okolice Indiany, nocne granatowe niebo i gwiazdy – tak nisko, że zwisają jak kryształy z żyrandola... Może również ją urzekną i zmieni plany? W Notre Dame jest weekend footbolowy, niezwykle ekscytujący. Może kiedy zobaczy dziewczyny w wełnianych groszkowych kurtkach i irlandzkich czapkach bejsbolowych, jeszcze raz wszystko przemyśli?

Jedziemy na kampus, Etta jest pod wrażeniem drogi, obramowanej stuletnimi dębami, splatającymi się wysoko nad naszymi głowami w pomarańczowy baldachim. Budynki, tak pięknie usytuowane nad jeziorem z wyspą pośrodku (właśnie wypłynęły kaczki, jakie to malownicze), tworzą scenerię, której uroku nawet w części nie oddają zdjęcia w broszurze. Etta śmieje się, kiedy obok nas śmiga stary packard, pomalowany w srebrne płetwy, z zakonnicami w czarno-białych habitach w środku. – Wygląda jak puszka orzechowych ciasteczek z kremem cioci Fletty – zauważa.

Moja córka nigdy nie widziała zakonnic w habitach. W południowo-zachodniej Wirginii katolicy są rzadkością. Jedyne siostry, które zna, to te ze szpitala Świętej Agnieszki, a ich habity przypominają bardziej tradycyjne stroje pielęgniarek niż długie, powiewne suknie zakonu Świętego Józefa. Nasi miejscowi kapłani to ludzie pracujący, w zasadzie są misjonarzami, rzadko więc noszą nawet koloratki. Etta jest oczarowana pierwszym katolickim miejscem, które widzi w swoim życiu. Posągi świętych ukryte w niszach, anioły w ogrodach i ciężki krzyż w holu Le Mans – to wszystko dla niej nowość. Nie jestem pewna, czy dobrze to wszystko rozumie.

Etta ma spotkanie z komisją rekrutacyjną, która – widzę to po twarzach – przyjęłaby ją z radością. Dziękuje, że członkowie komisji poświęcili jej swój czas, ale jeszcze się nie zdecydowała i chciałaby zobaczyć wydział sztuki w Moreau Hall. Licencjat ze sztuk pięknych byłby najbliższy studiom architektonicznym, które Etta planuje, ciekawi ją więc, co wydział oferuje. Zwiedzamy, a ja przypominam sobie robienie zdjęć klasowych oraz sztuki, które oglądałam w Małym Teatrze.

– Czy tu nie jest cudownie? – pytam Ettę, stojąc na pustej scenie.

– Jest naprawdę ładnie. – Etta patrzy na mnie wzrokiem „nie naciskaj", nie naciskam więc. Dlaczego tak mi trudno, chociaż wiem, że dokona dobrego wyboru? Czyż Uniwersytet Wirginii nie ma najlepszego wydziału architektury w całym stanie? Co się ze mną dzieje? Przecież tak łatwo mogę wywołać wojnę.

Droga powrotna mija nam szybko i wkrótce jesteśmy już na niebieskich wzgórzach Kentucky w pobliżu granicy Wirginii. Etta milczała, dużo spała. Zatrzymujemy się, żeby coś zjeść, a jej nastrój wyraźnie się poprawił.

– Masz już lepszy humor? – pytam, podając jej ketchup do hamburgera.

– Już prawie jesteśmy w domu.

– I to cię uszczęśliwia – stwierdzam.

– Tak. – W głosie Etty pojawia się nuta sarkazmu.

– Nie podobało ci się w Saint Mary's, prawda?

– Było miło.

– To szkoła tradycyjna, stara, wielka i powszechnie szanowana. Nie nazwałabym jej miłą.

– Mamo, nie idę do Saint Mary's.

– Dlaczego?

– Bo to nie jest szkoła dla mnie. Wiedziałam, że tak będzie, że nie jedziemy na wycieczkę, tylko chcesz postawić na swoim.

– Ja już byłam w college'u. Zależy mi tylko, żebyś zdobyła jak najlepsze wykształcenie.

– Nie, chcesz, żebym zrobiła to co ty.

– Podobały ci się te dziewczyny.

– Nie, tobie podobały się te dziewczyny. Nie widziałam ani jednej osoby podobnej do mnie.

– O czym ty mówisz? Jesteś bystra, masz wspaniałą osobowość. Doskonale tam pasujesz.

– Nie chcę tam pasować.

– Ty naprawdę zamierzasz iść na UW.

– Mówisz to takim tonem, jakby to były kursy korespondencyjne. To jest stanowa uczelnia Wirginii, założona przez Thomasa Jeffersona, a nie jakaś nora.

– Coś ty, ja wiem, że to wspaniała szkoła.

– To dlaczego nie chcesz, żebym tam poszła?

– To nieprawda.

– Nigdy nie powiedziałaś „świetny wybór, Etto". Większość ludzi z mojej klasy nawet nie myśli o college'u. Dlaczego sama nie mogę zdecydować, co jest dla mnie dobre? Jeśli nie stawiasz na swoim, zachowujesz się, jakby miał nastąpić koniec świata. Jesteś taka rozpuszczona.

– Rozpuszczona? Ja? – Ostatnia rzecz, jaką bym o sobie powiedziała, to to, że jestem rozpuszczona.

– Jesteś jedynaczką i zawsze stawiałaś na swoim.

– To ty jesteś jedynaczką – odcinam się.

– Nie. Miałam brata. – Etta popija colę. Gdybyśmy nie siedziały w zajeździe dla ciężarówek w Kentucky, wstałaby i wyszła. Ale tkwi w pułapce i ja też. – Zapominasz, że ja też kogoś straciłam.

– Przepraszam. – Staram się nie płakać, ocieram oczy serwetką.

– I tego też nie rób. Nie przepraszaj mnie ciągle. Nie może tak być, że mówisz, co ci się podoba, i narzucasz mi swój porządek, choć czujesz się winna, a potem przepraszasz, jakbyś miała coś innego na myśli. Ty masz na myśli dokładnie to. Tak właśnie robisz i już.

– To nieprawda.

– To prawda. Myślisz, że wiesz, co jest dla wszystkich najlepsze! Myślisz, że jesteś ponad ludźmi. Myślisz nawet, że twoja rodzina jest lepsza od rodziny taty.

– Nieprawda. Bardzo kochałam panią Mac.

– Jako znajomą. Umarła, zanim weszłaś do rodziny.

– Co to znaczy?

– Przywoziłaś jej lekarstwa i przyjaźniłyście się, ale nie byłyście rodziną. Ty nigdy nie przywiązujesz się do ludzi, mamo. Nie zauważyłaś?

– Mam bliskich przyjaciół w Big Stone Gap. Ciocię Ivę Lou! Ciocię Fleetę! No a Speck?

– Mamo, ja jestem dziewczyną z gór. Jestem MacChesneyówną. Spójrz na mnie. Mam brązowe włosy, zielone oczy i piegi. Jestem zbudowana jak tata. Interesują mnie maszyny i astronomia. Nie umiałabym przyszyć sobie guzika ani pracować w aptece. Dostałabym klaustrofobii. Lubię zupę fasolową, chleb kukurydziany i nugat. Lubię chłopców stąd, którzy mówią tak jak ja. Lubię swoje przyjaciółki, które mieszkają w małych miasteczkach i mają dzieci, póki są tak młode, że później mogą jeszcze z nimi pobiegać. Lubię wieś, boczne drogi, Powell River, kiedy wylewa, i to, że aby przeżyć w Big Stone Gap, nie trzeba dużo pieniędzy. Jestem jedną z nich i taka zostanę do śmierci. I bez względu na to, czy wrócę tu po college'u, czy nie, wszystko to zatrzymam w sercu na całe swoje życie. Taka właśnie jestem.

Nie umiem powiedzieć ani słowa. Słucham jej i wiem, że ona wierzy w to, co mówi. Pewnie miałam nadzieję, że to nieprawda. Marzyłam, żeby osiągnęła coś więcej. Żeby kochała szeroki świat za górami tak jak ten bliski.

– Kiedy się urodziłaś, myślałam chyba, że będę miała córkę taką jak ja. I tu się myliłam. Jesteś tym, kim jesteś, i masz do tego prawo.

– Dziękuję. – W głosie Etty słychać ulgę.

– Wcale nie uważam siebie za lepszą od kogokolwiek. Chciałam, żebyś była taka jak ja, bo bardzo lubiłam swoją matkę, świetnie się rozumiałyśmy i nie wyobrażałam sobie bez niej życia. Niestety, nam widać nie było to pisane.

– Czy to naprawdę dlatego ci smutno, mamo? – Etta patrzy na mnie. – Naprawdę z mojego powodu? Czy z powodu Joego?

– Nie rozumiem.

– Przez całe życie chciałam, żebyś czuła się taka szczęśliwa, jak wtedy zanim Joe umarł. Śmiałaś się i niczego się nie bałaś. Byłam wtedy mała, ale pamiętam, jak wszystko się zmieniło. Nic nie wiem o macierzyństwie, bo i skąd, ale to, że ciągle się o mnie boisz, nie przynosi nic dobrego ani tobie, ani mnie. Umieszczając mnie w szkole w Indianie, nie chronisz mnie bardziej, niż gdybyś zamknęła mnie na strychu. Gdyby coś mi się miało stać, stałoby się, a ty nie mogłabyś w żaden sposób tego powstrzymać.

– Nie mów tak.

– To prawda. To nie była twoja wina, mamo. Nie zrobiłaś nic złego, a Joe i tak umarł.

Ma rację. Patrzę na moją córkę i nie widzę już małej dziewczynki ani nastolatki. To dorosła osoba, myśląca i szukająca odpowiedzi. Wyruszyłam w tę macierzyńską podróż z opracowanym planem. Wiedziałam dokładnie, jak sprostać każdemu wyznaniu i jakich zasad się trzymać. Nie wzięłam pod uwagę osobowości swojego dziecka. I chociaż wyobrażałam sobie zupełnie inaczej, cieszę się, że Etta jest właśnie taka. W przeciwieństwie do mnie kieruje się intuicją i na pewno jest bardziej szczera w swoich uczuciach.

– Dobrze, że chcesz iść na UW, naprawdę.

– Jesteś pewna?

– Absolutnie pewna.

Etta się uśmiecha. – Dziękuję, mamo.

I na te słowa czekałam. Matkom, które bardzo się starają (a ja przewodzę w tej kategorii), potrzebne jest powiedzenie, że w końcu w ważnym momencie udało im się postąpić właściwie.

Jack i ja mijamy kolejne kamienie milowe ostatniej klasy Etty, w tym wiosenny musical (Etta projektowała dekoracje do *Karuzeli*), bal maturalny (poszła bez pary, z grupą przyjaciółek) i wręczenie świadectw (Jack płakał, ja nie). Papa przysłał Etcie bilet powrotny do Włoch jako prezent za świadectwo. Wczoraj zawieźliśmy ją na lotnisko, to jej ostatnie chwile wolności przed college'em.

Theodore został uhonorowany doktoratem honoris causa Uniwersytetu Tennessee. Przekonałam jego i Maksa, żeby w drodze do Knoxville zatrzymali się na kilka dni w Big Stone Gap. Theodore zamierza pokazać Maksowi Królestwo Wielkiej Pomarańczy i oczywiście nasze miasto.

Wiele osób chce się zobaczyć z Theodore'em, usadziłam go więc w aptece w czasie lunchu, żeby załatwił wszystkie powitania na raz.

– Nie wiem, o czym mówiłeś. Jedzenie tutaj jest bardzo interesujące – karci Theodore'a Max.

– Mieszkałem tutaj jedenaście lat i nigdy nie mogłem przebrnąć przez pierwszą łyżkę zupy fasolowej i pierwszy kęs chleba kukurydzianego.

– Czepiasz się. Ja uważam, że są wyśmienite. – Max wraca na kilka chwil do kuchni.

– Tyle jeśli chodzi o mojego przyjaciela o szerokich horyzontach – mówi do mnie Theodore. – Myślisz, że ludzie się zastanawiają, kim jest Max?

– Pytasz mnie, czy uważają was za parę?

– Właśnie.

– Wszyscy tutaj są już na tyle duzi, że jeśli nawet ich to obchodziło, to już przestało. Homoseksualista, heteroseksualista czy impotent, oni chcą po prostu być szczęśliwi.

Theodore odrzuca głowę do tyłu i wybucha śmiechem. – Chyba masz rację.

Po wyjeździe Theodore'a najbardziej tęskniłam za naszymi wyprawami do jaskiń w starych górach. Nie znalazłam nikogo, kto by miał do tego zacięcie. Raz zabrałam Jacka, a on powiedział, że woli kopalnię. Kiedy indziej wzięłam Ettę, która zajęła się mierzeniem ścian pod kątem ewentualnego zawalenia, zamiast podziwiać porosty i formacje kamienne. Jestem więc podekscytowana, kiedy Theodore zgadza się iść ze mną do grot Cudjo, podczas gdy Jack będzie pobierał u Maksa lekcję przyrządzania profiteroles.

Nic się nie zmieniło: niskie wejście, wąska kładka i podwodny strumień. – Czy to nie dziwne? – pytam Theodore'a.

– To nie jest Disney World. Nie robią aktualizacji. To wszystko dzieło natury. Setki lat zajęło jej osiągnięcie tego stanu i setki miną, nim to się zmieni.

– Nie będziesz się ze mnie śmiał, jak ci coś powiem?

– Na pewno nie.

– Dopadł mnie syndrom pustego gniazda. Za każdym razem, kiedy pomyślę, że Etta wyjeżdża na dobre, nie mogę oddychać. Co jest ze mną nie tak?

– Nic. Trzymasz się tego, co znasz. Zmieni się nie tylko twój rozkład zajęć związanych z Ettą. Apteka też zrobi się mniej ważna niż dawniej, bo nie będziesz już pracować dla rodziny, tylko dla siebie. Musisz więc przemalować cały obraz. A zacząć wszystko od nowa w twoim wieku to przerażające. Kto tak robi? Nikt. A wiesz dlaczego? Bo to za trudne.

– Dzięki. Teraz czuję się o wiele gorzej.

Theodore się śmieje. – Taka jest prawda, bardzo mi przykro.

– To nie wyjaśnia moich fizycznych dolegliwości, takich jak kołatanie serca.

– Może przechodzisz menopauzę? – bez ogródek pyta Theodore.

– Co takiego?

– Menopauzę. Twoje jajeczka robią głosowanie i decydują, że czas zamknąć fabrykę.

– Wiem, co to jest menopauza. Że też mnie o to zapytałeś!

– Dlaczego? To zupełnie naturalny proces. I on właśnie czasami sprawia, że całkowicie zdrowa kobieta traci kontrolę nad sobą, a tobie bez wątpienia się to ostatnio zdarzało.

– Dla twojej informacji: rzeczywiście przechodzę menopauzę. I rzeczywiście jest to wielka zmiana. Dopiero teraz zrozumiałam, dlaczego te górskie dziewczęta są takie świetne. To jest powód, żeby mieć dzieci w wieku dwudziestu lat. Jeśli przychodzą na świat, gdy dobiegasz czterdziestki, opuszczają cię dokładnie w tym samym momencie, co miesiączka. To nie jest miłe, a na pewno niełatwe.

– Wbrew standardowemu samoobwinianiu się świetnie sobie ze wszystkim radzisz.
– Dziękuję za wsparcie.
– Max i ja jedziemy nad jezioro Tahoe pod koniec lata. Pojedziesz z nami?
– Zawsze chcieliśmy się tam z Jackiem wybrać.
– Możesz odwieźć Ettę i dołączyć do nas później. Obiecuję, że nie pozwolę zepsuć sobie wakacji gorzkimi żalami. Będziesz musiała zostawić swoją córeczkę tonącą we łzach w Wirginii. Myślisz, że dasz radę?
– Owszem, dam. – Mówię poważnie. Nie zamierzam się już smucić wielkim osiągnięciem Etty. Ona idzie na Uniwersytet Wirginii, żeby zostać architektem – która matka nie byłaby tym podekscytowana?

Przez cały lipiec dostajemy regularnie kartki od Etty, opisujące ze szczegółami jej podróż nad Morze Śródziemne z Chiarą, Giacominą i Papą. Tymczasem ja robię listę rzeczy, które mogą się jej przydać na pierwszym roku na UW. Razem z Ivą Lou jedziemy do Fort Henry Mall i kupujemy rozmaite artykuły pierwszej potrzeby do akademika: ręczniki, pościel i skórzaną torbę na książki (mam nadzieję, że się jej spodoba). Po powrocie do Cracker's Neck Iva Lou pomaga mi wyładować paczki, a Jack wychodzi nam naprzeciw. Twarz ma szarą. Rzucam torby na ganek.
– Coś się stało Etcie?
– Nie, nie, nic jej nie jest.
– To dlaczego tak wyglądasz?
– Dzwoniła, kiedy cię nie było, i powiedziała, że zadzwoni za piętnaście minut. Chce nam coś powiedzieć.
– Ale ona jutro wraca do domu. Coś nie tak z biletem?
– Nie mówiła.
– Dlaczego jej nie zmusiłeś?
– Jej się nie da zmusić, Ave.

– To pewnie nic takiego. Na przykład kupiła wam bransoletki do grawerowania na Ponte Vecchio i nie wie, jaki chcecie napis. Na miłość boską, nie wyciągaj pochopnych wniosków. – Iva Lou wygląda, jakby chciała mną potrząsnąć.

Zaczyna się najdłuższe piętnaście minut w moim życiu. O dziwo, to wystarczająco dużo czasu, żeby przerobić w głowie kilka straszliwych scenariuszy. Nie wychodzi mi to najlepiej, ale to, co przeczuwam, jest przerażające.

W końcu telefon dzwoni. Jack pokazuje mi, żebym odebrała w salonie, a sam wbiega pod schodach do naszej sypialni. Iva Lou nalewa sobie w kuchni coli.

– Co się stało? – pytam bez powitania.

– Mamo.

Biorę głęboki oddech.

– Wychodzę za mąż.

Zatyka mnie. Zrzucam telefon. Iva Lou wbiega do salonu, ogarnia mnie jednym spojrzeniem i pokazuje, żebym usiadła. Podnosi telefon i podaje mi go. Potem siada obok, przystawiając ucho do słuchawki.

– Etta, co to znaczy, że wychodzisz za mąż? – Jack zadaje to pytanie, jakby nie dosłyszał.

– Wychodzę za mąż.

– Po college'u?

– Nie, w przyszłym miesiącu.

– W przyszłym miesiącu! – Gdzieś w okolicy gardła czuję cheeseburgera, którego jadłam z Ivą Lou w Pal's.

– Nie zapytacie mnie, za kogo wychodzę?

– Za kogo? – Jack, Iva Lou i ja krzyczymy jednym głosem.

– Ciocia Iva Lou?

– Przepraszam. Podniosłam słuchawkę, bo chciałam sprawdzić, czy Lyle nie chce, żebym się zatrzymała u Stringera po coś do jedzenia.

– Stefano Grassi poprosił mnie o rękę, a ja się zgodziłam.

– A co ze szkołą?

– Idę na Uniwersytet Bergamo. Mają świetny wydział architektury.

Jack podnosi głos i mówi bezładnie do słuchawki: – A co z UW? Tak po prostu rzucasz wszystkie swoje plany? Do czego to podobne? – Nic z jego protestów nie dociera do Etty, która wzdycha do słuchawki.

Walę prosto z mostu dokładnie to, co myślę: – Rozum ci odjęło? Masz osiemnaście lat. Małżeństwo? Co ty sobie wyobrażasz, na miłość boską?

– Mamo. Jestem dorosła, mogę robić, co chcę.

– To, że w wieku osiemnastu lat rezygnujesz z college'u i wychodzisz za mąż, dowodzi, że daleko ci do dorosłości!

– Proszę. Porozmawiaj z dziadkiem. – Etta wręcza słuchawkę mojemu ojcu.

– Ciao – słyszę jego spokojny głos.

– Co tam się dzieje, Papa?

– Oni się kochają – mówi po prostu.

– Jezu. Gdzie była Chiara?

– Ona nie jest dobrą przyzwoitką.

– Doprawdy? Ty też nie!

– Przykro mi, ale takich spraw nie da się powstrzymać. Etta jest młoda, ale zna siebie najlepiej. Stefano to dobry człowiek. Znasz go. Oni chcą właśnie tego. To jak głaz spadający z góry. Musisz go przepuścić, zejść mu z drogi.

– Papo, słabo mi.

– Ave Maria, posłuchaj mnie. Nie stawaj na drodze do jej szczęścia. Stracisz ją.

– Za późno.

Odkładam słuchawkę. Niech Jack sobie z nimi radzi. Z nią. Ja nie potrafię. Nie mogę uwierzyć w to, co się stało.

– Co za szok. – Iva Lou wstaje z kanapy. Zaczynam płakać. Iva Lou nie wie, co powiedzieć, chodzi więc w tę i z powrotem, a potem zaczyna: – Słuchaj, mogło być gorzej. Mogłaby być nieszczęśliwa albo ranna, albo coś w ogóle potwornego. Ona się zakochała i wygląda na to, że czuje się szczęśliwa. To nic strasznego?

– Jest jeszcze dzieckiem.

– Według prawa już nie.

– A co ma do tego prawo? – Szlocham. Jack wchodzi do salonu. Podchodzi i obejmuje mnie. – To dziecko chce mnie wykończyć – mówię.

– Nieprawda.

– Ona rozmyślnie tak robi. Zrujnowała mi życie.

– Daj spokój, Ave.

– Staraliśmy się, co wieczór odrabialiśmy z nią lekcje, wysłaliśmy ją do Mountain Empire na kursy przygotowawcze, wspieraliśmy ją. Po co? Wszystko stracone.

– Pójdzie do college'u we Włoszech.

– Marzenie ściętej głowy! Kiedy? Jak? Kto jej będzie pomagał? Wiesz, co się dzieje z nastolatkami, które wychodzą za mąż? Mają dzieci, są uziemione i po wszystkim. Po wszystkim!

– Jesteś trochę negatywnie nastawiona – mówi grzecznie Iva Lou.

– To prawda!

– To szok. A kiedy ten szok minie, pomyślimy, co robić dalej.

– Jack, obudź się. Ona właśnie zerwała się z uwięzi. Wychodzi za mąż. Słyszałeś ją? Nie prosi nas o błogosławieństwo. Nie obchodzi jej to. Robi to, co chce i kiedy chce, i wcale nas nie słucha. Nigdy nie słuchała!

– Ma swój rozum.

– I widzisz, dokąd on ją zaprowadził!

– Znamy Stefana...

– Jego? Zabiłabym go.

– Wcale tak nie myślisz.

– Owszem. Zabiłabym go gołymi rękoma. Jak on śmie odciągać ją od szkoły? Co za mężczyzna zniechęca kobietę do zdobycia wykształcenia? Ja ci powiem, jaki mężczyzna. Taki, który chce mieć niewolnicę, żeby mu gotowała, sprzątała i czekała na niego.

– A skądże! On sam jest wykształcony.

– Och, daj spokój.

– To dobry człowiek. Mogło być gorzej. A gdyby zadzwoniła do domu i powiedziała, że wychodzi za kogoś obcego?
– Co ja mam zrobić? – Podchodzę do okna i zastanawiam się, czy nie pobiec do Lee County, póki moje serce nie pęknie i nie padnę trupem.
– Napić się. – Iva Lou patrzy na Jacka. – Gdzie jest wódka?

Problem z piciem w stanie silnego zdenerwowania polega na tym, że alkohol nie działa szybko. Wypiłam kilka drinków, zanim poczułam pierwszego. Trochę mi wstyd, że w obliczu kryzysu zwróciłam się do Jacka Danielsa, ale to pierwszy raz. Iva Lou pojechała do domu po kilku godzinach słuchania moich tyrad. Zniosła tyle, ile mogła, i wymknęła się. Jack jest w kuchni i robi nam coś do jedzenia. Iva Lou położyła wszystkie zakupy dla Etty na ławce pod oknem. Ich widok doprowadza mnie do płaczu.
– Chodź, zjedz coś. – Jack stawia talerze na stole.
– Nie pojadę tam.
– Musimy.
– Nie pojadę. Nie będę tego popierać.
– Ave, za wcześnie, żeby tak mówić.
– Mnóstwo ludzi wyrzeka się swoich dzieci i żyją sobie dalej szczęśliwie.
– Podaj mi jedno nazwisko.
– Nie znam nikogo osobiście, ale jestem pewna, że tacy są.
Jack siada i bierze mnie za rękę. – Ave?
– Jack, jak ona mogła nam to zrobić?
– Nie podoba mi się to tak samo jak tobie. Ale nie zrobiła tego, żeby nas zranić. Ona idzie za głosem serca. Jest zakochana.
– Uch.
– Przypomnij sobie, jak my byliśmy zakochani.
– Mieliśmy po trzydzieści pięć lat!
– No dobra, to zły przykład. A moja mama? Miała szesnaście lat, kiedy się zakochała, a siedemnaście, kiedy wyszła za mąż.

– To były zamierzchłe czasy.

– W tych górach ludzie zawsze młodo się pobierali. Nie mówię tego w jej obronie. Zwracam tylko uwagę, że ona nie jest pierwsza.

– Ale wychowywaliśmy ją inaczej. Nie powinna nam tego robić.

– Przestań myśleć, że ona to zrobiła na złość tobie.

– Dobra, powiedzmy, że są zakochani. Osiemnastolatka nie wie, czym jest miłość. Chodziła z dwoma chłopcami, obu rzuciła, bo byli za głupi. Marnuje sobie życie, zanim zdążyła je poznać. On jest pewnie jedynym mężczyzną, z którym się kochała, i dała się usidlić. – Ledwo mi to przeszło przez gardło, ale tak właśnie uważam. Dała się złapać i zmarnowała sobie życie.

– Chyba nie masz racji.

Patrzę na Jacka. Czuje się równie zraniony jak ja; ale jest lepszy ode mnie, rozstrzyga wątpliwości na jej korzyść. Wierzy, że sprawdził się jako ojciec i że to zaprocentuje. Chciałabym być na jego miejscu.

– Jesteś niepoprawnym optymistą – mówię.

– Nie jesteś szczęśliwa, że wychodzi za Włocha?

– Że w ogóle za kogoś.

– Jest tam twój ojciec. Giacomina. *Nonna*. Ma dokoła siebie kochającą rodzinę. Nie uciekła ze skazańcem do Albanii.

– Jack, jakkolwiek do tego podchodzisz, mylisz się. Ona postradała rozum! Ma fiu bździu w głowie! Kiedy zabrałam ją do Indiany, ciągle mówiła o tym, że jest dziewczyną z gór i MacChesneyówną, i opowiadała, jak kocha te góry, a teraz nagle decyduje się mieszkać we Włoszech, a dzieciństwo już się nie liczy. Nie mogę tego zaakceptować.

– Jeśli to wszystko prawda, to tylko znaczy, że rzeczywiście bardzo kocha Stefana. Cieszyła się, że idzie na UW, nie mogła się doczekać. Nie rzuciłaby szkoły dla kaprysu.

– Ja jej wcale nie znam, Jack. Nie potrafię tego zrozumieć. – Ledwie mówię, jestem pijana. Bełkoczę jak stary menel znaleziony na podłodze w Ray's Cafe w sobotni ranek po całonocnym pijaństwie.

– Musimy to zaakceptować.

– Dlaczego dla ciebie to takie łatwe?

– To jest jej życie i sama musi je przeżyć.

Zrzucam wszystkie zakupy do college'u z ławki i kładę się na niej, zwijając się w piłeczkę tak małą, że można by mną grać w hokeja na trawie. Jestem taka smutna i rozczarowana. Zupełnie jakbym zbudowała piękny zamek, odwróciła się na chwilę, a w tym czasie moją budowlę doszczętnie zniszczyłby ogień. Teraz rozumiem, dlaczego ludzie piją: czasami wiadomości są po prostu za trudne do zniesienia.

W trakcie lotu do Włoch tak często wpadamy w turbulencje, że chwilami zaczynamy wątpić, czy stawimy się na ślubie Etty. Nasz pierwotny plan, by do niego nie dopuścić, całkowicie spalił na panewce. Zagroziliśmy, że przyjedziemy, żeby sprowadzić ją do domu, a wtedy Etta przyspieszyła datę ślubu. Poszliśmy na rozmowę do ojca Rodrigueza. Dzięki niemu zrozumiałam, że muszę pogodzić się z jej decyzją, bo córka mnie potrzebuje i na pewno w najbliższych dniach będzie mnie potrzebować jeszcze bardziej. Nadal nie akceptuję tego małżeństwa, ale nie dam tego po sobie poznać, a potem, mam nadzieję, jakoś się z tym uporam. Oczywiście to są rozważania mojego racjonalnego umysłu, a nie serca.

Theodore spotka się z nami na lotnisku Malpensa w Mediolanie. Kiedy zadzwoniłam do niego z wieścią o ślubie Etty, zrezygnował z podróży nad jezioro Tahoe. Jack i ja zaprosiliśmy też Maksa, on jednak uznał, że tylko by zawadzał, i pojechał odwiedzić swoją rodzinę. Wynajęliśmy samochód i ruszymy prosto do Schilpario, gdzie w tydzień po naszym przybyciu odbędzie się ślub. Ponad miesiąc minął od tego fatalnego wieczoru, kiedy zadzwoniła Etta, i od tego czasu rozmawialiśmy z nią, ale konwersacje były napięte i przesadnie grzeczne. Dostałam pięciostronicowy list od Stefana Grassiego, który wykładał z niemal matematyczną ścisłością, dlaczego ten związek przetrwa. Przeczytałam go raz i nie miałam siły czytać po raz kolejny.

Jack myśli, że już sobie ze wszystkim poradziłam. Trudno mi z nim rozmawiać, jest takim optymistą. Nie znalazłam ani jednej osoby, która by rozumiała, dlaczego mnie to przytłacza. Nawet Fleeta powiedziała: „Ona nie ma piętnastu lat, tylko osiemnaście. W świetle prawa jest dorosła". Po mojej stronie stoi jedynie Theodore. Dzięki Bogu, że będzie na tym ślubie. Teraz naprawdę go potrzebuję.

Jack zasypia po posiłku, mam czas pomyśleć. Znowu czuję się oszukana przez szczęście. Wychodząc za mąż tak młodo, Etta zakłóca naturalny porządek dojrzewania: ukończenie szkoły średniej i college'u, potem samodzielne życie w jakimś nowym i ekscytującym miejscu, następnie znalezienie dobrego człowieka na resztę życia, a wreszcie, w wieku dojrzałym, dzieci, jeśli będzie ich pragnąć. Miałam tyle planów na dzień ślubu Etty. Wycinałam z gazet zdjęcia weselnych ciast i włoskich *regali* – prezentów dla gości leżących na stole weselnym. Wyobrażałam sobie, w jakiej sukni i welonie będzie jej najlepiej. Uznałam, że czysta biel nie jest twarzowa, do jej karnacji lepiej by pasował kremowy beż. Uczyniłabym ten dzień szczęśliwym, wypełniłabym słodkimi niespodziankami i pięknem. Powitałabym rodzinę jej męża z otwartymi ramionami i byłabym gospodynią hojną i o nienagannych manierach. A tymczasem nie mam nic do powiedzenia w sprawie ślubu mojej córki. Nie poprosiła mnie, żebym się włączyła w przygotowania, poinformowała tylko, gdzie i kiedy odbędzie się nabożeństwo i przyjęcie weselne.

Lotnisko Malpensa jest zatłoczone. Wątpię, czy Theodore zdoła nas znaleźć. Jack ciągnie bagaż przez automatyczne drzwi. Słyszę, jak Theodore woła moje imię, i widzę go w tłumie.

– Mam samochód. Chodźmy. – Theodore całuje mnie, wita się z Jackiem uściskiem dłoni i bierze część bagażu. Pakujemy wszystko do bagażnika czarnego volvo i sami ładujemy się do samochodu.

– Urządzimy sobie radosną podróż, prawda? – Theodore puszcza do mnie oko we wstecznym lusterku.

– Staram się.

– Naprawdę się stara – Jack zapewnia Theodore'a.

– Mogło być gorzej – stwierdza mój najlepszy przyjaciel.

– Doprawdy?

– Mogłaby wyjść za tego chłopaka Boggsów, który swego czasu włamał się do apteki i ukradł valium.

– No tak – mówię bez przekonania.

Magia, która sprawia, że włoskie Alpy to dla mnie obraz z marzeń, tym razem nie robi na mnie wrażenia. Równie dobrze mogłabym podążać na gilotynę. Jakby wszystko się kończyło, chociaż moja córka właśnie zaczyna nowe życie. Na przekór zapewnieniom wszystkich dookoła nadal mam bolesne przeczucie, że to małżeństwo jest skazane na klęskę.

Papa i Giacomina witają nas na podjeździe. Jego uścisk daje mi pewność siebie, a serdeczność Giacominy poprawia nieco nastrój.

– Gdzie Etta? – pytam.

– W kościele. Wróci lada chwila.

– Powinnaś się cieszyć, że bierze ślub kościelny – rzuca Theodore pod nosem.

– Nie przeginaj – odszeptuję.

Giacomina prowadzi nas do pokojów, a kiedy nadarza się sposobność, wpycha mnie do sypialni Papy. – Jak się czujesz? – pyta mnie z czułością.

– Byle jak.

– Wiem, że to dla ciebie trudne.

– Szkoda, że nie jestem aktorką. Dobrałabym sobie rolę, którą mogłabym teraz odgrywać. Naprawdę mocno się postaram być miła. Być szczęśliwa. Jak Etta?

– To miłość – odpowiada prosto Giacomina. Papa woła ją z dołu, a ona przeprasza i wychodzi.

Miłość. Takie małe słowo, którym można opisać wszystko i które może nie znaczyć nic. Ci Włosi. Dla nich na tym kończy się świat. Miłość sama w sobie jest sensem życia, lekarstwem na każdą bolączkę. Miłość to energia, z której powstaje wszystko, co piękne, bez względu na to, czy jest to srebrna filiżanka jagód, czy kochankowie na tandemie. Marzyciele. Oni wszyscy to marzyciele.

– Mamo? – Etta staje w drzwiach.

– Przepraszam, kochanie. Jestem na ciebie taka zła – mówię spokojnie. Patrzę na nią i oczywiście moje serce topnieje. To jest moja córka i jak niczego na świecie pragnę, żeby była szczęśliwa, i jeszcze bardziej niż kiedykolwiek chciałam własnego szczęścia. Nie potrafię jednak ukryć swojego rozczarowania ani strachu.

– Wiem. – Siada na krześle i zaprasza, żebym siadła obok niej. – Jak wam minęła podróż?

– Niezbyt dobrze.

– Myślisz, że jestem za młoda.

– Och, Etto, to nie tylko o to chodzi. Nie ufasz moim osądom. Nie słuchasz i nie korzystasz z mojego doświadczenia. Tak, jesteś młoda, ale też porywcza. Jeśli to naprawdę miłość, która ma trwać, dlaczego tak się spieszycie ze ślubem? Nie możesz pojechać do domu, skończyć studiów i potem wyjść za Stefana? Czemu to robicie? – To pytanie, które tak długo chciałam jej zadać, wychodzi ze mnie bezładnie i nie brzmi przekonująco.

– Bo to jest dla mnie dobre.

– Jak to? Zostałaś przyjęta do college'u i cieszyłaś się, że tam idziesz. Nie jest ci smutno, że rezygnujesz ze swojej przyszłości?

– Z niczego nie rezygnuję, mamo. Dodaję małżeństwo do mojego życia. Będę miała jednocześnie studia i męża.

– Kiedy to się stało?

– Mamo, wiedziałam, że wyjdę za Stefana, już jako ośmioletnia dziewczynka.

Moje myśli wracają do domu na Via Davide. Etta leżała na łóżku polowym obok mojego łóżka i oświadczyła mi, że pewnego dnia poślubi Stefana Grassiego. Wtedy rozczuliła mnie jej ufność, że jest mądra i potrafi zaplanować swoją przyszłość. Niech mnie diabli, że nie potraktowałam tego poważnie. Wszystkie najważniejsze wydarzenia jej życia, które tak często analizuję od kilku tygodni, dowodzą, że Etta zawsze jest wobec siebie szczera. Patrzy na mnie, czekając, aż coś powiem. A ja nie mogę. Wyciągam ramiona do mojej córki, a ona przytula się do mnie gwałtownie. Zaczynam płakać.

– Przepraszam, że nie umiem sobie dać z tym rady – mówię.

– Nie ma sprawy.

– Nie, ty zasługujesz na szczęście.

– Ty też, mamo.

– Nie martw się o mnie. Nic mi nie jest. – Kogo ja chcę oszukać? Nigdy już nie będę taka sama. Wypuszczam ją w świat i nawet jeśli do mnie wróci, to już nie moja. Ale to mój problem, nie jej.

– Chodź, wszystko ci pokażę. – Bierze mnie za rękę.

– Masz coś dla mnie do roboty?

– Całe tony!

Etta zabiera mnie do swojego pokoju na parterze, wyglądającego jak gablotka panny młodej. Zrobiła upominki na stół, małe złote, jedwabne torebeczki wypełnione migdałami i przewiązane pawim piórem.

– Są piękne. Ilu ludzi przyjdzie? – pytam.

– Tylko rodzina i kilkoro przyjaciół. Może będzie nas trzydziestka.

– Masz już sukienkę?

Etta kiwa głową podniecona i rozpina torbę na garderobę. – We Włoszech suknie są białe, ale ta ma domieszkę innego koloru. – Etta wyciąga nieskazitelną suknię z beżowego jedwabiu, o wysokiej talii i z okrągłym dekoltem. Na rąbku ma wyhaftowane maleńkie różowe i niebieskie pączki róż, a z tyłu spływają satynowe wstążki w kolorze różyczek.

– Jest doskonała – wzdycham.

– Tak myślisz?

– Bardzo mi się podoba. Taką sobie dla ciebie wymarzyłam.

Etta ściska mnie tak mocno, jakby chciała mnie udusić. – Och, mamo, jestem taka szczęśliwa.

– Opowiedz mi wszystko. Jak, gdzie, kiedy. – Siadamy obok siebie na łóżku.

– Wybrałyśmy się z Chiarą do Sestri Levante na plażę. Kiedy tam dotarłyśmy, dowiedziałyśmy się, że Stefano Grassi pracuje tam przy jakimś projekcie i pyta, czy chciałabym się z nim zobaczyć. Przyszedł do domu cioci Meoli i zaprosił mnie na kolację. Więc poszliśmy.

– I to się stało tak po prostu?

– Nie, jeszcze chwilę to potrwało. Ale mamo, Stefano napisał w liście do ciebie, że kocha mnie od czasu naszej ostatniej wizyty. Byłam za młoda, ale on spotykał się wtedy na poważnie z dziewczyną i rzucił ją, bo czuł się jak oszust, i miał nadzieję, że pewnego dnia będziemy razem.

– Pamiętam.

– Mamo, byłam mała, kiedy opowiedziałaś mi historię dziadka i swojej mamy. Wydało mi się takie romantyczne, że się tak w sobie zakochali i spotykali się potajemnie, tutaj w Schilpario, jak Romeo i Julia.

Kopnęłabym siebie za posianie tych romantycznych wyobrażeń w jej głowie, chociaż są prawdziwe. To wszystko moja wina! Milczę jednak. Niech mówi dalej.

– W każdym razie zaczęliśmy zaloty, jak należy, pod okiem dziadka w roli przyzwoitki, a potem Giacominy, i spędzaliśmy mnóstwo czasu razem, i już miałam wyjeżdżać, ale, mamo, nie mogłam wsiąść do samolotu. Stefano chciał, żebym wróciła do domu i poszła do college'u, i wróciła po dyplomie. Ale ja nie mogłam sobie nawet wyobrazić, że go opuszczam. Próbowałam. Wiedziałam, że powinnam, ale nic innego się nie liczyło, tylko Stefano. Pragnę być z nim przez resztę swojego życia. I nie chcę czekać. Nie ma powodu, żeby czekać.

– Powiedziałaś mi przecież, że jesteś dziewczyną z gór.

– Mamo, wyjrzyj przez okno. Tutaj też są góry. Tylko inaczej się nazywają. Ci ludzie są tacy sami jak mieszkańcy Big Stone Gap. Mają swoją muzykę i swoją kuchnię, i swoje zwyczaje. Nie chcą, żeby obcy przyjeżdżali i zmieniali ich życie. Podoba im się, że żyją z dala od świata i że goście się gubią, kiedy próbują tu dotrzeć. Pani, która prowadzi cukiernię, to druga ciocia Fleeta, zrzędzi, ale nie zrobiłaby nikomu krzywdy. A kobieta, która pracuje w sklepie z ubraniami, to znowu istna ciocia Iva Lou, wolny ptak. Mają tu nawet Specka Broadwatera, to strażnik leśny, który sprawdza potoki. Tu wcale nie jest inaczej. Czuję się tu jak w domu.

– To dobrze. Bo to będzie twój dom na resztę życia. Stefano jest Włochem i nie podejrzewam, żeby chciał wyjechać ze swojego kraju.

– Mnie to nie przeszkadza.

– Przyjmuję, że się zakochałaś i że wszystko już postanowione. Ale posłuchaj starej baby: ja się nie martwię o twoje szczęście w tym roku ani w następnym, wiem, że przez długi czas będziesz się unosić na skrzydłach rozkoszy. Mnie chodzi o twoją przyszłość, o to, że jak skończysz trzydzieści albo czterdzieści jeden lat, obudzisz się i zrozumiesz, że poświęciłaś młodość dla wielkiego romansu. To taki czas w twoim życiu, którego nigdy nie odzyskasz. I nie próbuję namówić cię, żebyś zmieniła plany. Popatrz, masz tu suknię, pantofle i *regali*. Wszystko przygotowałaś. Chcę ci tylko wyjaśnić, dlaczego nie podskakiwałam z radości, kiedy zadzwoniłaś. Martwiłam się o ciebie strasznie.

– Mamo, ty się zawsze będziesz o mnie martwić.

– Wiem. Robię, co mogę, i staram się przekazać ci to, czego uczyła mnie mama. Nie było w tym nic skomplikowanego ani wymyślnego: tylko tyle, że mam się szanować i być wierna temu, w co wierzę. Ale zdaję sobie sprawę, że narzucałam tobie swoje przekonania. A to jest twoje życie, nie moje.

Etta przytula mnie i po raz pierwszy od dnia, w którym się urodziła, czuję, że mnie potrzebuje. – Obiecuję ci – mówię mojej córce – że do następnej soboty, do dnia twojego ślubu, będę dla ciebie taka, jak powinnam.

– Wiem, mamo.

Idziemy z Theodore'em na długą wędrówkę po górach i szukamy pawi. Niestety. Albo się gdzieś przeniosły, albo źle skręciłam przy sośnie nad strumieniem. Ale widoki i tak są imponujące. Wspominamy nasze wycieczki do jaskiń w Lee County.

– Prawie doszłaś do siebie, Ave.

– Tak myślisz?

– Wiedziałem, że kiedy ją zobaczysz, wszystko będzie dobrze.

– Tak, masz rację.

– Telefon to nie to. Długie listy cię nudzą. Poza tym musiałaś trochę się pozamartwiać, zanim pozwoliłaś Etcie odejść. Cała ty.

Obejmuję Theodore'a, jestem mu taka wdzięczna za naszą przyjaźń. Kto by zarzucił własne plany wakacyjne, by przebrnąć przez ślub nastolatków? Kto inny zachowałby optymizm i pogodę, żeby mnie wesprzeć, kiedy oddaję się swoim złowieszczym przepowiedniom? W moich katastrofach jest jeden stały element i jedna osoba, która nieustannie wyciąga mnie z otchłani: niepowtarzalny Theodore Tipton.

– Jak ci się podoba Schilpario? – pytam.

– Gdzie podziała się Heidi?

– No właśnie, tu wygląda zupełnie jak w *Heidi*, prawda?

– Cały czas czekam, aż twój tata wyśle mnie na poddasze z dzbanem gorącego mleka i topionym serem. Pamiętasz to?

– To biedne dziecko piło tylko kozie mleko, jadło ser i od czasu do czasu kromkę chrupkiego chleba. – Nie do wiary, że tak dobrze pamiętam tę historię.

– Miasteczko jest zdumiewające. Cudowna architektura i bardzo interesujący ludzie.

– Dziękuję, że przyjechałeś.

– Przede wszystkim, nie miałem wyboru. Byłaś w nastroju samobójczym. Po drugie, kto by pokazał wielką figę jezioru Tahoe? Mogę wypożyczyć *Guys and Dolls*, jeśli będę miał wielką ochotę na hazard w stylu Reno. Nie, to jest ważne. To ślub twojego dziecka, i tu jest moje miejsce. Trzymałem ją do chrztu, na miłość boską.

No i kto by sobie odmówił wzniesienia toastu weselnego na tej wysokości nad poziomem morza?

– Nikt.

– Racja, do diabła.

– Giacomina powiedziała, że dzisiaj na kolację risotto.

– Niech te włoskie babki harują w kuchni przez cały czas, kiedy tu jestem. Chcę spróbować wszystkich miejscowych dań. Zanim ruszymy na dół, pokażesz mi łąkę fiołków?

– Dzwonków. Nie. To w innym kierunku. Daleko, daleko stąd.

– Teraz rozumiem.

– Co?

– Jak się wplątałaś w tego Pete'a Rutledge'a. Tu się zapomina, że w ogóle istnieje jakaś reszta świata.

Wracamy z Theodore'em w samą porę, żeby się umyć do kolacji. Zadziwiające, jak potrafię stanąć na nogi, kiedy jestem na swoim terenie. Wszystko w Alpach działa na mnie kojąco: powietrze, wonne pokrzywy i woda, tak czysta i lodowata, że oczyszcza najdalsze zakątki mojej duszy. Jack spotyka nas na korytarzu, w drodze do jadalni.

– Stefano tu jest.

– Myślałam, że przyjeżdża jutro.

– Chciał się z nami spotkać dzisiaj.

– Rozmawiałeś z nim?

– Przez dwie godziny.

– To dobrze. Jest po rozgrzewce – mówię do męża.

– Poczekaj, kocico z pejczem. To twój przyszły zięć. Zostaw mu skrawek ciała na ceremonię – upomina mnie Theodore.

– Och, nie omieszkam.

Ten dom nigdy nie wydawał się taki spokojny. Chyba nawet kamienie w ścianach są przerażone, że rozerwę to miejsce na kawałki, deska po desce, kiedy stanę oko w oko z mężczyzną, który ukradł mi córkę z Uniwersytetu Wirginii, Cracker's Neck Holler i Amerykańskiej Akademii Przyszłych Architektów.

W jadalni już nakryli do kolacji. Stefano stoi pod oknem. Wygląda na zewnątrz, jakby czemuś się przypatrywał, ale to pora kolacji, Via Scalina jest pusta.

– Stefano.

– Witam, pani MacChesney – wyciąga do mnie rękę.

Ja jednak obejmuję go. – Dziękuję za list. Wyjaśniłeś każdy szczegół. Więc ja zrobię to krótko i słodko. Życzę ci wszystkiego najlepszego.

– Etta powiedziała, że się pogodziłyście.

– To prawda. Dzięki Bogu.

– Przepraszam, jeśli sprawiłem pani ból.

– Och, sprawiłeś. Ale już sobie z tym poradziłam.

– Będę dbał o Ettę.

– Wiem. I ona będzie dbała o ciebie. Ale obiecaj mi coś.

– Oczywiście.

– Niech skończy college. To bardzo ważne, żeby zdobyła wykształcenie.

– Ja też tak uważam i ona też.

– Nie pozwól, żeby sobie to odpuściła, bo wsiądę w samolot, przyjadę tutaj i zrobię ci z życia piekło.

– Dobrze, proszę pani.

Theodore rzucił się na miejscową kulturę i wymyślił wycieczkę do Bergamo ze Stefanem, Ettą i Jackiem. Papa nalega, żebym odpoczęła przed ślubem, i chyba mi się to przyda. Chciałabym wyglądać dobrze na zdjęciach, a kiedy się ma ponad pięćdziesiąt lat, to wymaga dodatkowych czterech godzin snu. Wszystkie wielkie włoskie piękności olśniewają po pięćdziesiątce. Nie bez powodu trzymam w portfelu zdjęcie Sophii Loren. Ona ma ponad dziesięć lat więcej niż ja, ale wciąż jest najwspanialszym daniem w kontynentalnym menu. Przejścia z Ettą sprawiły, że wchodzę w najmniejszy rozmiar, jaki nosiłam od czasu, kiedy byłam nastolatką, a to, co matka natura przyprószyła siwizną, powróciło do orzechowego brązu na zaklęcie Lady Clairol. Zamierzam być piękna w sobotę, może najpiękniejsza w życiu. Włożę ciemnoszarą suknię wieczorową z rozkloszowaną spódnicą (mojej matki, oczywiście), a jeśli się ośmielę, przypnę sobie kwiat gardenii do gorsu.

Uwielbiam lustra w domu ojca, ponieważ są stare, upstrzone plamkami i dają złotą poświatę, która zaciera zmarszczki. Dziękuję Bogu i swoim włoskim genom za silny nos i szczękę: tak jak obiecywała mama, trzymają wszystko w górze i kiedy trzeba, odejmują mi z dziesięć lat.

– Ave, masz gościa! – krzyczy *nonna* z kuchni. Od kilku dni nikt jej nie widział. Piecze weselne ciasta, a to najwyraźniej wymaga większej koncentracji niż złamanie kodu Enigmy. Zbiegam ze schodów, w końcu zadowolona z siebie. Wpadam do kuchni i staję jak wryta.

– Pete?

– Ave.

– O mój Boże. Co ty tu robisz?

– Etta zaprosiła mnie na ślub – uśmiecha się Pete Rutledge.

– Naprawdę?

– Nie powiedziała ci?

– Nie.

– No cóż, ale ty nie masz nic przeciwko temu, prawda?

– Oczywiście, że nie. To wspaniale, że przyjechałeś – mówię. – To wszystko dzieje się za szybko. Miała iść do college'u tej jesieni i przyjechała tu na ostatnie wakacje, i zakochała się, i teraz wszyscy tu jesteśmy, i ty tu jesteś, i o mój Boże. Gdzie Gina?

– Rozwodzimy się.

– Nie!

– To nie zdało egzaminu.

Nonna słucha, mimo że nie zna angielskiego. Patrzy na mnie, czekając, aż przetłumaczę jej rozmowę. Ja jednak oznajmiam, że idę z Pete'em na spacer. Wzrusza ramionami i wraca do kuchni robić cherubinki z marcepana.

Ruszamy w górę drogą obok kaplicy aniołów. Próbuję zboczyć w stronę centrum rozrywki, żeby pokazać mu nowe lodowisko, ale on bierze mnie za ramię i prowadzi na starą kamienną ścieżkę, wiodącą w góry.

– Dokąd idziemy? – pytam.

– Nie wiem. Zobaczymy.

– Jack jest w Bergamo. Wróci wieczorem. – Brzmi to entuzjastycznie, ale tak naprawdę ma znaczyć: „Może ty się rozwodzisz, ale ja nadal jestem mężatką, proszę więc, przestrzegaj reguł".

– Świetnie, chętnie się z nim spotkam.

– Co się stało z Giną?

– Nie można się żenić dla samego małżeństwa. Trzeba tego bardzo chcieć. Naprawdę myślałem, że to wystarczy.

– A kto zawiódł?

– Oboje. Dużo podróżuję i za każdym razem, kiedy wyjeżdżam i wracam, zaczynamy wszystko od nowa, zamiast ruszać od punktu, do którego już dotarliśmy. To było dziwne. Myślałem, że ją kocham, miałem nadzieję, że ona kocha mnie, ale oboje odkryliśmy, że małżeństwo to coś zupełnie innego. To działa niemal niezależnie od miłości. Zgodzisz się ze mną?

– Chyba tak.

– To nie brzmi zbyt pewnie.

– Im jestem starsza, tym bardziej wierzę w szczęście.

Pete opowiada o swojej pracy, wspinając się po ścieżce. Jedną nogą nadal tkwi w marmurze, a drugą na uniwersytecie nowojorskim. W końcu wynajął mieszkanie w Nowym Jorku obok parku przy placu Waszyngtona (a zatem niedaleko Theodore'a). Dużo jeździ do Włoch, głównie dlatego, że je kocha, ale także w interesach.

– Dokąd idziemy? – pytam, ale z kierunku, który obraliśmy, sama odgaduję odpowiedź. Maszerujemy w stronę łąki dzwonków.

– Przecież wiesz.

– To nie jest dobry pomysł. – Zatrzymuję się na ścieżce.

– Dlaczego? – dziwi się niewinnie.

– Tam jest za wysoko. Ciśnienie sprawia, że robię to, czego nie powinnam. – Biorę głęboki oddech. – Czego nie chcę robić – poprawiam się.

– Jesteś pewna?

– Tak. Kocham mojego męża. On naprawdę jest mężczyzną mojego życia. Chociaż dojście do tego wniosku zajęło mi prawie dwadzieścia lat. Bez względu na to, co się dzieje, co robię, on pozostaje mi wierny. Był ze mną, kiedy cierpiałam z powodu menopauzy i miałam takie przypływy gorąca, że omal nie wjeżdżałam jeepem do jeziora Powell Valley, żeby się ochłodzić. Kiedy umarł mój przyjaciel Speck, poczułam się, jakbym straciła ojca, a Jack mnie pocieszał. Po telefonie, że nasza osiemnastoletnia córka wychodzi za mąż, pomógł mi się pozbierać, bo rozpadałam się na kawałki. Może mam ograniczone doświadczenie w tych sprawach, ale nie sądzę, żebym sobie z tym poradziła, gdyby nie Jack MacChesney.

– Rozumiem – mówi cicho Pete.

– Prawda wygląda więc tak, że już nigdy tam nie pójdę. Ani z tobą, ani sama. Ani z nikim. Chcę pamiętać, jak to było z tobą. Zatrzymajmy to wspomnienie, ale to wszystko. Dobrze?

– Dobrze.

Schodzimy ścieżką z powrotem do miasta, a ja myślę tylko o jednym – żeby moja córka wróciła już do domu.

Pomagam Giacominie pozmywać po kolacji. Wróciła wycieczka z Bergamo, wszyscy się ucieszyli na widok Pete'a Rutledge'a przy stole, a potem popłynęło wino i z barwnymi szczegółami, wśród wybuchów śmiechu, ruszyła opowieść o pierwszej podróży Etty do Włoch, kiedy była jeszcze mała, i o przyjeździe Pete'a do Big Stone Gap.

Theodore podchodzi do mnie przy zlewie. – Musimy porozmawiać – szepcze.

– Już prawie skończyłam.

– Natychmiast. – Theodore bierze mnie za ramię i wyciąga przez drzwi kuchenne. – Chcesz mnie wpędzić do grobu? Dlaczego mi nie powiedziałaś, że zaprosiłaś Pete'a? Nie powinnaś mnie straszyć na tej wysokości.

– Ja go nie zapraszałam. To Etta.

– Dlaczego przyjechał, nawet jeśli go zaprosiła? Czego on chce?

– Mnie – żartuję. – Pomyślałam, że z okazji ślubu Etty powiem Jackowi, że wszystko skończone, a potem wraz z Pete'em zjadę z alpejskich gór na osiołku.

– Sądząc ze sposobu, w jaki na ciebie patrzy, nie miałby nic przeciwko temu.

– To wszystko przeszłość.

– Tak, owszem, ale to jest Kraj Zapomniany Przez Czas, miej się więc na baczności.

Etta wcześnie kładzie się do łóżka, żeby wypocząć przed ślubem. Daję jej kilka minut, żeby się przygotowała do snu, a potem idę powiedzieć jej dobranoc. Siedzi na łóżku i czyta.

– Nie przeszkadzam?

– Skąd.

– Co czytasz?

– *Jak wam się podoba* Szekspira po włosku.

– Dlaczego akurat to?

– Stefano dał mi tę sztukę. To jest o ludziach, którzy się gubią, a potem odnajdują dzięki miłości.

– Brzmi interesująco.

– Wiesz, że wszystkie sztuki Szekspira kończą się albo pogrzebem, albo ślubem?

– To pamiętam.

– Zupełnie jakby dwa najważniejsze dni w życiu człowieka to był dzień ślubu i dzień pogrzebu. – Etta się uśmiecha.

– Nigdy nie odbyłyśmy naszej wielkiej rozmowy o seksie, prawda?
– To retoryczne pytanie.

– Oczywiście, że odbyłyśmy. Po kawałku, tu i tam, przez lata. Jestem uświadomiona, mamo, nie martw się.

– Wiesz, żaden moment nie jest idealny na taką rozmowę. Uwierz mi, nad tą jedną chwilą pracowałam przez siedem lat.

– Spisałaś się świetnie, mamo.

– Nie przyszłam tu po komplementy. Przyszłam powiedzieć, jaka ty jesteś wspaniała. To wielkie szczęście mieć taką córkę. Zawsze robiłam wielkie halo z tego, co zrobiłaś źle, zamiast podkreślać to wszystko, w czym byłaś świetna. Teraz już wiem, jaka to strata czasu skupiać się na sprawach, które tak naprawdę nie mają znaczenia. Ta lekcja kosztowała mnie dwójkę dzieci. Dobrze chociaż, że nauczyłam się tego, zanim mnie oddałaś do domu spokojnej starości na resztę moich dni.

Etta odrzuca głowę do tyłu i wybucha śmiechem. – Nie oddam cię do domu spokojnej starości.

– Nigdy nie obiecuj tego matce. Mogę tam robić krówki z siostrami Tuckett.

– Jesteś młoda, mamo.

– Dziękuję. Nigdy nie sądziłam, że odbiorę to jako komplement, ale widać nadszedł ten dzień.

– Mamo, ja tak bardzo kocham Stefana.

– Wiem o tym.

– Jesteśmy młodzi, ale czujemy się gotowi.

– Więc uda się wam, kochanie. Udaje się wtedy, kiedy ludzie się starają.

– Wyszłabyś jeszcze raz za tatę?

– Bez wahania. Jesteśmy bardzo różni, ale jakimś cudem uwielbiamy te różnice, zamiast kłócić się z ich powodu. A tak naprawdę chodzi o to, że on jest wspaniałym człowiekiem. Nie znam nikogo wspanialszego od twojego ojca, dlaczego więc miałabym wybrać kogoś innego?

Etta patrzy na mnie przez chwilę, jakby chciała o coś zapytać; znam tę dziewczynę od dnia jej narodzin i wiem o co.

– Dlaczego zaprosiłaś Pete'a? – pytam.

– On jest dla mnie częścią Włoch. Od tamtego lata, kiedy tu byłyśmy. Pamiętam podróż do tej kopalni marmuru i jak zabrał nas pociągiem do Florencji.

– Wszystko to pamiętasz?

– O tak. On sprawił, że znowu byłaś szczęśliwa, mamo. Po śmierci Joego prawie nigdy się nie śmiałaś. A kiedy przyjechałyśmy tu tamtego lata, znowu się zaczęłaś uśmiechać. I jednej nocy nawet tańczyłaś. To wtedy dowiedziałam się, że możesz być szczęśliwa.

– Pete był, jest, dobrym przyjacielem. – Patrzę na Ettę. – I tylko tyle. Przyjacielem.

– Tak, mamo.

– To prawda – mówię. – Miło z twojej strony, że go zaprosiłaś. Tata też go lubi.

– Wiem! Widzisz, nawet to miało się zdarzyć. Tata zyskał dzięki tobie dobrego przyjaciela.

– To właśnie powiedziały ci gwiazdy?

– Nie potrzebuję gwiazd, żeby to wiedzieć. – Etta patrzy na mnie poważnie. – Co mi poradzisz, mamo?

– Naprawdę chcesz mojej rady?

– Jasne.

– Cóż, byłabym bardzo cierpliwa ze Stefanem. On się wychowywał zupełnie inaczej niż ty. Nie miał matki ani ojca i to pozostawiło w nim pustkę, której nikt nie umie wypełnić. Wiem, bo sama przez to przeszłam. Kiedy umarła moja mama, zostawiając list, z którego się dowiedziałam, że to Mario Barbari jest moim ojcem, a nie Fred Mulligan, potrzebowałam dużo czasu, żeby pojąć, co się stało i co to znaczy. A Stefano spędził większość swego życia, próbując zrozumieć, dlaczego akurat jego spotkał taki los. Jeśli jednak jesteś sprytna, a jesteś, i jeśli jesteś podobna do ojca, a jesteś, będziesz wiedziała, jak sobie z tym poradzić.

– Jak tata sobie z tym poradził?

– Pozwolił mi czuć ten smutek. I słuchał. I nigdy nie próbował zrobić ze mnie kogoś, kim nie byłam, tylko kochał mnie za to, jaka jestem, wiedząc, że mój smutek stanowi część mnie.

– Będę to pamiętać. Mamo, czy mam wszystko? – pyta mnie Etta.

– Lepiej się przygotowałaś niż ciocia Iva Lou, kiedy jechała do Włoch trzy lata temu.

– Aż tak dobrze? – uśmiecha się Etta.

– Tak dobrze – potwierdzam. – Będziesz miała najlepszy miesiąc miodowy. Rimini jest cudowne.

– Dziękuję za wszystko, mamo. Za to, że przyjechałaś i że mnie wspierasz.

– Mam coś dla ciebie. – Daję Etcie paczuszkę zapakowaną w biały papier i przewiązaną różową jedwabną wstążeczką.

Etta rozdziera opakowanie. – Pusta książka? – Kartkuje oprawiony w skórę dziennik.

– Twój tata i ja...

– To mój własny dziennik rocznicowy! Naprawdę, mamo? Zawsze tak mi się podobało, że piszecie do siebie na rocznice ślubu.

Staram się nie płakać. Okazuje się, że ona wszystko dostrzegała, dobre rzeczy też. Przez te wszystkie lata dokładnie obserwowaliśmy Ettę, a ona przez cały czas obserwowała nas. Może jest gotowa napisać własną historię. – Kupiłam grubszy, bo wychodzisz za mąż tak młodo – żartuję. – Nam wystarczy cieńszy, bo pobraliśmy się w późniejszym etapie życia. – Śmiejemy się razem.

– I jeszcze coś. Nie bój się mieć dzieci. Straciliśmy Joego, ale to było niezależne od nas. Wciąż nie rozumiem dlaczego, ale nawet gdybym wiedziała, nie oddałabym ani jednego dnia z tego czasu spędzonego z nim.

– Ja też – mówi Etta cicho.

– Postaraj się nie podejmować żadnej decyzji ze strachu. Rób to, co podpowiada uczucie, a nigdy nie zbłądzisz.

Etta i ja długo siedzimy przytulone. Rodzicielstwo, najmniej stałe zajęcie na świecie, właśnie się dla nas skończyło, a dzisiaj wieczorem zaczęliśmy nową historię. Następny rozdział powinien być majstersztykiem.

Dzień ślubu Etty i Stefana, 3 września 1998 roku, to najpiękniejszy dzień, jaki przeżyłam. Kamienie brukowe na Via Scalina w drodze do kaplicy Świętej Chiary mienią się w słońcu. Na błękitnym niebie nie ma najmniejszej chmurki, a powietrze jest na tyle chłodne, że mogę owinąć ramiona metrami srebrnej tafty jak hrabina. Mój mąż wygląda niezwykle przystojnie w granatowym prążkowanym garniturze o włoskim kroju, z czerwoną chusteczką. Nie mówiliśmy ani słowa, przygotowując się rano. Całował mnie tylko przy każdej okazji.

Zia Meoli i *Zio* Pietro siedzą w pierwszej ławce w kaplicy. Zanim zacznie się ceremonia, wchodzę schodami na mały chór i modlę się pod witrażem Matki Boskiej, przed wielu laty zaprojektowanym i wykonanym przez mojego prapradziadka. Przyzywam moją mamę i Ave Marię Albricci, która się nią zaopiekowała, kiedy mama była sama i nosiła mnie pod sercem, żeby czuwały nad moją córką. Jack wchodzi po schodach. Już czas zacząć uroczystość.

Don Andrea, ksiądz, który udzielił ślubu Jackowi i mnie, stoi przy ołtarzu. Alpejskie powietrze mu służy; wydaje się równie krzepki jak wtedy. Etta poprosiła swojego tatę i mnie, żebyśmy odprowadzili ją do ołtarza. Przed nami idzie córka Federiki, Giuliana, w różowej tiulowej sukience i z bukiecikiem szarotek, a za nami Chiara w prostej popielatej sukience z bukszpanowym wianuszkiem.

Giacomina pełni rolę starościny wesela w orszaku panny młodej, a Papa jest drużbą. Stefano, w czarnym garniturze w stylu edwardiańskim z bladoniebieskim krawatem, ani na chwilę nie odrywa wzroku od mojej córki. Docieramy na miejsce, całuję swoją dziewczynkę i odsuwam się. Mój mąż całuje ją i tuli bardzo, bardzo długo. Tylko ja wiem, co to dla nich znaczy. Od chwili narodzin czuła się rozumiana, słuchana i pielęgnowana przez ojca. Zawsze byli najlepszymi przyjaciółmi, a ja mam wielką pociechę z tego, że ona dostała w życiu to, czego ja nie zaznałam.

Bałam się, że będę płakać na uroczystości, ale nie. Słucham uważnie nauk, które ksiądz daje Etcie i mojemu zięciowi. Mówi im, że w małżeństwie najważniejsza jest miłość, ale przebaczenie pozwala związkowi trwać. Jack bierze mnie w tym momencie za rękę. I on, i ja wiemy z doświadczenia, jak prawdziwe są te słowa.

– Czyż ona nie jest piękna? – szepcze do mnie mąż. Kiwam głową. I to prawda, przez całe swoje życie nie widziałam kobiety tak urodziwej. Długie brązowe włosy Etty są nisko upięte w kok i ozdobione maleńkimi bukiecikami szarotek. Jest wysoka i smukła, niemal tego wzrostu, co mąż, a kiedy stoją obok siebie, wydaje się, że jest mu równa. Ma oczy w tym samym głęboko zielonym kolorze, co jej babcia MacChesney, szkockie piegi wyglądające spod pudru i różane usta, w których widać zdecydowanie.

Theodore wie, o czym myślę. Sięga nad oparciem ławki i bierze mnie za rękę. Odwracam się i uśmiecham do niego. Kilka rzędów za Theodore'em siedzi Pete Rutledge i uśmiecha się do mnie. Tutaj, pod tym dachem, zebrali się najważniejsi mężczyźni w moim życiu, którzy mnie kochają, akceptują i którzy mnie zmienili. Jaki los nas tu zebrał? Jaka dziwna karma? Skąd to wrażenie, że już wszyscy tu kiedyś byliśmy, w tej kaplicy pachnącej kadzidłem i białymi liliami? Łączą nas nie tylko więzy krwi, ale także jakaś siła, spychająca nas w jedno miejsce z powodów, których nigdy nie zrozumiemy. Czy moja mama musiała zostawić te góry dla gór południowo-zachodniej Wirginii po to, żebym mogła znaleźć Jacka MacChesneya? I dlaczego moja córka wróciła dokładnie w to samo miejsce, gdzie urodził się jej dziadek, i tu znalazła prawdziwą miłość? Chce mi się śmiać, ale powstrzymuję się. My, kobiety z rodziny Vilminore, zawsze mamy daleko do domu.

Wszystkie łzy zostawiłam na lot powrotny. Jack próbuje drzemać. Budzi się co pewien czas tylko po to, żeby zobaczyć, czy już wyschłam – ale jeszcze nie. Etta i Stefano wyjechali do Rimini w podróż poślubną, a ja przez kilka sekund miałam nieodpartą chęć wskoczyć za nimi do samochodu. Jack mnie powstrzymał, a może pohamował także własny odruch. Przez ostatnie osiemnaście lat spędziliśmy tyle czasu na rozmowach o Etcie. Dziwne więc, że przez ten tydzień ledwie się do siebie odzywaliśmy. W noc poprzedzającą ślub poszliśmy spać, zamiast wszystko omówić, następnego ranka przy śniadaniu nie analizowaliśmy niczego i milczeliśmy w drodze do kościoła. To cały mój mąż: kiedy dzieje się coś naprawdę ważnego, nie mówi ani słowa.

Wstaję i przechadzam się między fotelami, żeby rozprostować nogi. Kiedy wracam, Jack nie śpi. Wsuwam się na siedzenie obok i opieram się o męża. Otacza mnie ramieniem, na którym ja kładę dłoń.

– Po co jedziemy do domu? – wzdycha.

– Tam mieszkamy – odpowiadam.

– Nasza córka jest we Włoszech. Co będziemy robić w tym domu?

Jack ma rację. Pearl jest w Bostonie, a skoro Janine zarządza aptekami, mnie nie potrzebują. Specka już nie ma, a wraz z nim straciłam podporę. Kocham stary kamienny dom w Cracker's Neck Holler, ale został zbudowany dla rodziny, żeby jadła w kuchni przy ogniu, odpoczywała w pokojach z wielkimi oknami i biegała po polu wychodzącym na Stone Mountain. Las poczuje się samotny, jeśli tylko dwoje górali w średnim wieku będzie się po nim snuć raz na jakiś czas, kiedy ogarnie ich stosowny nastrój. Po lesie powinny biegać dzieci, wspinać się po drzewach, łowić ryby w strumieniu i jeść dzikie jagody rosnące pod Samotną Sosną.

– O co ci chodzi? – pytam.

– Jesteś otwarta na wszelkie możliwości?

– Co to znaczy?

– Potrafisz myśleć sercem, a nie głową?

– Potrafię.

– Co zrobimy z drugą połową życia? Mówię połową, bo bywam szczodry – śmieje się Jack.

– Nie zastanawiałam się nad tym.

– A ja trochę tak.

– Od kiedy?

– Od kiedy Etta powiedziała, że wychodzi za mąż.

– Nie możemy pojechać za nią do Włoch – mówię żałośnie. Ostatnia rzecz, jaką powinna zrobić dobra matka, to wścibiać nos w sprawy córki, która dopiero co wyszła za mąż.

– Nie mam zamiaru za nią jechać, chcę tylko być bliżej.

– Myślisz, że Król Oliwy nadal cię chce?

– Może.

Jack mnie przytula, a ja odwracam głowę, żeby wyjrzeć przez okno, ale nic za nim nie widać. Zupełnie jakby za naszym oknem, w głębokiej nocy, powieszono czarną aksamitną zasłonę. Gdzieś pod nami jest Atlantyk, a za chmurami kryje się księżyc. W ramionach mojego męża to jedyne rzeczy, których jestem pewna.

– Musimy zamarzyć od nowa – szepczę.

– To znaczy?

– Na początek musisz być szczery. Musisz przyznać, że jedna historia się skończyła, a druga powinna się zacząć.

– Wiemy, że jedna historia się zakończyła, Ave. O czym marzysz, a czego nigdy nie miałaś?

– To trudne pytanie dla dziewczyny nastawionej na cel. Zawsze bardzo się starałam o to, czego chciałam, a kiedy to dostawałam, wyobrażałam sobie, że jestem szczęśliwa.

– Myślisz, że jestem częścią twojej przyszłości? – pyta Jack bez krzty rozczulania się nad sobą. – A jeśli tak, czy wybrałabyś mnie raz jeszcze?

– Nawet tysiąc razy.

– To dobrze. Bo ja wybieram cię każdego ranka.

Jack mości się na siedzeniu i zasypia. Przyciskam do siebie jego ramię i podejmuję decyzję: otworzę się na jego marzenia i będę go zachęcać, by podążał za głosem serca. Jeśli wylądujemy na toskańskiej plantacji oliwek, to tym lepiej.

– Mają państwo miesiąc miodowy? – uśmiecha się przechodząca między fotelami kobieta o siwych włosach.

– Tak – odpowiadam.

– Za drugim razem zawsze jest słodziej.

– Pierwszy raz też nie był taki zły.

– Nie mów mu tego – szepcze, wskazując Jacka Maca, i idzie dalej.

Opieram się na mężu i robię to, co zawsze, czyli wciągam i wypuszczam powietrze, aż nasze oddechy się wyrównują. Ze wszystkich decyzji, które w życiu podjęłam, poślubienie Jacka MacChesneya było bez wątpienia najlepszą.

Lecąc przez nocne niebo, dobrze wiedzieć, że postąpiło się słusznie. Miłość to może nie wszystko, ale kiedy jest prawdziwa, wystarcza.

Podziękowania

Jakże się cieszę, że moim ojcem jest Anthony Trigiani! Takiego wyczucia komizmu nie spotkałam u żadnego innego człowieka. Mój tata lubi ryzyko i nigdy nie dba o skutki podjęcia wyzwania, po prostu najważniejsze to spróbować. Taka nieustraszoność jest zaraźliwa i to dzięki niej stawiam sobie pytanie: „Jeśli zrobię coś nowego, to co najgorszego może się wydarzyć?". Kiedyś ojciec uczył mnie prowadzić samochód. Przy żółtym świetle powiedział coś, co na zawsze utkwiło mi w pamięci: „Kto się waha, jest zgubiony". To zdanie nie miało dla mnie większego sensu, póki nie pojęłam jego sedna: podejmij decyzję i ruszaj. Ta dewiza sprawdza się za kierownicą, sprawdza się też w życiu.

We wspaniałym Random House moje nieustające podziękowania dla Królowej Wszystkich Redaktorów Lee Boudreaux, fantastycznej Ann Godoff, dla Księcia Promocji Todda Doughty'ego (no niech ktoś znajdzie na świecie osobę, która ciężej pracuje!), Dana Remberta, Beth Pearson, Ivana Helda, Laury Ford, Libby McGuire, Victorii Wong, Allison Heilborn, Eda Brazosa, Eileen Becker, Steve'a Wallace'a, Sherry Huber i Stacy Rockwood. W Ballantine dziękuję wspaniałemu zespołowi pod wodzą cudownej Giny Centrello, Maureen O'Neal, Allison Dickens, Kim Hovey, Candice Chaplin, Kathleen Spinelli i Cindy Murray. Wdzięczna jestem także niezastąpionej Lorie Stoopack.

Dla Suzanne Gluck, najlepszej agentki na ziemi i jeszcze lepszej przyjaciółki, wyrazy miłości i wdzięczności. Jeszcze więcej dla listy przebojów WMA, w tym dla Emily Nurkin, Karen Gerwin, Jennifer Rudolph Walsh i Cary Stein. Moje podziękowania niech przyjmą także: Nancy Josephson, Jill Hollwager, Ben Smith, Caroline Sparrow, Betsy Robbins i Margaret Halton, jak również Lou Pitt, John Farrell, Michael Pitt, Jim Powers i Todd Steiner.

Wyrazy miłości i podziękowania dla cudownej Mary Testa, Toma Dyi, Ruth Pomerance, Rosanne Cash, Billa Persky'ego, Joanny Patton, Phyllis George, June Lawton, Larry'ego Sanitsky, Jeanne Newman, Debry McGuire, Johna Melfiego, Grace Naughton, Dee Emmerson, Giny Casella, Sharon Hall, Beth Thomas, Wendy Luck, Sharon Watroba Burns, Nancy Ringham, Constance Marks, Cynthii Rutledge Olson, Jasmine Guy, Susan Toepfer, Craiga Fissego, Joanne Curley Kerner, Maksa Westlera, Pameli Cannon, Dany i Richarda Kirshenbaumów, Marisy Acocelli, siostry Jean Klene, Rega Baina, Freda Syburga, Susan i Sama Franzeskosów, Jake'a i Jean Morrisseyów, Beaty i Stevena Bakerów, Brownie Polly, Aarona Hilla i Susan Fales Hill, Kare Jackowski, Rhody Dresken, Boba Kelty'ego, Christiny Avis Krauss i Sonny'ego Grosso, Grega Cantrell, Rachel DeSario, Mary Murphy, Rity Braver i dla Irene Taylor. Bezmiar wdzięczności dla Caroline Rhea, przewodniczącej fanklubu Ave Marii, oraz dla Eleny Nachmanoff i Dianne Festa – kocham was, dziękuję i stawiam wielką kolację z wódką. Dziękuję i pozdrawiam Michaela Patricka Kinga za napędzanie tratwy mojego życia i zepchnięcie mnie do brzegu.

Rodzinom Trigiani i Stephenson, moim włoskim krewnym, rodzinom Spada, Maj i Bonicelli – podziękowania. Ludziom z Big Stone Gap i ich sąsiadom w Blue Ridge i Appalachii wiecznie wyrazy wdzięczności za wsparcie i czytelników.

A mojemu mężowi, Timowi Stephensonowi, który dzieli ze mną życie, dziękuję za wszystko inne, tak wielkie, że nie pomieściłoby się w stanie Rhode Island.

Książkę wydrukowano na papierze
Ecco Book Cream 70 g/m^2, vol. 2.0
dostarczonym przez

TWÓJ PAPIER
TWÓJ PARTNER
ECCO
PAPIER

Infolinia 0-801 687 200
www.eccopapier.com.pl

Warszawskie Wydawnictwo Literackie
MUZA SA
ul. Marszałkowska 8, 00-590 Warszawa
tel. (0-22) 827 77 21, 629 65 24
e-mail: info@muza.com.pl
Dział zamówień: (0-22) 628 63 60, 629 32 01
Księgarnia internetowa: www.muza.com.pl

Warszawa 2004
Wydanie I

Skład i łamanie: MAGRAF s.c., Bydgoszcz
Druk i oprawa: Drukarnia Naukowo-Techniczna, Warszawa